Proua van

Gogh

CAROLINE CAUCHI

Proua van Gogh

Inglise keelest tõlkinud
Margit Pent

Originaali tiitel:
Caroline Cauchi
Mrs van Gogh
One More Chapter
a division of HarperCollins Publishers, London
www.harpercollins.co.uk

Toimetanud Ingrid Eylandt-Kuure
Kujundanud Angelika Schneider

ISBN 978-9916-17-517-0
www.tnp.ee
Trükitud AS Pakett trükikojas

Kugina, see raamat on sulle.*
Ma jään Sind igaveseks igatsema.

(Dr Jacqueline Azzopardi,
snd Cauchi, 1969–2016)

* Nõbu – malta k

„Igapäevaelu rutiinis on nii vähe aega, et peatuda ja järele mõelda, ning mõnikord kulub päevi, mil ma tegelikult ei ela, vaid lasen elul juhtuda, ja see on kohutav. Minu jaoks oleks hirmus, kui peaksin oma elu lõpus tõdema, et olen tegelikult elanud asjata, et ma pole korda saatnud midagi suurt ega üllast..."

Johanna Bonger,
17-aastane (26. märts 1880)

NAINE VINCENT VAN GOGHI KUULSUSE TAGA

Pühapäev, 17. juuni 2018

Vincent van Goghi surma kohta 29. juulil 1890. aastal on üldiselt valitsenud arvamus, et kuulus kunstnik tegi enesetapu. Tema surma asjaolude ümber on spekuleeritud üle saja aasta. Kui aga kunstniku nimi oli veel mitu aastakümmet pärast surma laiemale üldsusele praktiliselt tundmatu, siis miks on pööratud nii vähe tähelepanu sellele, mis juhtus kuulsa postimpressionisti töödega pärast seda, kui ta siitilmast lahkust?

Täna kuulub van Gogh lääne kunstiajaloo kuulsaimate ja mõjukaimate kunstnike hulka. Paljud ei mõtle sellele, et kunstnik, kelle nime võib pidada kunsti sünonüümiks, müüs oma eluajal vaid mõne maali ning vahetas oma maale toidu ja alkoholi vastu. Muidugi hindasid van Goghi suhtlusringkonna kunstnikud tema loomingut, kuid laiema avalikkuse teadvusse jõudis ta alles aastakümneid hiljem.

Mis aga tekitas selle nihke avalikkuse teadlikkuses? Mis juhtus Vincenti loominguga pärast tema surma? Kes võttis enda peale ülesande tutvustada van Goghi maale maailmale?

Juhtus aga proua Van Gogh. Just tema teene on see, et Vincent van Goghi nimi sai maailmakuulsaks.

Ent mida me tegelikult teame proua van Goghist?

1\.

PEATÜKK

Ilmumine

SUVI
1888

Pariis

RAUDTEEVAGUNID

„Õde!"

Üksainus sõna, ja ma muutun hetkega Gare du Nordi raudteejaama ees nuuksuvaks õnnetusehunnikuks. Jumal teab, mida teised reisijad arvavad, väike kohver on kukkunud mu jalge ette ja pisarad voolavad mööda põski. Kahtlustan, et ma korra isegi niutsatasin kaeblikult. Minu taskurätik on surutud liiga sügavale varrukasse, et seda kätte saada, ja ma ei proovigi enam. Näen teda, oma venda: ta on pikk, vehib kõvakübaraga rahvahulga kohal, hüüab mind ja trügib läbi rongist välja valguvate reisijate summa minu poole.

Seisan vaikselt, vaadates, kuidas ta möödub raudteejaama kivisammastest. Teised reisijad tormavad ringi, kannul pakikandjad, kes püüavad liiga paljude kohvritega žongleerimisega toime tulla. Kisa, kära, head-aega-hüüded, kõvakübarad ja kerjused. Õlgkübarad, naer, silindrid, paljasjalgsed lapsed. Naised tõstavad oma päikesevarjud pea kohale, et päike nende nägu ei kõrvetaks, mõnel on isegi lehvik, millega nad püüavad meeleheitlikult sõõmu õhku saada, minul aga pole midagi, mis mind pärastlõunase lõõsa eest kaitseks. Kuulen keeli, mida ma tean, murdeid, mida ma ei tunne. Siis jõuab mulle äkki kohale: *ma olen Pariisis.*

„Sa oled siin," ütlen nuuksete vahel kokutades.

„Püha müristus, milline kuumus," ütleb vend. Ta tupsutab siidtaskurätikuga oma otsaesist. Andriesel on nägu, mida võiks pidada nooruslikuks: ovaalse kujuga ja pigmendilaikudeta, tema kõrvad ulatuvad peast pisut eemale ja vuntside otsad kipuvad ülespoole keerduma. „Kas sa ootasid kaua? Ma oleksin varem jõudnud, aga mamma kiri tuli alles paar tundi tagasi ja mul oli vaja nii palju asju ära teha..."

„Nad siis ütlesid sulle?" küsin. Andries noogutab, tema silmad hüplevad ühelt möödujalt teisele, vältides mulle otsavaatamist. Kaotan uuesti enesevalitsuse. Nina luriseb ja silmist purskavad pisarad. Kogu häbi ja piinlikkus, see meeletu segadus, mille olen oma elus korraldanud. Tõstan silmade pühkimiseks pluusivarruka, aga Andries ulatab mulle oma siidist taskurätiku. Võtan selle, tupsutan silmi ja põski ja nuuskan nii kõvasti, nagu puhuksin trompetit. Ulatan taskuräti vennale tagasi, aga ta raputab pead.

Andries tõmbab mind enda vastu. Ta annab mu otsaesisele musi ja paneb siis käe ümber mu õlgade. „Kõik saab korda."

„Ma ei saa enam kunagi õpetajana töötada," ütlen talle. Noor pakikandja põrkab vastu mu hiiglaslikku turnüüri, tema kõikuvast koormast kukub väike kohver kolinaga kõnniteele.

„*Pardon, mademoiselle,*" ütleb ta. Ta kummardab kergelt, silmad maas, mispeale ülejäänud pakid ähvardavad ettepoole vajuda. Poiss ajab selja ruttu sirgeks, et koorem laiali ei pudeneks. Ta on segaduses ja noor, pigem laps kui täiskasvanu. „Minu esimene päev," pomiseb ta kiiresti prantsuse keeles. Naeratan talle tahtmatult.

„Minu oma ka," ütlen hollandi keeles, aga ma ei usu, et ta aru saab.

„Minu turnüür. See on Pariisi jaoks liiga suur," ütlen pahuralt. „Võin vanduda, et inimesed näitavad näpuga ja naeravad." Pööran, et turnüüri Andriesele näidata. See hoiab eemale nagu riiul ja minu siluett näeb välja nagu hobuse tagumik. Raudteejaama kell lööb neli, Andries kummardub, tõstab mahakukkunud pagasi üles ja paneb selle tagasi poisi nahkkohvrite hunniku otsa.

„Kas sa vihkad mind?" küsin.

„Ära räägi rumalusi. Sa oled minu lemmikinimene kogu maailmas."

„Papa vihkab. Ta ütleb, et ma olen oma hariduse ära visanud ja teid kõiki häbistanud."

„On ka teisi elukutseid," ütleb vend. Ta võtab mu kohvri ja annab noogutusega märku, et ma talle rahvasummas järgneksin.

„Minu maine on hävitatud. Küll Eduard Stumpff juba selle eest hoolitseb."

„Ta kirjutas isale," ütleb Andries läbi rahvahulga manööverdades. „Teatas, et sa jälitasid teda, ja süüdistas sind selles, et ta *kompromiteeriva* kallistusega vahele jäi. Ütles, et see juhtus vaid ühe korra." Venna samm on pisut liiga kiire, kõvakübar kõrgub inimeste peade kohal. Pean pingutama, et sammu pidada.

„Misasja?" küsin. „See kestis kolm aastat..."

„See juhtus ühe korra," kordab Andries karmi häälega, pilk ainiti ettepoole suunatud. Noogutan, ta ei saa aru. Tundub, et minu elulugu on pika teekonna ajal Amsterdamist Pariisi ümber kirjutatud. Kogu süü lasub minul. Ametlik seisukoht on välja öeldud. Papa on juba kokku leppinud, et mind vabastatakse töölt „auväärselt tervislikel põhjustel" tingimusel, et hoian end Eduard Stumpffist eemale.

„Ma tahaksin neile tõtt rääkida. Ta oli silmakirjateener..."

„Jo, sa oleksid pidanud temast hoiduma," ütles Andries.

„Aga ta kirjutab romaane," ütlen, nagu selgitaks see kuidagi minu võimetust ei öelda.

Näen oma vaimusilmas Eduardi. Tema tumedaid juukseid langemas silmadele, üht kätt haaramas mind pihast, teist lükkamas mind vastu tahvlit, kriiti oma juustes. *Ma armastan sind, Jo. Me oleme varsti koos.*

Andries peatub ja kui ma vastu tema selga põrkan, siis mu nägemus kaob. 10. ringkonna tänavate müra tungib jälle mu kõrvadesse. Vend vaatab mulle otsa.

„Mis sul ometi arus oli, Jo?" Kuulen tema hääles pettumust.

„Ilmselt mitte midagi, aga ta pole mingi pühak. Ta..."

„Tule," ütleb vend edasi kõndides. „Ma ajame selle koos joonde. Ma mõtlesin, et võiksime sõita minu juurde voorimehega. Et sa ei peaks täna kõndima."

Läheme jaama juures seisvate voorimehetõldade poole. Munakividel auravad sõnnikuhunnikud ja nende hais tungib mulle ninna. Hoian Andriese taskurätti nina ja suu ees, aga sellest on vähe abi. Ootan, kuni Andries voorimehega aadressi arutab, neid kumbagi ei paista hais segavat. Voorimehe piits on pikim, mida ma elus näinud olen, ja tema silinder on kõrgem kui need, mida kodus kantakse.

Pariis on suurem ja uljam kui Amsterdam. Kõik siin tundub erakordne, olen kindel, et isegi päike paistab siin eredamalt ja tugevamalt.

Kaks käbedat poissi, tänavakoristajad ilmselt, roomavad neljakäpukil, ühes käes kühvel ja teises hari, ning püüavad rämpsu kokku korjata. Pettumus on neile näkku kirjutatud, sest kühvlid on liiga väikesed ja sodi liiga palju.

Kui voorimehega on kokku lepitud, annab Andries talle minu kohvri ja siis ulatab mulle käe, et mind vankrisse aidata. Võtan taskurätiku näo eest ja manööverdan hinge kinni hoides oma turnüüri kolmest astmest üles ja läbi kitsa ukse vooritõlda. Sees hingan sügavalt välja – mulle tundub, nagu oleksin viimased kolm aastat hinge kinni hoidnud. Nahkistme serval istudes kohendan kitsas ruumis oma naeruväärset turnüüri, kui Andries sisse astub ja ukse sulgeb.

Ta annab voorimehele märku, ma kuulen hüüdu: „*Hé, labas*!" ning tõld hakkab üle munakivide kõikudes veerema.

Sõidame viis minutit vaikuses, vaadates mööda vilksatavat Pariisi elu, siis küsib Andries: „Mida kokk tegi, kui ta teile peale sattus?"

„Karjus hüsteeriliselt, kuni kooli direktor kohale jõudis," vastan.

„Ma ei imesta, et ta su sealsamas lahti laskis."

Noogutan, võimetu kaela ja põskede õhetust maha suruma. „Eduard sai siiski ametisse edasi jääda." Vaatan venda, oodates tema reaktsiooni, aga seda ei ole.

„Ja jutt oli levinud Amsterdami enne, kui sa koju jõudsid?" küsib Andries ja vaatab aknast välja, mitte otsavaatamist vältides.

„Papa ootas jaamas. Ta oli raevus, karjus ja andis mulle mitu kõrvakiilu. Ma arvan, et sellest jätkub naabruskonnas juttu mitmeks nädalaks." Tõstan automaatselt käe põsele. See õhetab ikka veel.

„Millist reaktsiooni sa siis ootasid?" vaatab Andries mulle lõpuks otsa.

„Ta oleks võinud sõbralik olla," vastan peaaegu sosinal. „Ma eksisin, armusin, inimestega juhtub ju seda? Papa isegi ei öelnud, mis mind siin ees ootab."

„Oh sind, Jo," ütleb vend, kummardub ja haarab mu käe. „Mul on alati hea meel, kui avaneb võimalus sinuga aega veeta."

„Eduard ütles, et ta armastab mind, et ta teeb meie suhte ametlikuks, et me oleme koos kohe, kui tema romaan avaldatakse."

Andries turtsatab ja raputab pead. Ma ei ole kindel, kas ta pilkab mind või teevad mu sõnad talle nalja, aga ma tean, et ta pole vihane. „Rumaluke. Sa oled ju täiskasvanu. Kahekümne viie aastane. Sa peaksid ometi teadma."

„Papa ei lasknud mul midagi selgitada. Ta ei lasknud mul ainsatki ööd kodus veeta, selle asemel pakiti mind esimesse rongi ja saadeti siia."

Vend haarab uuesti mu käe.

Ma olen nüüd kaitstud.

„Sa andsid sellele mehele kõik, mida ta tahtis, ilma et ta peaks kunagi sinuga abielluma."

„Ma ei andnud talle *kõike*, me ei olnud kunagi..."

„See on nüüd möödas." Andries nokib oma kitsastelt pükstelt üksiku juuksekarva ja püüab kuuldut mõista. Minu jaoks on tähtis, et ta tõde teaks.

„Ma ei ole kunagi end nii räbalalt tundnud," ütlen talle.

„Pole mõtet sellel kauem peatuda, õeke. Sa oled nüüd Pariisis, koos minuga. Parem naudi oma karistust."

„Karistust?" Vaatan vennale vastust otsides otsa, ta naeratab.

„Papa pagendab su karistuseks Amsterdamist terveks suveks."

Naeratan samuti. Panen silmad kinni ja kuulan hobusekapjade plaginat.

„Sa oled alati armastanud raamatuid ja kunsti," ütleb Andries ja ma avan silmad.

„*Naised peaksid toetama kauneid kunste, mitte kunagi kunstnikke*," ütlen, jäljendades papa karmi häält.

Andries vaatab mind ja puhkeb naerma, naeratus tema näol püsib.

„Pariisis on palju naiskunstnikke," ütleb ta.

„Ja kui paljud neist end kunstiga ära elatavad?" küsin. „Kui paljudel on lubatud oma töid salongides näidata?" Ootan venna vastust, tema ilme on keskendunud. Kujutan ette, kuidas ta käib mõttes läbi oma tuttavaid, püüdes leida näidet, mis tema väidet toetaks.

Kunst paelub mind – selle vaatamine, avastamine, tegemine, sellest rääkimine. On alati paelunud. Ma tahan meeletult mõista erinevaid tehnikaid ja seda, kuidas kunstnikud töötavad. Kunagi unistasin Pariisis õppimisest, kuid papale ei läinud minu argumendid korda. Ta ei pühendanud kunagi minu kunstile aega ega tähelepanu, ta isegi ei vaadanud minu lõuendeid ja visandeid. Keldris vedeleb siiani hunnikute kaupa minu tehniliselt nõrku katsetusi: akvarelle, söejooniseid, isegi mõned õlimaalid. Ma pole kunagi pidanud end loomupäraseks talendiks või loominguliseks geeniuseks ja kui ma otsustasin, et tahan olla meie peres esimene naine, kes loobub rollist, mida mult oodatakse, ja püüdleb millegi parema ja enama poole, siis teadsin, et pean õppima midagi muud kui kunsti. Valisin selle asemel Inglise kirjanduse – romaanikirjanikud ja poeedid – ja minu armastus kunsti vastu jäi salajaseks ajaviiteks. Ainult Andries teadis, et kunst huvitab mind ikka veel. Papa oleks öelnud, et see on aja ja raha raiskamine.

„Mul on kunstikaupmehest sõber, kes on sellel alal tõusev täht. Päris tähelepanuväärne tüüp. Ma küsin temalt naiskunstnike kohta, ehk saab ta sind aidata. Aga praegu pead sa tegema kõik, et *see mees* ära unustada," ütleb Andries. Ta rehmab käega, otsekui prooviks maagilise trikiga Eduardist vabaneda. Noogutan. Panen silmad uuesti kinni ja minu mõtted liiguvad hobusekapjade plagina rütmis.

Kohtusin Eduardiga, kui alustasin õpetajana oma teist aastat, me olime mõlemad tööl Utrechtis tütarlaste internaatkoolis. Eduard oli tark ja vaimukas ning kõige heledamate ja suuremate siniste silmadega mees, keda olin kunagi näinud. Kümme aastat minust vanemana oli ta targem ja tal oli palju kogemusi: nii kirjanduse, kunsti kui naiste alal. Armusin temasse silmapilkselt ja ta vallutas kiiresti kogu mu olemuse. Ta ütles, et pole enne mind kunagi kedagi armastanud, et ma olen tema muusa ja kui ma jätan ta maha, ei kirjuta ta enam kunagi ühtegi sõna. Ma leidsin õigustusi sellele, et me kolme aasta jooksul ei kihlunud, uskudes tema sõnu ja perutavaid arusaamu. Ma püüdsin mitte tähele panna, kui mainiti, et Eduard Stumpff on kihlatud, või kui ta unustas öelda, et sõidab ära, või kui koolis liikusid kõlakad Eduardi ja muusikaõpetaja preili Blomi kohta. Ma leppisin tema pahuruse ja tema ebamugava vaikimisega ning olin kohe valmis, kui ta otsustas, et võib mulle pühendada tunni või paar. Ma olin naeruväärne, tõeline naljanumber, minust oli saanud iseenda halvim versioon.

„Sellest on möödas vaid kaks päeva. See läheb mööda."
Avan silmad ja näen, et Andries vehib minu näo ees käega. Ma polnud isegi märganud, et olin jälle nutma hakanud.

„Ta on ainus mees minu elus, ma ei hakka enam kunagi kedagi armastama," ütlen, teades, et see pole tegelikult tõsi. Ta oli esimene mees, keda ma armastasin. Ta oli mees, kes ei väärinud armastust. Ta polnud kunagi minu oma, et võiksin teda armastada. Varas koolmeistri nahas, kolm aastat minu elust ära võetud ja mille nimel?

Andries naerab. „Sul... *meil* on reputatsioon. On olemas ootused. Sa tead seda." Ta istub ja vaatab mööduvaid hooneid. „Sa leiad uue *armastuse*, küll mamma ja papa juba selle eest hoolt kannavad. Nad korraldavad sulle abielu veel enne aasta lõppu."

„Ma ei abiellu kunagi."

Andries rehmab käega. „On asju, mida sa pead tegema, tegudel on tagajärjed, Jo. Aga kõike saab parandada. Praegu on suvi, sa võid lugeda, joonistada ja maalida. Montmartre on sinu päralt."

„Peaasi, kui ma ei pea mehi võõrustama, eriti romaanikirjanikke," ütlen. Tekib vaikus ja ma vaatan aknast välja. „Ma ei suuda siiani uskuda, et sa otsustasid elada Montmartre'il."

„Mitte päris Montmartre'il," parandab Andries. „Mamma arvab, et ma elan Clichy puiestee paremal pool, ehkki ma usun, et ta ei andesta mulle kunagi, et ma ei valinud 8. ringkonda," ütleb Andries naerdes. „Ma ostsin sulle kingituse."

Ta pistab käe oma sabakuue sisetaskusse ja ulatab mulle visandivihiku.

„Pea siinoleku ajal päevikut. Täida lehed sõnade ja joonistustega."

Tahtmatult tunnen, kuidas ootamatu võimalus Pariisi kunstimaailma sukelduda minus elevust tekitab. Ma olen kaua tahtnud oma vennale Pariisi külla tulla ja nüüd annab mu *karistus* võimaluse näha nii teda kui ka seda linna.

„Nautigem siis seda suve koos, enne kui sa Amsterdami tagasi lähed ja võtad vastu, mis iganes *lahenduse* vanemad on sinu jaoks välja mõelnud," ütleb Andries.

Vaatan tõllaaknast välja. „Mida nad seal ehitavad?" küsin. Väikesel mäel on alanud ehitustööd. Ehitis otsekui kasvaks välja maapinnast, näha on säravvalge kivi ja keeruline puukarkass.

Andries kummardub ettepoole, et välja vaadata. „Kas see seal? Montmartre'i mäel?" Ta osutab käega tellingutele, mis on püstitatud linna kõrgeimasse kohta. „Sellest saab lõpuks kirik. Seal on juba praegu kabel. Seda on tellingute tagant pisut näha. Kõik minu tuttavad on annetanud raha vähemalt ühe tellise jaoks, aga mult küsitakse pidevalt raha terve samba jaoks. Jumal teab, millal see üldse valmis saab."

„Vaade saab olema fantastiline," ütlen.

Andries noogutab. „Pariis muutub kogu aeg. Oota, kuni sa näed, mida Eiffel Marsi väljakule ehitab." Kuulen tema hääles erutust. „Me käime iga nädal seda vaatamas."

„Meie?"

„Kas sa mäletad Sara Voorti?"

Raputan venna poole pöördudes pead. „Kas sa oled armunud?"

Andries naerab laginal. Ilmselt on mõte temast ja preili Voortist koomiline. Ootan.

„Kas sa mäletad papsi sõpra, Samuel Voorti? Sara on tema tütar. Ta käis paar korda ema juures. Inetu. Nägu ümmargune nagu täiskuu, sibulakujuline nina, alatud põrsasilmad."

„Milline sõbralik kirjeldus," ütlen, toksates venda oma visandivihikuga.

„Ta jahib üht minu sõpra. Oled sa kuulnud Theo van Goghist?" Raputan pead. „Tema ongi see tõusev täht kunstikaupmeeste seas, keda enne mainisin. Ta tunneb kõiki tulevasi kunstnikke. Me veedame sageli koos aega. Theo hakkab sulle kindlasti meeldima. Ma viin sind temaga kokku. Näitad talle oma töid ja..."

„Ma ei ole üldse andekas."

„Siis kasuta suve selleks, et oma oskusi täiendada ja teistelt õppida. Pühendu kunstile selle pompoosse idioodi asemel, kes murdis su südame ja *häbistas meie nime*." Ta matkib mamma kriiksuvat ja karmi tooni. Löön visandivihikuga kergelt vastu venna jalga, siis panen käe tema käevangu ja toetan pea ta kondisele õlale.

„Tänan sind."

„Mille eest?" küsib ta, andes mu pealaele musi.

„Selle eest, et sa mind haisvasse keldrisse luku taha ei pane." Hakkan uuesti nutma, aga seekord on pisarates kurbus segunenud rõõmu ja kergendustundega.

PARIISI ÄÄRELINN
MONTMARTRE'I LÄHEDAL

„Muideks, me läheme täna õhtul välja," ütleb Andries, kui me astume tema eeskotta ja ta paneb mu nahkkohvri põrandale. Vaatan ringi: valged seinad, mustvalge plaatpõrand ja kõverate esijalgadega konsoollaud. Tõmban tahtmatult sõrmega üle laua keerukate nikerduste. Minu vennal on mööbli suhtes erakordne maitse.

Andries võtab laualt kirjad ja ütleb nendega vehkides: „Sinu esimene sõõm Pariisi vabadust, Jo."

Kogu minu tähelepanu on pööratud tema eeskojale ja ta peab vastust ootama. „Kas ma pean tulema? Mul pole tõesti mingit tuju inimestega kohtuda." Reis oli pikk ja väsitav ning mõte panna selga oma parimad Amsterdami hilbud ja võõrastega tühjast-tähjast lobiseda tundub kõike muud kui ahvatlev.

„See teeb sulle head. Sa ei saa elada Pariisis ja end peita. Ja see koht, kuhu me läheme, on tuuleveskis. Sa lihtsalt pead seda nägema. Üliõpilased, kunstnikud, õnneotsijad – kõik on koos. Usu mind, see meeldib sulle."

Raputan pead. „Võib-olla järgmisel nädalal."

„Hakka aga kohe pihta. Tutvu Pariisiga ja võta see omaks, Jo. Sul on selleks võimalus ainult sügiseni."

Panen käed risti rinnale. „Ma ei saa tulla." Andries põrnitseb mind selgitust oodates. „Mul on kaasas veel ainult üks kleit ja ma ei usu, et see sobib. Ma näen selles välja nagu vanamoodne kooliõpetaja."

Ma tajun selgelt, et ma ei sobi sellesse linna, et ma pole Pariisi jaoks piisavalt peen. Ma olen vales kohas ja tundnud end niimoodi terve oma elu.

Üle venna näo libiseb naeratus. „Ja see on ainus põhjus, miks sa tulla ei taha?" Noogutan. Ta naerab. „Minu teenija on juba poes käinud ja ostnud sulle uue kleidi."

„Misasja?"

Ta noogutab, ikka veel naeratades. „See on sinu voodil."

Pöördun ja torman kontsade klõbinal mööda koridori.

„Kolmas uks paremal!" hüüab vend mulle järele.

Kui ma ukse lahti lükkan ja näen voodil erksavärvilist kleiti, hüppab mu süda rõõmust. Sügavpunane satiin koos kontrastse paabulinnusinise sametiga. Pikk kehasse töödeldud pihikuosa, kitsad varrukad ja kõrge kaelus. Minu uues kleidis pole midagi igavat ja ülikombekat, see rõhutab figuuri just õigetest kohtadest. Torman tuppa ja võtan kleidi kätte, keerutades, et näha seda iga nurga alt. Pihikuosa langeb vabalt seelikule, seelikuosa on kihiline, drapeeritud ja tagant slepiga, plisseeri on kasutatud nii seeliku konstruktsioonis kui ka keerukates kaunistustes. Ei puudu küll ka turnüür, aga see ei näe välja nagu riiul, vaid on väiksem ja naiselikum. Kleit on julge ja väljakutsuv. Ma ei ole kunagi midagi sellist omanud ega kandnud.

„Kas see meeldib sulle?" küsib Andries ja ma näen pöördudes, et ta seisab magamistoa ukse lävel.

„Mamma ei lubaks ealeski..."

„Noh, praegu sa oled minu juures," ütleb vend ja ma torman tema juurde. Viskan käed koos kleidiga ümber venna kaela.

„Tänan sind."

„Clara valis selle." Clara on Andriese teenija ja oli enne seda teenija meie vanematekodus. Ta on tundnud mind imikueast peale ja armastab meid mõlemaid kogu südamest.

„Kus ta on?"

„Ilmselt köögis. Otsime ta üles ja sööme midagi, siis aitab ta sul end õhtuks valmis seada."

Juuni, 1888

Bonjour, Pariis!
Minu esimene sissekanne visandivihikusse. Varem ma naersin nende üle, kes arvasid, et endale kirjutamine on midagi toredat, aga Driesil oli õigus ja mul on tekkinud vajadus sõnades ja piltides jäädvustada siin veedetud aega. Ma arvan, et on hea, kui ma analüüsin kõike, mis toimub, mõtlen järele selle üle, mida ma olen teinud, ja proovin saada paremaks inimeseks. Ma kavatsen sel suvel Pariisis areneda ja õppida – see on minu uus ja põnev eesmärk. Minu jaoks oleks kohutav, kui mul poleks elu lõpus ette näidata ühtegi suurt või vähemalt märkimisväärset saavutust.

Ja ma olen siin vaba. Ma olen end kaotanud. Ma olen ilma Eduardita.

Ma tahaksin karjuda kõigile Utrechtis tõtt näkku, öelda papale, et Eduard on argpüks ja silmakirjateener, kes ei kohelnud mind kunagi õiglaselt – oh, kui see vaid oleks võimalik. Ja ma tahaksin öelda seda kogu maailmale. Et kõik teaksid. Tahaksin teda häbimärgistada, teda, kes ta seadis end kõigist teistest kõrgemale, on aga meist kõigist nii palju madalamal.

Aga mis mõte sellisel kättemaksul oleks?

Selle asemel olen oma vennale siiralt tänulik. Dries on mind kaasanud oma ellu ja tähelepanu mujale suunamine on kahtlemata parim viis aidata mul oma olukorraga toime tulla. Ma ei saa veeta iga minutit, soovides, et Eduardi ei oleks kunagi olnud. Et minu pere, õpilased, võõrad ei sosistaks meie nimesid, et häbi ei läbiks iga sosinaga kogu mu olemust.

Täna pean selle kõrvale heitma ja manama näole oma parima Pariisi ilme. Sukelduma Pariisi ellu. Ma ei saa valmistada pettumust oma vennale, kes on minu suurim toetaja ja parim sõber. Eriti veel praegu, kus ma olen sellesse linna alles saabunud.

LE MOULIN DE LA GALETTE

Andries rääkis mulle meie lühikese jalutuskäigu ajal Moulin de la Galette'ist. Et tema ja ta sõbrad panid igas kuus ühel pühapäeval selga oma parimad riided ja kohtusid seal, et tantsida, juua ja pannkooke süüa. Andries rääkis mulle paljudest kunstnikest, kellega ma kindlasti kohtun, ja sellest, et pärast pühapäevaseid õhtuid tabas paljusid neist loomepalang. Tundsin paratamatult erutust.

„Võib-olla kohtud sa Camille Claudeliga," ütleb Andries, „ta on Rodini armuke."

„Kas sa arvad, et meis on midagi ühist? Et tänu minu kogemustele Eduardiga meil on, millest rääkida?" Mu häälest kostab hirmu.

„Sa oled tõeline õudusunenägu," ütleb vend, aga naeratab. „Camille on skulptor. Minu sõber Theo ütleb, et ta on Pariisis kõige parem, võib-olla isegi parem kui Rodin ise, kelle juuresolekul sellest muidugi ei räägita." Ta naerab.

„Ja sellele vaatamata kirjeldad sa teda läbi tema skandaalse suhte mehega?" Andries kehitab õlgu.

„See lihtsalt on nii," ütleb ta, kui me ümber nurga pöörame. „Mine paremale." Vaatan Andriest nii pingsalt, et ei pane tähele, kuhu lähen.

„*Pardon*," ütlen, põrgates vastu kahte meest, kes seisavad aeglaselt mööda Lepici tänavat kindlas suunas liikuva rahvahulga lõpus. Mehed ei pööra end ümber.

„Kas kõik need inimesed lähevad Moulin de la Galette'i?" Andries noogutab, me asume järjekorda ja liigume aeglaselt edasi. Meid ümbritseb naer ja valjuhäälne jutt. Kui me jõuame ümber järgmise nurga, paneb vend käe ümber mu õla. Pariisi pime öö on kadunud, puidust tuuleveski kõrgub uhkena meie kohal, kui me astume läbi sissepääsuvõlvi siseõue tehisvalgusesse.

„Mehed juba vahivad sind," ütleb Andries, noogutades tuttavatele.

„Ma ei püüa meeldida..." hakkan ütlema, kartes, et vend arvab, nagu ma tahaksin või vajaksin meeste tähelepanu.

„Sul ei ole aimugi, kui ilus sa oled," ütleb Andries, andes mu juustele musi ja võttes käe õlalt. „Naudi õhkkonda ja lõbutse. Seal on terrass vaatega Pariisile ja Seine'i jõele." Ta näitab paremale. Meie ümber keerlevad ja sagivad lõbusad erksavärvilistes riietes mehed ja naised.

Tahan minna terrassile, et vaadet imetleda, kuid Andries hüüab üht sõpra. Jälgin, kuidas ta läbi rahvahulga manööverdab ja embab meest nii soojalt, nagu poleks nad aastaid näinud, ehkki kahtlustan, et tegemist on vaid mõne päevaga. Minu vend on Pariisis hoopis teine inimene kui Hollandis, kui ta on koos meie vanematega. Ta on peenetundeline, väljendusrikas ja tunneb end oma nahas täiesti enesekindlalt. Ma ei liigu paigast. Seisan sissepääsu ees ja inimesed peavad sisenemiseks minust mööda trügima, vabandades, kui mind kogemata müksavad või minu turnüüri otsa põrkavad.

„Teie kleit, teie ise ka, lihtsalt vapustav," ütleb üks naine kiiresti prantsuse keeles. Ta on jäänud minu kõrvale seisma, silitades ühe käega sügavpunast satiini ja teisega paabulinnusinist sametit.

„*Merci*," ütlen. Prantsuskeelne sõna veereb kumerana mu huultelt, aktsent on pisut liiga tugev. Naine saadab mulle õhumusi, naerab ja kaob rahva hulka. Naeratan ja noogutan. Noogutan ja naeratan ja seisan otse tantsuplatsi kõrval. Muusika on vali ja lõbus. Ma ei saa midagi parata, et kogu mu olemus särab. Ma ei saa midagi parata, et mu puusad muusika taktis õõtsuvad. Moulin de la Galette sumiseb nagu mesipuu, see koht meelitab ligi rõõmu ja õhkub õnnest.

Tahan, et oleksin oma uue visandivihiku kaasa võtnud, et jäädvustada seda hetke sõnas ja pildis. Kenad laialt naeratavad paarid on rivis ja loobivad sünkroonis jalgu, otsekui poleks maailmas ühtegi muret. Minust paremal on tüdruk, kes on minust võib-olla ainult veidi noorem. Tema õlgkübaral on lai roosa pael ja tema roosakirju triibuline kleit keerleb tantsurütmis.

Kaks nooremat tüdrukut, ilmselt on nad õed, tantsivad laudade vahel, millest nende ninad vaevalt kõrgemale ulatuvad. Tüdrukuid saatev ema ei lase neid silmist ja lööb jalaga hoogsale tantsule rütmi kaasa. Pisut tagapool, naisest paremal, on mees, kes on pälvinud teda ümbritsevate inimeste tähelepanu. Ta on eksootilise välimusega, triibulistes pükstes ja ilma lipsuta ning tantsib polkat vapustava smaragdrohelises kleidis naisega. Mehe pikad higised juuksed on laubale kleepunud ja peagi kaob ta piruetti keerutades rahva hulka.

Ma ei suuda silmadega haarata kõiki tantsupaare, kes keerlevad polkarütmis, igaüks omanäoliselt, aga kõik uskumatu graatsiaga. Mulle tundub, et kõigi paaride tantsusammud on erinevad, nad kõik on indiviidid, kes on ümbritsevale rahvahulgale vaatamata süüvinud teineteisesse ega tunne huvi millegi muu vastu. Paarid tõlgendavad muusikat igaüks omamoodi ega hooli sellest, mida teised nende ohjeldamatust lõbutsemisest arvavad.

Kas sellised ongi pariislased? Kas mina võiksin kunagi sellisesse kohta kuuluda?

Need, kes ei tantsi, seisavad lobisedes paaridena või väikeste rühmadena, vaid vähesed on üksi. Teised istuvad väikeste ümarguste laudade ääres, tumepunast veini valatakse klaasidesse või juuakse kaaslaste rõõmuhõisete saatel otse pudelist. Õhk on paks tubakasuitsust, naerust ja muusikast.

Ma näen tervikut. Mind ajab naerma mõte võtta siia kaasa molbert ja värvid ja maalida halvasti ruumis, mis on tuubil täis kunstnikke. Kui oma oleksin andekas, kasutaksin erksaid värve ja üritaksin oma pintsliga tabada kogu seda vormiküllust ja elurõõmu. Kasutaksin valguselaikude jaoks pehmeid roosasid ja purpurseid toone, inimeste jaoks julgemaid punased, rohelisi ja ehk isegi siniseid värve. Tahaksin pintslitõmmetega jäädvustada liikumist, lisaksin oma tööle värvidega sügavust, kasutaksin valgust ja varje. Ma tahaksin tabada selle stseeni energiat.

Aga ma ei kuulu siia, veel mitte. Mul pole siin kohta. Mul pole Montmartre'ile midagi anda. Kas ma võin loota, et ühel päeval on?

TERRASS JA VAATEPLATVORM MOULIN DE BLUTE-FINIS

Ma olen Moulin de la Galette'is olnud vaid kümme minutit ja tunnen, et olen rohkem elus kui viimase kolme aasta jooksul, aga siiski mitte veel piisavalt julge, et ise toimuvast osa võtta.

„Jo," kuulen Andriese häält, „tule siia." Otsin teda rahva hulgast. Andries on pikk mees – kõik meie pere mehed on kõhnad ja pikad – ning ma märkan teda teisel pool ajutist tantsupõrandat.

Hingan sügavalt sisse. *Naeratan.* Laveerin tantsijate vahelt läbi, võimetu nägema, kellega mu vend räägib. Kuulen lobisemist: mehehäält ja kriiskavat naisehäält, aga ma ei näe venna selja tagant tema vestluskaaslasi. Kõlab naer – üks hääl on kaagutav, teine madal ja sügav. Andries veab peopesaga üle oma lühikeste juuste, mille seitel ei ole päris keskel, tasandades turritavaid salke. Teen sama: libistan käega üle oma juuste, kontrollides, ega minu kõrgele üles pandud pompaduurisoengust ei ole lokke välja vupsanud, ja tundes vastupandamatut soovi juuksed valla päästa.

„Kas sa mäletad Sara Voorti?" küsib Andries, kui ma tema kõrvale jõuan. Ta käitub jäigalt ja formaalselt ning annab mulle märku oma osa täita, astudes kõrvale, kui Sara minu poole tuleb. Sara nägu ei ole ümmargune nagu täiskuu, tema nina ei ole sibulakujuline ja tema silmad ei ole väikesed. Pigem on tal mandlisilmad, kitsas väike nina, täidlased huuled ja südamekujuline nägu – Sara on ilus. Ma loodan, et ta ei ole nii õel, nagu mu vend rääkis.

„Sara, kui tore teid näha. Kuidas teie vanemad elavad?" ütlen naeratades ja püüdes paista enesekindlana.

„Johanna, kullake, kuidas te elate?" vadistab Sara, haarates mu kätest ja astudes sammukese tagasi, et mind pealaest jalatallani mõõta. „Kõik räägivad, et teist on saanud tõeline iludus." Tekib paus. Sara kortsutab oma ebaloomulikult tumedaid kulme. „Ma kuulsin sellest *kohutavast loost* Utrechtis."

Vaatan küsivalt oma venna poole. *Kas sa rääkisid talle*? Vend raputab pead. Ta on hollandlane. Tema vanemad on nagu meie vanemad: nemad juba ei viivita teiste inimeste õnnetustest rääkimisega. Hollandis toituvad kuulujutud vihkamisest ja neid levitavad lollid.

„Mamma helistas ja rääkis kohe, kui ta sellest kuulis," ütleb Sara. Ta naeratab armsalt, tema hammaste vahe on piisavalt suur, et sinna münt mahuks, aga tema sõnad on täis mürki. Ta laseb mu käed lahti ja patsutab mind õlale, nii nagu emad patsutavad last, kes neile kõige vähem meeldib. Tema käitumises puudub igasugune kaastunne.

„Minu õde tuli suveks Pariisi, et kunsti õppida," ütleb Andries, paneb käe mulle ümber ja tõmbab mind oma embusse.

Toetan pea tema õlale ja tajun siis ähmaselt silmanurgast liikumist. Tõstan pea ja pööran end paremale.

Mees on range olekuga ja mõjub Moulin de la Galette'i õhustikus täiesti sobimatuna. Ta oleks nagu puidust välja nikerdatud. Oma kõrgelt kinninööbitud kuues ja kõvakübaras näeb ta välja ülikorralik. Ta on peen, isegi naiselik, aga tema ilmes puudub igasugune soojus. Juuksed on punakad, aga kõige rohkem haaravad mind mehe helesinised silmad. Kõik temas on jäik ja järeleandmatu, ometigi ei saa ma temalt silmi, kui ta seal keset kogu seda lõbutsemist seisab. Ma ei julge isegi silmi pilgutada, kartes, et ta kaob.

Mees märkab mind. Tekib mingi side. Midagi, millest ma hästi aru ei saa. Midagi harjumatut, aga vajalikku. Mingi tõmme. Kas ka tema tunneb seda?

Andries tõmbab mind endale lähemale. „Kas sa ei arva nii?" küsib ta, aga mul pole aimugi, millest ta räägib. Ma naeran ja selle peale hakkab Andries naerma ja siis ka Sara. Tema naer pole siiski siiras, mina aga pole oma pilku võõralt pööranud ja ka tema vaatab mind endiselt.

„Kes ta on?" küsin. Mulle tundub, nagu küsiksin seda otse võõralt, mitte oma vennalt.

„Kes?" küsib Andries ja ma osutan sõrmega punase peaga mehe poole. Võõras vaatab minu sõrme, keerab ringi ja lahkub.

„See on tema. Minu sõber. See on Theo van Gogh," ütleb Andries.

„Me abiellume," teatab Sara. Vaatan tema poole, Sara vabandab ja tõttab oma peigmehele järele.

Juuni, 1888

Esimesel neljal päeval Pariisis istus Andries minu kõrval, kui ma visandasin Montmartre'i erinevaid vaateid ja kirjutasin üles, mida nägin ja kuulsin. Ta kuulas, kuidas ma rääkisin Eduardist, ja andis nõu, kuidas vabaneda sellest, et mängin ikka ja jälle läbi meie vahel toimunut. Ta oli kannatlik ja lahke ja sekkus parasjagu nii palju, et tõsta mu tuju, arvestades samas minu tunnetega.

Vend on ainus inimene maailmas, kellega saan kõigest nii avameelselt rääkida. Iga temaga veedetud päev, mil me käsikäes Pariisi avastame, meenutab mulle muretut lapsepõlve. Ma ei uskunud, et saan veel kunagi neid hetki kogeda, mitte nüüd, kus ta on täiskasvanud mees. Ma võin ju olla tema rumal väikeõde, kes ei tea elust ega meestest midagi, aga mitte keegi ei armasta teda rohkem kui mina.

Minu ängistus on veidi leevenenud, see meeletu kuristikku kukkumise tunne, mis tabab mind lahtilaskmise alandust meenutades, on hakanud vähenema. Eduardi reeturlikkus torkab siiski endiselt valusalt ja ma ei kujuta ette, et võiksin kunagi enam ühtki meest usaldada. Vahemaa, aeg, vend, Pariis, raamatud ja kunst – tundub, et need on kõik, mida hetkel vajan.

Võib-olla ongi parem tunda end ühel suvel täiesti õnnelikuna, selle asemel et jaotada seda tunnet vähehaaval kõigile eluaastatele.

Ma pole veel küsinud Theo van Goghi kohta.

VAIKELU PINTSLITE JA POTIGA

Seisame Haussmani bulvari lähedal tänaval Durand-Rueli galerii ees. Ma kavatsesin üles mäkke jalutada, et joonistada, aga Andries näitab galerii ukse kõrval paremal olevat plakatit.

„Ma näen, et see on plakat," ütlen, kui vend uuesti sõrmega selle poole osutab.

„Ütle ometi, milles asi," ütlen, lüües kergelt tema käe pihta, „ma ei saa aru, mis selles huvitavat on."

Vend tõmbab sõrmega üle suurte tähtede all olevate väiksemate tähtede, nagu jooniks neid alla. „Anonüümne maalikunstnike, skulptorite, graveerijate jt selts."

„Ma oskan lugeda," torkan pahuralt, „kes nad on?"

„Kunstnike rühmitus. Selle rajasid Monet, Degas ja Pissarro. Nad ühinesid ja korraldasid sõltumatu näituse."

Kergitan kulmu, et ta jätkaks.

„Kui nad alustasid, oli see väga radikaalne. Arvan, et see võis olla 1874. aastal. Nad reklaamisid ennast ise ega osalenud salongi aastanäitusel," selgitas vend.

„Kas see oli siis hea?"

Vend noogutab. „Nad ei sõltunud Kaunite Kunstide Akadeemia žürii valikutest ja auhindadest. Asi polnud niivõrd prestiižis, kuivõrd enda kunstilises väljenduses, oma tööde näitamises."

Ma näitan plakatil olevale kuupäevale, saamata täpselt aru, mida mu vend tahab öelda. „Aga see plakat on ju kaks aastat vana."

„Need kunstnikud..." ta viipab käega plakatile. „Nad kujutavad kaasaegset elu." Vaikus. „Kas ka sina ise pole just sellest huvitatud?"

„Nii ja naa," vastan, „pigem on nii, et minu piiratud võimete tipuks on katsed jäädvustada seda, mida ma enda ees näen."

Vend raputab pead. „Küll sa õpid."

„Aga kui plakat on kaks aastat vana, kas see ei tähenda siis, et minu maitse on juba ajast ja arust?"

Vend raputab uuesti pead ja lööb siis käed plaksuga kokku. „Sa võiksid rajada uue ühingu, kuhu kuuluvad alustavad ja paljutõotavad naiskunstnikud."

Tahan midagi öelda, aga ta annab käega märku, et ma vaikiksin. „Siis, kui sa selleks valmis oled, muidugi. Ja kui sa oled omandanud ja õppinud kõik, mida sul on iganes vaja õppida ja omandada, ja pealegi ma tean kedagi, kes võib sind aidata."

Seekord raputan mina pead. Andries on minu suurim fänn, ta keeldub mõistmast, et minu kunstioskused ei saa kunagi olema piisavalt head.

Vaatan kunstnike nimesid. „Mitte ühtegi naist." Vean sõrmega üle nimede ja loen need kokku: „Kuusteist meest."

„Marie Braquemond, Mary Cassatt ja Berthe Morisot puuduvad nimekirjast," ütleb Andries ja ma pöördun, et talle otsa vaadata. Vend särab. Ta on vaimustuses, et saab mind harida, ja ma tunnen tänulikkust. On selge, et ta on tänu minu tulekule kellegagi naiskunstnike teemat arutanud.

„Kas sa tunned neist kedagi?"

„Ei, aga ma tunnen meest, kes tunneb," vastab Andries. „Tema on see, kes ütles mulle, et Degas' sõnul on idiootlik, et nimekirjas pole ühtki naist. Ütles, et ta esitas omal ajal selle kohta isegi kaebuse."

Andriese innukus on nakkav ja ma tunnen tärkavat elevust.

„Kes sulle rääkis..."

„Ma olen kindel, et me võime sind naiskunstnikega kokku viia, kui see sind huvitab, Jo."

Noogutan innukalt. Huvitab. See meeldiks mulle väga.

„Ma palun, et ta korraldaks teie kohtumise. See oleks sinu jaoks suurepärane, Jo," ütleb vend. „Mulle soovitati, et me siia tuleksime. Morisot' maal peaks olema siin välja pandud. Lähme..." Andries ei lõpeta oma lauset. Ta lükkab galeriiukse lahti, kelluke heliseb ja me astume sisse.

KÕVAKÜBARAGA MEHE PORTREE

„See on kunstikaupmees Paul Durand-Ruel," ütleb Andries peatudes ja galerii leti poole noogutades. „Ta päästis Monet' elu."

„Kuidas?" küsin, pöörates pilgu Paulilt oma vennale.

„Takistas kakskümmend aastat tagasi teda Seine'i hüppamast," ütleb Andries, vaadates meest pisut kauem kui sobilik.

„Kas sa tunned teda isiklikult?"

„Kahjuks mitte." Andries ohkab kergelt. Mu vennale meeldib koguda häid inimesi: ta usub, et enda ümbritsemine väärikate inimestega tõmbab neid üha rohkem juurde. „Me ei liigu samas ringkonnas. Aga ma ei ole kuulnud tema kohta ühtegi halba sõna. Monet ütleb, et ilma temata oleksid kõik impressionistid nälga surnud. Kokkuvõttes on ta väga hea mees."

Vaatan Pauli. Lühikest kasvu, habemeta, romaanidest tuttavat vaimuliku tüüpi. Ta vestleb kõvakübaras härrasmehega, pehme hääl kostab meieni summutatult. Paul vaatab üles, märkab mu pilku ja kergitab oma kõvakübarat. Naeratan, ta hakkab mulle silmapilkselt meeldima.

„Viie lapsega lesk, käib iga päev missal ja on suutnud kõikidest skandaalidest eemale jääda," ütleb Andries.

„Hea mees," ütlen, jälgides ikka veel ainiti kunstikaupmeest, kelle pilk on pööratud tagasi vestluskaaslasele.

„Ta jõudis just tagasi New Yorgist, kus korraldas Ameerika Kunstigaleriis näituse, millel on välja pandud 289 impressionistide maali." Paus. „Räägitakse, et korraldajad tahavad selle Manhattanile üle viia ja veel rohkem maale välja panna. Kas sa suudad seda ette kujutada?"

„Ei." Ma tõesti ei suuda, vähemalt praegu veel mitte.

Pööran pilgu uuesti Andriesele, kes galeriis ringi vaatab. Kaugemal seinal pälvib miski tema tähelepanu ja ta hakkab kiiresti selle poole sammuma. Jõuan tema juurde hetkel, kui ta peatub kahe mehe selja taga. Tagantpoolt on mehi võimatu eristada, nad on oma silindrites ja sabakuubedes täiesti ühesugused. Mehed vaatavad maali, mis kujutab hälli kõrval istuvat ema.

„See on Morisot," sosistab Andries. Ta noogutab peaga maali suunas ja ma sätin end nii, et miski mu vaadet ei segaks.

„Selle naise tööd on erakordsed," ütleb üks silindriga meestest. Naeratan lähemale astudes. „Kahju ainult, et ta pole mees," jätkab mees.

„Kas sa kuulsid..." ütlen, minnes uuesti Andriese juurde.

„Kuss," ütleb vend. Ta paneb oma nimetissõrme mu suule. Lükkan selle käega eemale. „See pole koht, kus vaielda, Jo," sosistab vend.

Heidan meeste selgadele vihase pilgu, ma pean käituma korralikult, et mu vennal piinlik ei oleks. Eriti arvestades, et ta teeb kõik minu julgustamiseks ja toetamiseks. Ma tean, et ta ei mõtle samamoodi nagu need mehed.

„Ta maalib nagu Manet," jätkab sama mees.

Ma ei suuda end vaos hoida: „Ta maalib nagu Morisot," ütlen pisut valjemini, kui galeriis sobiks. Kumbki meestest ei vaata minu poole, aga kuulen pahameeleühmatust. Näen, kuidas nad teineteisele kõrvalpilku heites õlgu kehitavad.

„Ma olen kuulnud, et need kaks kunstnikku austavad teineteist," püüab Andries meid kõiki rahustada.

„Mõned meist arvavad, et Morisot on Degas'ga võrdne," ütlen.

Mehed puhkevad valjult naerma.

„Morisot teab, mis ta väärt on," ütleb sama mees ikka veel mulle otsa vaatamata, ja enne kui ma jõuan küsida, mida ta silmas peab, kõnnivad nad eemale teisi maale vaatama.

Jälgin, rusikas käsi vastu külge surutud, kuidas nad tagasi vaatamata minema lähevad.

„Sa pead õppima valima oma lahinguid," ütleb Andries minu mõtteid katkestades. „Hinga sügavalt sisse. Hinga välja. Tee enda rahustamiseks, mida iganes selleks vaja, Jo." Ta vehib kätega mu näo ees, lehvitades tuult, nagu tahaks mu ägedust maha jahutada.

Lükkan ta käed eemale ja näen maali esimest korda: see lummab mind. Olen sõnatu. Minutid mööduvad. Tunnen endal oma venna pilku. Ma tean, et ta naeratab.

Noogutan pildi poole ja astun lähemale. „Mida sa temast tead?"

„Ta žongleerib pereelu – abikaasa ja lapse – ning oma kunsti vahel."

„Selle maali tundesügavus on uskumatu. See on imeline. Mind paneb imestama, et seda vaatamata teemale kritiseeriti."

„Ei kritiseeritud," ütleb Andries. Ma ei vaata ikka veel talle otsa.

„Vaata ema hella pilku ja lapse inglinägu," ütlen. Naeratan tahtmatult. Haaran endasse maali ilu. „See on täiuslik."

„Morisot piirdub koduste olude maalimisega," ütleb Andries.

Ma noogutan, lootes et ta vait jääb.

„Ka sina koged seda kunagi, aga sel suvel on sul võimalik nautida teatud määral vabadust."

Noogutan ülientusiastlikult. Ma tahan keskenduda täielikult sellele maalile.

„Naise kiharad on kujutatud õhkõrnade pintslitõmmetega," ütlen. Kummardun lähemalt vaatama. „See on äärmiselt elegantne. Aga mujal on pintslitõmbed erinevad. Ma tahaksin sellest paremini aru saada." Ma olen nii lähedal, et mu ninaots puudutab maali. Hingan sisse õlivärvide ja lõuendi lõhna. Minu lemmiklõhn. „Kas sa ei tahaks seda ära osta?"

„Selle maali teema pole minu jaoks," vastab vend.

„Mul on täpselt samasugune tunne nagu siis, kui ma lugesin Lewesi „Goethe elu"," ütlen. „Et ma tahaksin nagu kuidagi väljendada oma vaimustust, aga tunnen end selle maali ees nii tähtsusetuna."

„Mina eelistan kunsti, mis näitab naisi rohkem või vähem lahtiriietatult."

„Sa tahad näha fantaasiat. Naist kauni olendi rollis, kelle osaks on sind ahvatleda ja sinu järele igatseda." Seda öeldes ei taha ma enam meie vestlust jätkata. Vähemalt mitte praegu. „Morisot'l on kuidagi õnnestunud tabada kanga tekstuuri." Näitan ema varruka volange. „Kuidas see üldse võimalik on, Dries?"

Andries naerab. „Just seda, mu armas õde, sa sel suvel õpidki."

Aga selles maalis on lisaks tehnikale midagi palju enamat. See teos on meisterlik. Berthe Morisot' anne on erakordne, aga lisaks viibutab ta vihast rusikat Pariisi kunstimaailma poolt talle seatud piirangutele. Igale naiskunstnikule seatud piirangutele. Tema sõnum on selge – ta on võrdväärne iga meeskunstnikuga. Ta jätkab oma erakordsete teoste loomist teemadel, mis on talle kättesaadavad, ja teeb seda vaatamata ootustele ja piiridele, millega vihased mehed püüavad teda taltsutada.

Just sellise julguse raskustega silmitsi seista tahan ma sel suvel omandada.

Korraga tekib mul küsimus. „Kes soovitas mind siia tuua? Kes on see mees, kellest sa rääkisid?"

„Loomulikult Theo. Theo van Gogh," ütleb Andries.

„Sara peigmees?" küsin, suutmata oma huvi peita. Andries ei vasta. „Ja ta tahtis, et ma näeksin just *seda* maali?"

„Ta ütles, et see aitab sinu kunsti suunata," ütleb Andries.

Vaikus.

„Morisot on abielus Manet' venna Eugène'iga. Ka tema on kunstnik. Aga ma olen kuulnud räägitavat, et ta kirjutab romaani," ütleb Andries.

Tunnen kurbust, võib-olla ka hirmu, sest mulle meenub Eduard. Aga samas tunnen endas tärkavat midagi, mis matab enda alla kõik mõtted temast – lootust, võimalusi, rõõmu.

Ma pöördun ja võtan vennal ümbert kinni. „Tänan," sosistan talle.

Juuli 1888

Ma olen olnud Pariisis juba kuus päeva ja mul pole Driesile enam midagi rääkida oma katastroofilise suhte kohta Utrechtis! Eduardist rääkimine ajas mu täna raevu. Mind ajab vihale, et ma uskusin tema lõputuid valesid, ja mida rohkem ma sellest räägin, seda suuremat piinlikkust tunnen. Kui ebaoriginaalne kinkida oma armastus mehele, kes mängis sellega kolm pikka aastat.

Võib-olla sai vend minust aru, võib-olla tahtis ta minu mõtted kõrvale juhtida, aga täna ta avas end ja rääkis oma elust Pariisis.

Ta rääkis, et Montmartre on tema jaoks pelgupaik ja koht, kus meelt lahutada. Ta tunnistas, et hetkel on tema ja ta sõprade lemmikkohtadeks kabareed ja kohvikukontserdid. Kui see mind piisavalt ei šokeerinud, rääkis ta tunnustatud esinejatest romantilistes ja hämarates lokaalides. Ootamatutest juhukohtumistest. Itsitasin nagu koolitüdruk, kuulates segaste ja sobimatute suhete üksikasju.

Tema kirjelduste kohaselt oli Pariis tulvil värvikaid kunstnikke, heliloojaid, romaanikirjanikke, maalijaid, luuletajaid, muusikuid, näitekirjanikke ja skulptoreid. Kui Dries räägib tõtt, siis tundub, et kõik loomingulised inimesed pürgivad Pariisi. Ja veelgi enam, tundub et nad kõik pühitsevad oma töödega Montmartre'i.

Andriese sõnul kirjutab igaüks, kes siin elab, võimsa proosateose, maalib meisterliku maali või loob kangelasliku sümfoonia. Igaüks elab siin tähelepanuväärset elu. Ta ütles, et Montmartre on kogukond, kus keegi ei kuku läbi, inimesed lihtsalt alles ootavad oma suure kunstiteose loomist ja siin elades saavad nad osa selle koha loomingulisest maagiast.

Ma mõtlen tema sõnadele kogu aeg. Tahan kuuluda sellesse märkimisväärsesse kogukonda, ma pean siin olema nii kaua, kuni see teoks saab.

Mis mind Hollandis ootab? Mamma, papa ja lõputud vestlused meie perekonna häbistamisest.

Ma võiksin kolida siia, ma võiksin jääda Pariisi. Olla keegi. Elada koos oma vennaga. Olla õnnelik!

VAIKELU LIHA, JUURVILJADE JA KERAAMILISTE NÕUDEGA

Tänases kirjas nõudis mamma, et ma kirjeldaksin kohta, kus Andries elab. Olen istunud oma magamistoas kirjutuslaua taga juba kümme minutit, püüdes otsustada, millest rääkida. *Korter on 9. ringkonnas*, kirjutan. *Üle Clichy puiestee, Pigalle'i kõrval.* Jätan mainimata, et mu venna korter on otse Montmartre'i jalamil ja ainult kiviviske kaugusel 18. ringkonnast. Mamma ei pea kõiki fakte teadma.

Lisan üksikasju, mille kohta olen kindel, et need mammale meeldivad. See annab talle võimaluse järgmisel korral seltskonnas kiidelda. *Rue Victor on vaikne kitsas tänav, mida iseloomustab baleriinilik elegants ja kuningannalik rafineeritus. Inimesed elavad siin horisontaalselt. Milline kummaline tähelepanek! Aga ometi on moodsatele pariislastele täiesti tundmatu meie kompaktne vertikaalne eluviis. Sellegipoolest on hoonete arhitektuur ühtlane, sümmeetriliselt paigutatud rõdud on täiuslikus harmoonias pikkade elegantsete fassaadidega. On raske isegi ette kujutada käänulisi alleesid ja haigusi levitavaid slumme, mis valitsesid Pariisis enne parun Haussmanni poolt korraldatud maagilist renoveerimist.*

Majja pääseb läbi suurejoonelise paraadsissekäigu, mida alati valvab uksehoidja. Hoone esimesel korrusel on tallid ja uksehoidja eluruumid. Ta on umbes papaga ühevanune tõsine mees, keda ma pole kunagi kuulnud rääkimas. Uksehoidja on põhimõtteliselt valves ööpäevaringselt. Ka mina oleksin nördinud, kui uksekoputus ärataks mind mistahes kellaajal, mil mõni elanikest suvatseb koju tulla. Dries ütleb, et annab talle sageli meeleheaks jootraha.

Korteritesse pääseb mööda laia keerdtreppi. Sinu poja valduses on viiekorruselise hoone esimene korrus, korter number 1. See on väidetavalt kõige parem terves majas nii ruumide kõrguse kui interjööri poolest, ja järelikult ka kõige kallim.

Lasen pilgul käia üle oma magamistoa, sulepea tardunud tindipoti kohal. See tuba, üks kahest vabast selles korteris, on valgus- ja õhuküllane, kõrge lae ja maani ulatuvate akendega. See on kõige uhkem ja suurem tuba, kus ma kunagi olen maganud, aga mamma võiks seda märkust pidada kriitikaks. Tal on kalduvus muuta iga süütu kommentaar millekski negatiivseks. Kastan sulepea tindi sisse ja kirjutan: *avar siseõu on ainult venna kasutuses, fakt, mida ta on mulle minu kümnepäevase siinviibimise ajal rääkinud vähemalt seitse korda.*

Kümme päeva Pariisis tähendab kümmet päeva vaatamisväärsustega tutvumist ja kümmet korda Montmartre'il käimist. Andries on tööpauside ajal jalutanud minuga sinna iga päev, et saaksin oma visandivihikusse joonistada. Mäele rajatud Montmartre oma vanade hoonete, järskude ja kitsaste tänavate ning maaliliste tuuleveskitega meenutas mulle alguses Hollandit. Sain aga ruttu aru, kui väga erinev see oli.

„Jo!" hüüab Andries eeskojast.

Panen sulepea kirjutuslauale, haaran voodilt raamatu ja kiirustan avatud ukse juurde. Andries kummardub ja hõõrub sõrmega musta põrandaplaati. Kui ta selja sirgu ajab, tõstab ta sõrme silmade juurde ja uurib seda.

„Andries?"

„Seal sa oledki," ütleb ta ja naeratab. Temaga koos veedetud kümme päeva on parim karistus, mida üks inimene võib ette kujutada.

Andries pühib sõrme vastu oma kuuevarrukat puhtaks. See on hästiistuv ja osaliselt eest lahti, alt on näha kõrgelt nööbitav vest kellaketiga. Üldpilti täiendavad lips ja läikima löödud kingad. Ta on end millegipärast üles löönud, aga ma ei tea, miks.

„Meile tulevad külalised," ütleb ta, ilmselt mu küsivat ilmet märgates.

„Ma mõtlesin, et mul on täna vaba pärastlõuna lugemiseks." Tõstan oma sõnade kinnituseks raamatu. „Ja sa lubasid, et siis läheme Montmartre'ile jalutama."

Andries vehib paberilehega. Tundub, et mis sel iganes ka ei oleks, kaalub see üles minu raamatu ja meie jalutuskäigu. „Ma olen kutsunud Alexander Comte, jõuka kaupmehe, meile lõunale. Ta tuleb kell üks." Andries vaatab oma paberit. Ta osutab nimetissõrmega tervele reale nimedele.

Kummardun, et jälgida sõrme, mis liigub üle nimede ja kellaaegade.

„Mida..."

„Arthur Bouget, rikka kingsepa poeg, tuleb kell kolm. Võimalik, et keegi ka kell neli, ta pole veel kinnitanud. Guy Loti, minu advokaat, kell viis..."

„Mida sa plaanitsed?" Panen käe paberilehele. Ma tahan, et ta lõpetaks sellega vehkimise ja laseks mul lugeda, mis sinna on kirjutatud. Paber on õhuke, Andries üritab seda ära tõmmata. „Miks kõik need mehed täna siia tulevad?"

„Kuuldus on levinud minu väikese õe viibimisest Pariisis ja tema erakordsest ilust. Minu sõbrad tahavad sind näha."

„Sõbrad?" Ma ei usu teda. „Kõigi meie *arvukate* jutuajamiste käigus pole sa kunagi ühtegi neist meestest maininud." Näitan paberilehele.

Andries kehitab õlgu, vältides mulle otsavaatamist, ja süveneb uuesti oma nimekirja.

„Charles du Musset, uusrikas, tuleb pool seitse ja Alfred Le Rouge, pankur, tuleb kell kaheksa õhtusöögile. Ta ei nõustunud tulema, kui süüa ei pakuta."

„Sa pead inimesi ära ostma, et nad minuga kohtuksid?" Mu põsed hakkavad millegipärast äkitselt kuumama. Ma ei saa aru, mis toimub. „Sinu nimekirjas pole ühtegi kunstnikku. Kas ma ei peaks just nendega kohtuma, et tehnilisi võtteid õppida?"

Andries ei vasta. Igatahes sõnadega mitte. Ta huuled kõverduvad, siis imeb ta need sissepoole, otsekui tahaks alla neelata. Andries toetab paberilehe minu magamistoa kõrvale seinale.

Siis võtab ta kuuetaskust terava pliiatsi ja lisab midagi nimekirja. Ta sarnaneb korraga rohkem papale kui iseendale. Jäik, sihikindel, sünge. Õhus pole kübetki rõõmu. Ta varjab midagi.

„Mida sa korraldad, vend?" Andries ei vasta ja minus tekib ootamatu, aga kindel kahtlus. „Kas need mehed on abielus?"

Vaikus. Jälgin, kuidas Andries lõpetab kirjutamise. Ta ei vaata mulle otsa. Minu küsimus paneb ta liiga kauaks mõtlema. Ta huuled ilmuvad jälle nähtavale.

„Ma pole päris kindel," ütleb ta, ikka veel silmsidet vältides, kuid kergelt naeratades. Ta jätkab raevukalt kritseldamist.

„Sa pole päris kindel, kas su *sõbrad* on abielus?"

„Nad on kõik auväärsed mehed," ütleb ta. Ta võtab paberilehe seinalt, murrab selle pooleks ja vaatab raamatut, mida ma oma rinnale surun.

„Kas sa oled lugenud „Aurora Leigh'd"?" küsin ja Andries raputab pead. „Selles räägitakse paljudest kahtlustest ja hirmudest, mis mindki vaevavad."

„Vaata, et see ei vedeleks salongis, kui meie külalised tulevad," ütleb vend, „me ei taha ometi, et meie külalised peaksid sind üheks *sellistest* naistest."

Naeran. „Aga ma olen üks *sellistest* naistest."

„Ja ma armastan sind selle eest," ütleb vend ja üritab raamatut võtta.

Tõmban selle tema käeulatusest eemale. „Võid seda lugeda, kui olen lõpetanud."

Ta itsitab ja see paneb mindki naeratama, siis vaatab ta oma kulduuri, mina aga uurin pilti kella sisekaanel. Emailpilt kujutab maju järvekaldal ja kaanel on ka väike noore naise portree.

„Kas sa tunned teda?" küsin kaanele viidates. Vend ei kuula mind. Ta mõtted on kuskil mujal. Ta organiseerib ja plaanitseb midagi ja kuna ma tunnen oma venda, siis tean, et ta ei ole rääkinud mulle täit tõtt.

„Sul on aega viiskümmend minutit, et end esinduslikuks teha," ütleb ta, andes käega märku, et ma magamistuppa läheksin.

„Kas sa käsid mul ennast ilusaks teha?" küsin.

Ta noogutab pead ja naeratab: „Ma saadan Clara sulle appi."

„Aga..." Ma ei liiguta ennast.

Andries keerab ringi ja läheb tagasi salongi, lugedes nimekirja ja pobisedes endamisi igal sammul midagi.

VAIKELU KOLME SAAPAGA

Kui Andries tõttas esikusse külalisi tervitama, kuulsin kõigepealt naeru.

Olen viimased pool tundi seisnud molberti ees, proovides aru saada, mis minu maalil viga on. Täna pidin katsetama uut, kloisonnismiks nimetatud tehnikat, aga praeguseks olen veendunud, et valisin maalimiseks vale objekti. Astun sammu tagasi ja vaatan silmi kissitades läbi ripsmete lõuendit, püüdes julges vormis ja paksudes mustades kontuurides ära tunda Andriese raamatukappi. Mu pilt ei ole tegelikult üldse hea. Kuidas ma ka ei kissitaks, kappi ma ei näe. Valin ümara otsaga pintsli ja torkan musta õlivärvi sisse, ignoreerides Andriese ja tema külaliste lobisemist eestoas. Üheksa külalist nelja päevaga – kõik noored mehed ja mitte ükski neist kunstnik. Ma tõesti ei jaksa veel üht ebamugavat pärastlõunat üle elada.

Peale neljandat külalist – selleks oli Andriese advokaat Guy Loti – ja elu kõige nürimat tundi, kuulates Guy hooplemist, kui palju ta teenib, ja tema ootust, et naine sünnitab talle vähemalt kümme last, ütlesin Andriesele, et minu mõõt on täis. Et mul pole vähimatki tahtmist abielluda mehega, kes tekitab mul tahtmise pintslid kõrvadesse toppida. Sellele lisaks keeldusin Andriese pahameeleks teistest kohtumistest sel päeval. Tegelikult ütlesin talle, et mu süda on alles „veritsev ja haavatav" ja see ei pruugigi kunagi paraneda. Andries naeris selle peale valjuhäälselt ja südamest.

See oli kolm päeva tagasi ja hoolimata sellest, et kannatasin ära veel viis kohtumist, mille vältel ütlesin mõne üksiku sõna ja vahetasin mõne üksiku pilgu, olid kõik külalised igavad ega pakkunud mulle mingit huvi.

Mõni minut hiljem ilmub vend salongi uksele. Ta köhatab ja ma pööran ennast ringi.

„Meil on külalisi."

Noogutan rõhutatult oma lõuendi poole, vihjates Andriesele, et eelistan veeta pärastlõuna üksi ja loodan, et ta lõbustab ise oma külalisi, kes nad ka ei oleks, elutoas. Andries vaatab minu kunstitööd. Tema ilme on keskendunud ja ma tean, et ta püüab aru saada, mida ma olen maalinud. Arvestades, kui šokeerivalt halb mu töö on, pole see loomulikult kuidagi võimalik ja ma otsustan, et nõustun sellega, mida ta välja pakub.

„Sa oled liiga hea selleks, et sind ära peita," ütleb ta.

„See..." osutan lõuendile, „ei ole see, mida ma täna tahtsin maalida. See on parimal juhul kohutav."

Andries kõhkleb hetke. „See meeldib mulle," ütleb ta, lükates käed püksitaskutesse. Mu vend on kohutavalt halb valetaja. Tal pole aimugi, mis see on. Ta vihkab seda.

„Sina oled ainus, kes minusse usub," ütlen.

„Kas see pole siis kõik, mida sa hetkel vajad?" küsib ta ja naeratab. Noogutan, on küll. „Aga see külaskäik on erinev."

Mu kulmud kerkivad, annan märku, et ta jätkaks.

„Eestoas on kaks meest, üks neist palus, et ta saaks sulle külla tulla. Ta isegi maksis oma vennale, kunstnikule, et too kaasa tuleks ja sulle tehnika asjus nõu annaks. See saab olema tore, ma luban."

PIIBUGA NOORMEHE PEA

Eeskojast kostab lobisemist ja meeste hääli, aga ma ei näe tulijaid oma pika venna selja tagant. Andries seisab ukseavas. Ta naeratab ja silub siis peopesaga üle lühikeste juuste; olen märganud, et ta teeb seda siis, kui on närviline. Kogu selles lõputus meeste esitlemises on midagi, mis mind häirib. Ma ei saa aru oma venna ootamatust kosjasobitamise tungist. On midagi, mida ta mulle ei räägi, ja samal ajal takistab miski mul selle kohta aru pärida.

„Jo," ütleb ta. Naljaviluks väänan oma näole pahura lapse kombel kõige koledama ilme, mida suudan. „Luba mul ametlikult tutvustada juba peaaegu tunnustuse võitnud kunstikaupmeest Theo van Goghi ja tema venda Vincenti." Andries kummardab tseremoniaalselt, tema kitsad püksid tõmbuvad pingule. „Härrased, see on minu lemmikõde Johanna Gezina Bonger."

Vend jääb vait, ilmselgelt nautides mu jahmunud ilmet, ja astub siis kõrvale, et külalised sisse lasta. „Johanna tuli mulle suveks külla."

Enne kui ma suudan oma ilmet korrastada ning teostada oma plaani põgeneda kööki Claraga teed jooma ja nõu pidama, näen külalisi. See on tema. See on mees, keda ma nägin Moulin de la Galette'is, Sara peigmees Theo van Gogh.

Meeste ühesugused punased juuksed ei jäta kahtlustki, et tegemist on vendadega, aga nende riietus on pärit erinevatest maailmadest. Kunstikaupmees Theo on oma salongikuues ja kõvakübaras range ja viisakas, Vincent aga näeb välja, nagu oleks hobune teda läbi hekkide lohistanud. Tema hall viltkübar on viltu peas ning sinist kitlit katab värviplekkide ja triipude vikerkaar: kollased, sinised, punased, rohelised. Ta popsutab piipu ja tundub olevat juba ette tüdinud.

Olen vait. Vaatan vendi. Naeratan – tõenäoliselt nagu idioot.

Olen viimase kahe nädala jooksul kuulnud nendest vendadest palju. Andriese ringkonnas on nad kuulujuttude objektiks ja igal inimesel, kellega me kokku puutume, on nende kohta oma arvamus öelda või mõni lugu rääkida. Iga kord, kui vendadest räägitakse, kuulan tähelepanelikult. Noorem vend Theo tundub olevat üsna kiirelt tõusev täht kunstimaailmas. Andries räägib temast nii, nagu oleks ta Montmartre'i kuningas. Teda peetakse vägagi ihaldusväärseks poissmeheks, ehkki ma ei saa sellest aru, sest Sara sõnul on nad kihlatud. *Kummalised Pariisi kombed* on ainus, mida ma mõelda oskan. Võib-olla on meestel siin sobilik korraga mitme naisega läbi käia.

Vanemat venda Vincenti iseloomustatakse tavaliselt kui puruvaest kunstnikku. Olen kuulnud, kuidas Andries ja tema sõbrad räägivad, et Vincent käib sageli bordellides ja raiskab igakuise taskuraha, mille Theo talle annab, lõbutüdrukute peale. Vincent on paljude naljade objektiks. Seda tüüpi naljad panevad mu kihelema; mõtlen paratamatult, kui palju on praegu Amsterdamis ja Utrechtis inimesi, kes minu üle irvitavad.

Vennad sisenevad salongi ja ma astun lõuendist eemale, et neid tervitada. *Issand! Minu maal.* Tänane looming pole midagi sellist, mida tahaksin kunagi kellelegi võõrale näidata, seda enam, kui nad on seotud Pariisi kunstimaailmaga.

„Ma ei oodanud seltskonda," ütlen, „ärge pange seda palun tähele." Viipan oma tööle. „Tõesti, ärge seda isegi vaadake. Ignoreerige seda," ütlen, vehkides käega maali suunas ja tagades, et minu rämpskunst on nüüd kõigi tähelepanu keskpunktis.

Vaikuses, mis tundub kestvat sada aastat, jõllitavad nad maali. Ma ei suuda Theole otsa vaadata. Ma tahan, et põrand avaneks ja nii mina kui see pilt kukuksime keldrisse.

„Ma panin selga sellised riided, et saaksin maalida," ütleb Vincent. Vaatan teda tahtmatult. Ta osutab piibuga oma kitlile: „Aga on selge, et ta vajab märksa rohkem juhendamist, kui ma suudan kunagi pakkuda." Ta noogutab mu lõuendi suunas.

„Ma proovisin uut tehnikat. Pingutasin, et..."

„Ta on üsna abitu ja arenematu," ütleb Vincent Andriesele mind katkestades ja minu rindu vahtides.

Mu kulmud kerkivad ja ma ei suuda peita näole kerkinud üllatust. *See väike ennasttäis mehike.* Panen käed rinnale risti. Ma saan aru, miks ta peab maksma, et naised temaga intiimvahekorras oleksid. Ma pean end tagasi hoidma, et seda mitte välja öelda. Pean käituma korrektselt, aga tunnen, kuidas mu käsi tõmbub rusikasse. Ma tahan väga Andriesele meele järele olla, aga vaid üks märkus sellelt van Goghilt, ja ma olen juba enesevalitsemist kaotamas.

„Vincent," ütleb Theo oma venna nime nii, nagu põletaksid selle tähed sütena tema suud.

„Iseloomult on ta aga üsna metsik," torkab Andries, „hoia end mu õe obaduse eest." Ta heidab pilgu mu rusikale.

„Ja üsna vana juba, et olla ilma kaaslaseta," jätkab Vincent häirimatult.

Ma seisan otse tema ees, aga tal jätkub jultumust mõõta mind pilguga pealaest jalatallani, nagu peaks plaani mind ära osta.

„Ta on kahekümne viie aastane," lisab Andries. Vaatan oma venda. Tema vuntsikarvad on perfektselt korras ega keerdu üheski suunas, kui ta mulle naeratab. Võib-olla tahab ta tekkinud pinget leevendada. Võib-olla peaksin ma noogutama, oma venda rahustama, hingama läbi...

„Kuulsin teie kohta üsna siivutut kuulujuttu. Kuidas..."

„Just sina kõigist inimestest," astub Theo vahele, enne kui vend jõuab jätkata, „peaksid teadma, et kuulujutt sureb, kui jõuab targa inimese kõrvu."

„Tänan," ütlen. Luban endal heita talle kiire pilgu. Theo näos pole ühtegi reaktsiooni ega emotsiooni: see on nagu tühi lõuend. Suunan pilgu uuesti Vincentile. Ta vahib mind endiselt – tema pilk on ärritav ja ebamugav. Minu kleidi varrukad tunduvad korraga liiga kitsad ja kõrge kaelus takistab mu hingamist.

„Härra van Gogh, ma ei ole teie silmarõõmuks loodud maal. Ärge vahtige mind niimoodi."

Andries naerab laginal. „Ma ütlesin teile, et ta on metsiku loomuga," ütleb ta, kui on suutnud rahuneda. Viimased kolm päeva on mu vend olnud kõigi nende sobivaks peetud peigmehekandidaatide külastuste ajal range ja külm. Täna naerab ta enda poolt kutsutud külaliste juuresolekul esimest korda. Eile ma mõtlesin, miks ta kardab oma tõelist nägu näidata, aga täna on ta täiesti teistsugune. Ta tunneb end vendade van Goghide, eriti Theo seltsis ilmselgelt suurepäraselt ja ma armastan Andriest, kui ta südamest naerab, kui ta unustab end lühikeste rõõmuhetkede jooksul.

„Tõepoolest," ütleb Vincent. Vaikus. Ootame nagu idioodid, et ta jätkaks. Selle asemel popsib ta piipu ja hoiab meid ootusärevuses ja hinge kinni pidamas, kuni ta laseb oma silmadel mööda salongi ringi rännata. „Kas teil on mõni lemmikkunstnik, kulla Johanna Bonger?"

„Vend näitas mulle hiljuti Gauguini maale. Kas te olete temast kuulnud?"

Vincenti naer müriseb üle salongi. „Kas *mina* olen *temast* kuulnud?"

„Ta ei ole väga tuntud," ütlen ettevaatlikult ega saa aru, mis minu lauses nii naljakat oli, „tema kunst on seikluslik ja erinev. See on peaaegu primitiivne, julgete värvide ja liialdatud..."

„Te teate midagi kunstist?" kergitab Vincent mind katkestades kulmu. Meie pilgud kohtuvad. Ma ei tea, kas see van Goghi vendadest on kena, veidrik või liiga intensiivne, aga ma tean, et ta on ebaviisakas, käib närvidele ja ma ei taha sellise mehega läbi käia.

„Ärge kunagi mu õde alahinnake," ütleb Andries minu juurde tulles ja mul õlgade ümbert kinni võttes. „Ta on üsna hea kunstnik."

„Pole ma midagi," ütlen punastades ja venna innukuse pärast piinlikkust tundes.

„Ta on naine," pomiseb Vincent, aga enne kui ma jõuan reageerida, ütleb Andries: „Tulge nüüd, õppigem üksteist paremini tundma."

Vincent astub sammukese minu poole, sirutan vastumeelselt käe välja, nagu etikett nõuab. Märkan, et tema vuntsid vajaksid pügamist ja tema pilk kastanpruunide puhmas kulmude all on ainiti põrnitsev. Ta kummardub minu väljasirutatud käe kohale ja oodatud käepigistuse asemel suudleb seda õrnalt. Ilmselt ta ootab, et ma ahhetaksin või minestaksin, aga ma manan näole dramaatilise grimassi ja otsin pilguga Andriest. Minu *abivalmis* vend istub selle asemel minu pilku vältides tugitooli ja silub peopesaga selle narmastutte. Mamma on nõudnud, et vennal peavad olema kalli kangaga peenelt polsterdatud toolid. Nagu kõige muugagi, mida ta teeb, tõstis Andries „peenelt polsterdatud" uuele tasemele.

Kui Vincent astub kõrvale, võtab Theo mu niiske käe ja pigistab seda kindlalt.

„Meeldiv teiega lõpuks kohtuda," ütleb ta, „ma olen tänaseks juba kaks nädalat püüdnud selleks aega kokku leppida."

„Kas tõesti?" Vaatan vilksamisi venna poole ja siis uuesti Theole. „Kas Sara ühineb meiega?" küsin talle otsa vaadates, püüdes näida enesekindlana ja mitte tähele panna, et mu käed higistavad. Theo vaatab kõrvale. Mulle tundub, et ta punastab. Kas ma olen tekitanud talle piinlikkust?

Andries köhatab, see on märguanne, et ma käituksin seltskondlikult.

„Härrased, kus on küll minu kombed?" Naeratan külalistele. „Ma olen kindel, et minu armas vend laseb meile teed pakkuda. Lõppude lõpuks oleme kõik tema külalised."

Andries naerab, tõuseb püsti ja lahkub salongist Clarat otsima.

MEHE PEA

Theo istub minu kõrvale *canapé à confidante*'ile*. Ta jätab meie vahele ruumi, ei ava oma kuuenööpe ja paneb kõvakübara põlvedele. Heidan talle pilgu ja näen, kui kena ta on: punapäine, punaste vuntsidega, alabastri tooni nahaga, pikka nina katmas terve pilv tedretähni. Theo on minust ainult veidi vanem, aga tulvil enesekindlust, mille on andnud edukus ja Pariisi elu. Ta tõmbab käega kõigepealt üle diivani kullatud puitnikerduse ja seejärel damaskuse siidist roosa polstri. Pole aru saada, kuidas ta neisse suhtub, tema nägu püsib ilmetuna. Vaatan tema kätt pisut kauem, kui peaksin.

Vincent uurib ümbrust. Minu vend sisustab oma korterit, nagu ta oleks rikas. Ta liigub Pariisi boheemlaslikus kuulsuste ja peagi kuulsuseks saavate inimeste seltskonnas. Ta töötab kindlustusäris ja hindab vabal ajal kauneid inimesi ja kauneid

*

canapé à confidante – pikk salongidiivan, mille mõlemas otsas on istmed, mis on diivani põhiosa suhtes nurga all.

esemeid. Selle tulemusena on tema salong nagu kollektsionääri unistus: seitsmeteistkümnenda sajandi kiviplaadiga laud, mida ta kasutab kirjutuslauana, hiljuti Edward Burne-Jonesilt kingiks saadud gobelään ja Empire Aubussoni vaip. Aga on kohe selge, et Vincenti kõik need peened asjad ei huvita. Ta kõnnib toas ringi, puistates mürgiseid kommentaare, kuni võtab raamaturiiulist romaani.

„Vincent," uriseb Theo, „ära puuduta midagi. Sa tead, kuidas Bonger seda vihkab."

Tal on õigus, ta tunneb mu venda, nad on tõesti sõbrad. Mu huuled naeratavad.

Vincent paneb romaani riiulisse tagasi, keerab ringi ja tuleb meie poole. „Bonger on üsna sarnane Bismarckile." Ootan selgitust, aga seda ei tule. „Aga miks ma peaksin istuma? Kas sellepärast, et preili Bonger palub?" Theo mühatab uuesti. „Ma arvan, et mul on parem rääkida, kui ma seisan pisut ja vaatan neid *vulgaarseid* esemeid, mis on meie võõrustajatele nii suurt rõõmu pakkunud." Ta naeratab mulle otsa vaatamata Theole ja istub siis sinisesse tugitooli.

Theo hakkab rääkima ilmast ja nende hiljutistest ettevõtmistest, Vincent pomiseb midagi, millest ma aru ei saa. Võib-olla teeb ta seda koguni mõnes muus keeles, mis ei ole ei hollandi, prantsuse ega inglise keel.

„Kas teil on midagi öelda?" küsin, enne kui jõuan taibata, kui ebaviisakas see on. Vincent ei vasta. Selle asemel ta naeratab kuratlikult ja ma tunnen, kuidas viha minus kobrutama hakkab. Ma olen enda peale pahane, et ei suuda oma reaktsiooni peita. Võib-olla sellepärast, et minu jaoks on üllatavalt tähtis jätta Theole head muljet.

„Teil on väga vedanud, et saate kuuluda Pariisi kunstimaailma," ütlen. Püüan eirata Vincenti ja pöördun enda kõrval istuva Theo poole: „Öelge mulle, kellest praegu kõige rohkem räägitakse?"

„Kas te olete kuulnud Henri de Toulouse-Lautrecist?" küsib Theo. Raputan pead. „Hiljuti oli näitus, kus ta kasutas nime Tréclau. Ta imetleb mu venda." Raputan uuesti pead. Ma tean Pariisi kunstist nii vähe. „Aga kindlasti olete kuulnud Anquetini ja Bernardi maalimisstiilist." Ta noogutab minu lõuendi suunas.

„Minu ebaõnnestunud katse kloisonnismi viljeleda?" Raputan lootusetult pead. „Ma olen värvinud mustad kontuurjooned liiga paksudena ja see kõik tundub ülepingutatuna. Ma tahan, et te poleks seda näinud."

„See ei ole lootusetu. Ma saan aru, mida te olete tahtnud teha," ütleb Theo ikka veel lõuendit vaadates.

„Te meelitate mind, ma näen ju, kui kohutav see on." Aga tunnen siiski erutust ega suuda seda peita. Olen korraga nii üllatunud kui ka elevil, et ta tehnika ära tundis.

„Kunst on protsess," ütleb Theo, „see nõuab aega. Aga öelge mulle, preili Bonger, mida te tahaksite maalida?"

Mõtlen. „Mind lummab see, kuidas kunstnikud kujutavad liikumist. Tantsivaid ja jalutavaid inimesi. Kuidas nad suudavad jäädvustada suurt stseeni, kui inimesed ei püsi kunagi paigal?"

„Degas..." ütleb Theo ja teeb siis pausi, otsides kinnitust, et ma tean, kellest ta räägib. Ma tean. Noogutan, et ta jätkaks.

„Ta rääkis mulle hiljuti oma kirest fotograafia vastu. Võib-olla pakuks teile huvi see, kuidas mõned kunstnikud kasutavad maalimisel fotosid? Ma tean, kuidas Bonger oma fotoaparaati armastab."

Ma naeran selle ettepaneku peale. „Mul on karmilt keelatud seda puudutada, välja arvatud juhul, kui Eiffeli torn peaks ümber kukkuma ja mul õnnestuks seda kuidagi jäädvustada."

Theo naerab. Ta reageerib terve kehaga: trambib jalgu, vehib kätega, kõigutab keha, tema hääl on sügav ja vali. „See on teie venna kinnisidee," ütleb ta.

Mulle meeldib meie vestluse juures kõik, meeldib, kuidas ta reageerib, meeldib, et esimest korda paljude päevade jooksul olen koos mehega, kes tundub olevat minust siiralt huvitatud.

„Ma tahan kasutada seda suve katsetamiseks," ütlen. Noogutan peaga uuesti lõuendi poole: „Tahan õppida kunsti paremini tundma."

Kuulen halvakspanevat mühatust, aga ei vaata hääle suunas. Ootan Theo vastust, tema vaatab aga ainiti Vincenti.

„Kas te olete proovinud impastot?" küsib ta, pööramata vennalt silmi. „Vincent on selles tehnikas teerajaja."

„Mul pole aimugi, mis see on." Tunnen jälle piinlikkust oma väheste teadmiste pärast.

„Paksu tekstuuriga, lahjendamata värvi kasutamine, mis võetakse otse tuubist. See kantakse peale spaatliga ja segatakse otse lõuendil," ütleb Theo.

„Mul ei ole paletispaatlit," ütlen, tundes häbi, et kõigist minu vastustest kumab läbi täielik kogenematus. Muidugi tellisin ma Pariisi tulles esmavajalikke tarbeid – mitmesuguseid värvituube, kümme meetrit lõuendit, pintsleid, paleti –, aga ma ei tulnud selle pealegi, et paletispaatlit võiks vaja minna.

Theo vehib käega näidates, et sel pole tähtsust. „Ma saadan teile ühe. See annab liigutusele sügavust, ja..."

„Sa räägid, nagu see oleks lihtne, vend," katkestab Vincent. „See ei ole tehnika, see on emotsioon ja kohe kindlasti ei sobi see inimesele, kellel puudub kogemus."

„Hästi, äkki võiksid siis *sina* seda emotsiooni näidata," ütleb Theo terava tooniga, „lõppude lõpuks ma maksan sulle, et sa preili Bongerit juhendaksid."

„Ma ei taha põhjustada mingit..."

„Tal ei ole paletinuga," ütleb Vincent. Ta raputab pead ja pomiseb midagi, mida ma ei kuule. „Bonger väitis, et ta on kunstnik, ometigi puuduvad tal elementaarsed tööriistad." Vincent raputab uuesti pead, seekord tugevamalt ja mühatab halvakspanevalt. Tunnen, kuidas mu kukal hakkab higist pärlendama. „Ja ma ei usu, et nii peenikeste randmetega naine sellega üldse hakkama saaks."

Vaikus. Theo vaatab minu randmeid, vaikib ja vaatab siis mulle otsa. Püüan naeratada, aga see kukub välja virilalt ja ebaveenvalt. Mul pole aimugi, kuidas ma peaksin reageerima. Kas ma peaksin teesklema, et minu randmete vaatamine šokeeris mind? Kas randmete vaatamine on kuidagi etiketiga reguleeritud ja ma ei tea seda?

„Kas on esile kerkinud uusi tähelepanu väärivaid naiskunstnikke?" küsin Theolt. See on kohmakas katse juhtida vestlus eemale minu randmetest ja tema vennast ja parim, mida hetkel suudan.

Theo naeratab: „Sel aastal kahjuks mitte kuigi palju. On Berthe Morisot." Loodetavasti väljendab naeratus minu tänulikkust. Olen viimastel päevadel sageli mõelnud sellele, et Theo soovitas Andriesele Durand-Rueli galerii külastamist. „Ta on endale nime teinud ja maalib suurepäraselt." Theo mõtleb hetke. „Virginie Demont-Breton on jätkuvalt imehea, tema vanemad on mõlemad tuntud maalikunstnikud. Tal oli möödunud aastal näitus."

Andries tormab salongi. „Millest ma ilma olen jäänud?" Ta naerab laialt, temast õhkub elevust ja koerust.

„Bonger, ma olen su õde nüüd lähemalt vaadanud ja mind ajab vihale, et sa pole öelnud, milline iludus ta on," ütleb Vincent.

Mis lahti on, Vincent? Kas sind häirib, et sinu vend pöörab mulle tähelepanu, mis on tavaliselt sinu päralt?

Hammustan huulde. Ma ei pöördu tema poole ega reageeri. Ma näitan neile vendadele, et olen täiskasvanulik ja tasakaalukas, isegi kui mind provotseeritakse. Aga Theo püüab mu pilgu kinni, tema näos on tuhat vabandust.

„Ma vabandan oma venna eest," ütleb ta madala häälega, käed süles. „Värviaurud on tema tundlikkust nüristanud." Naeratus.

Vaatan talle otsa pisut kauem kui sobilik. Naeratan samuti.

„Ja mina pean omakorda *oma* venna eest vabandama," torkab Vincent. „Ta on noorem ja ta on olnud edukam, kui keegi meist saab kunagi olema. Kardan, et edu on tema väljaulatuvasse otsmikusse löönud."

Andriese möirgav naer kaigub läbi salongi. Ta peab vendade etteastet ilmselgelt lõbusaks meelelahutuseks.

Enne kui ma jõuan reageerida, tuleb salongi Clara. Ta oli kõigest viieteistkümneaastane, kui mind imikueas hoidma hakkas. Mamma tundis Clara ema, Clara ei tea, kes ta isa on. Kui ma talt isa kohta küsisin, tavatses ta kutsuda teda Othelloks ja rääkis Curaçaos asuvatest istandustest. Clara paksud huuled, tumedam nahk, süsimustad juuksed ja sõstrasilmad räägivad sellest, et tema ema andis järele eksootilise mehe ahvatlusele. Ta õõtsub kõndides kergelt, püüdes hoolikalt hoida tasakaalus kandikut raske teenõuga. Tahan tõusta, aga vend paneb käe kindlalt mu õlale ja surub mind tagasi istuma. Kui meil on külalised, et tohi ma Clarat aidata. Pean hoopis teesklema, et ta ei ole üks kõige paremaatest ja lojaalsematest naistest, keda ma tunnen. Istume vaikselt ja meie kõigi silmad on vaesel Claral, kui ta asetab kandiku pähklipuust lauale ja valab meile kõigile teed. Ta vaatab maha ja heidab ainult salongist lahkudes Andriesele pilgu.

Vincent ohkab ja me kõik pöördume tema poole. Ta vehib nelinurkse, jämeda pruuni kotiriidega kaetud vihikuga ja paneb selle siis endale sülle.

„Miks te ei ole abielus?" küsib Vincent. „Preili Voort räägib, et te lahutate tihti meeste meelt."

„Vincent!" karjatab Theo.

Ma palun vaikselt, et kuumalaine ei tõuseks mu kaelast kõrgemale, aga palvet ei võeta kuulda. Minu näol peegelduvad nüüd nii minu süü, häbi kui ka viha.

„Arutelu mu õe mõtlematu käitumise üle Utrechtis on vaevalt sobilik vestlusteema," ütleb Andries teravalt.

Sügav hingetõmme, me kõik ootame.

„Kas me pole siin mitte selleks, et Johannat tema kunstipürgimustes aidata?" küsib Theo.

Ma olen naine, minult oodatakse, et lasen neil endast rääkida, nagu poleks mind toas.

„Ja miks *teie* ei ole abielus?" küsin Vincentilt. Ma pole ikka veel õppinud tegema seda, mida minult oodatakse. Võin tunduda kiusliku lapsena, aga jätkan siiski: „Kas teil ei ole õnnestunud kohtuda naisega, kes teid tahaks? Kas te olete Pariisis saadaval olevate vallaliste meeste musternäide?"

Vincent naerab. Vaatan teda mõistmata, miks minu solvang teda lõbustab.

„Mul kulub liiga palju aega sellele, et parandada oma venna poolt purustatud südameid," ütleb ta.

Vaatan Andriesele otsa ja kergitan kulmu. *Mida ta silmas peab*? Salongidiivanil on kummaski otsas etteulatuv iste, mis on täisnurga all laia keskosa suhtes, kus me Theoga istume. Minu vend istub minu kõrval olevale istmele ja paneb oma käe minu käsivarrele. Lohutavalt, mitte pidurdavalt. Ta selgitab hiljem.

„Erinevalt meie vanematest õdedest, kes on pühendunud kodusele majapidamisele, lubasid mu vanemad Johannal jätkata oma haridusteed Inglismaal," ütleb Andries. „Nad on tänaseks oma otsust juba mitu aastat kahetsenud, aga ma armastan teda meeletult ja tingimusteta. Ta on kõige parem naine, keda ma tean."

„Mul puudub igasugune soov tegeleda majapidamisega. Töötasin Utrechtis õpetajana," ütlen.

„Kuni teid lahti lasti," lisab Vincent. Kui ta imeb oma piipu, tõmbuvad ta põsed tugevalt lohku.

„Austusavaldustega vabastatud tervislikel põhjustel," ütleb Andries, valmis Vincentiga vaidlema, aga kunstnik on juba püsti tõusnud.

„Kas hakkame lõpuks minema?" küsib ta Theolt.

„Sa võid minna," vastab Theo.

Jälgime, kuidas Vincent lahkub hüvasti jätmata salongist. Andries naerab. Vincenti käitumist võib vabandada tema ekstsentrilisusega, aga kui mina niimoodi lahkuksin, tiriks vend mind seelikut pidi tagasi.

„Kas ta on alati nii ebaviisakas?"

„Andke talle pisut aega ja teist saavad parimad sõbrad," ütleb Theo, aga ma vangutan uskumatult pead.

„Öelge mulle, Johanna, kuidas teile Pariisis meeldib?" küsib Theo naeratades. Tunnen taas tänulikkust tema heasoovliku suhtumise eest.

„Stimuleeriv, natuke liiga palav ja üks vend van Gogh liiga palju," vastan. Andries ja Theo naeravad.

„Nii et te kavatsete veeta suve maalides?" küsib Theo ja ma noogutan.

„Lugedes, kirjutades, maalides. Loodan õppida paremini mõistma, mis mulle meeldib ja mis mitte."

„Täiuslik suvi," ütleb Theo vaid õige kergelt minu poole nõjatudes. „Ma esindan paljusid kunstnikke. Ja kui ma saan aidata... Te peaksite tutvuma teiste kunstnikega ja õppima Pariisi kunstimaailma paremini tundma. Võib-olla võiksin teid Degas'le tutvustada?"

„See oleks imeline. Ja ma tahaksin väga kohtuda ka naiskunstnikega."

„Bonger teab, kust mind leida." Theo viitab mu vennale. Naeratan Andriesele ja ta noogutab nõusoleku märgiks.

„Kas te teate palju kloisonnismi kohta?" küsin. Tahan, et meie vestlus ei lõpeks, tahan tema seltsis veidi kauem olla. „On selge, et mul on vaja palju õppida."

Theo vaatab uuesti mu maali. „Ma peaaegu ei taha seda öelda..." ta põsed värvuvad erepunaseks, „ma tean, et olen meie vestluse ajal maininud paljusid kunstnikke, aga nad kuuluvad minu igapäevaellu ja ma tõesti ei taha teile muljet avaldada, kiideldes, kui palju mul kunstnikest sõpru on, aga alles eelmisel nädalal arutasin seda stiili Dujardiniga."

Juuli 1888

Theol on palju sidemeid ja see, et ta on valmis mind tutvustama Pariisi kunstnikele, on temast suuremeelne ja lahke.

Miks ma püüan siis tema motiivides midagi sügavamat näha? Milline lollpea ma olin, kui usaldasin Eduardi ja uskusin tema sõnu. Kas see on põhjuseks, miks ma ei usu, et Theo pakub mulle abi lihtsalt Andriese aitamiseks? Et ta on lihtsalt viisakas, hea sõber, džentelmen?

Sara Voort ütles, et nad on kihlatud. Theo ei ole vaba, et teiste naiste vastu huvi tunda.

Ja ometi tunnen uimastavat erutust.

VAIKELU RANNAKARPIDE JA KREVETTIDEGA

Naudin parasjagu esimest suutäit krevette, rannakarpe ja ubasid, kui uksekell heliseb.

Mõni minut hiljem astub Clara söögituppa. „Preili Jo, Theo van Gogh palub, et ta saaks teiega rääkida. Ma juhatasin ta salongi."

Vaatan igatsevalt sööki, mis on veel kuum. „Aga Dries on alles tööl," ütlen, teadmata, kas ma tohin tema äraolekul külalisi vastu võtta.

„Ma jään koos teiega salongi," ütleb Clara, „toit võib oodata." Ta naeratab.

„Kuidas ma välja näen?" küsin tõustes ja ennast keerutades.

„Väga armas, preili Jo."

Tõttan söögitoast välja, aga jään salongi ukseavasse seisma. Tõmban hinge, et end rahustada, ja imetlen silmapilgu, kui kena see mees on, kui ta Andriese diivani kohale kummardudes sirvib värssromaani „Aurora Leigh", mida ma loen. Salongidiivani roosa polster tõstab ta punased juuksed esile, punased vuntsid on õlitatud ja harjatud ja tema tedretähnid on lihtsalt vaimustavad.

„Härra van Gogh." Theo ajab end ruttu sirgu, tema silinder libiseb põrandale. Naeratan. „Milline ootamatu üllatus," ütlen tema juurde minnes. Ta võtab mu väljasirutatud käe, seekord on niiske tema peopesa ja ta käepigistus pole nii tugev.

„Vabandage, et ma tulin ette teatamata," ütleb ta. Ta ilme on tõsine, tundub, nagu vaevaks teda suur mure.

„Kas te tunnete end hästi? Kas asi on Vincentis?" Istun. „Istuge mu kõrvale," ütlen, patsutades diivanit.

Ootan vastust, kui Theo oma kuue lahti nööbib ja minu kõrvale istub. Ma jälgin, kuidas ta sõrmed libisevad mööda värssromaani „Aurora Leigh" kaant, raamatu üks serv puudutab minu seelikuid, teine tema pükse. Clara sööstab lähemale, et tõsta silinder maast, ja tõmbub siis tagasi ukseavasse.

„Ma ei ole end kunagi paremini tundnud," ütleb Theo üles vaadates ja naeratades. Kogu tema nägu muutub, tema rõõm on nakkav.

„Kas te olete lugenud midagi Elizabeth Barrett Browningult?" küsin oma raamatule viidates. Theo raputab pead.

„Ma loen seda siin ikka ja jälle uuesti," ütlen. „See mõtestab lahti nii paljud kahtlused ja mured, mida ma olen viimasel ajal siin haudunud," näitan oma pea peale.

„Rääkige sellest lähemalt," ütleb Theo kergelt minu poole nõjatudes.

„Ma loomulikult lihtsustan." Naeratan. „Raamat tekitab tunde, et kunst on küll suurepärane, kuid ei suuda kunagi täita tühjust seal, kus peaks pesitsema armastus."

Ootan, et Theo vastaks, aga sõnade asemel vaatab ta mulle otse silma. Tema intensiivsus tabab mind ootamatult, pilgutan esimesena.

„Ma pole kunagi kohanud kedagi teiesugust. Ma tunnen, kuidas teie mõtted inspireerivad meievahelist vestlust, ja muretsen, kas minu omad suudavad sedasama."

Ma ei tea, miks ma naerma hakkan. Võib-olla tahan vabaneda sellest kummalisest pingest, mis näib olevat kogunenud meie vahele ja minusse.

„Ma pole tegelikult eriti huvitav," ütlen, pannes käed põlvedele kokku, ja seekord kihistab Theo naerda. Mulle meeldib see heli. „Ma olen aastaid elanud peamiselt oma raamatutele ja õppimisele. Minu maailm oli õpetamine, siis Eduard." Vaikus, ma ei suuda takistada oma põskede kuumamist.

„Johanna," ütleb Theo, kummardudes ettepoole ja pannes oma käe minu omale, „me kõik teeme vigu."

„Vabandust, ma räägin tõesti liiga palju," ütlen, vaadates meie käsi ja siis talle otsa. Theo raputab pead. „Aga aitab sellest." Võtan oma käed tema omade alt ära, pühin seelikusse ja juhin tähelepanu oma venna salongile. „Aga ei kunst, ilusad esemed, isegi mitte romaan, mitte miski..." Jään vait, kuid Theo annab märku, et ma jätkaksin. „Miski ei võta ära seda üksindustunnet, mis istub minus koos sooviga olla armastatud ja kogu südamest armastada."

„Mis sellesse puutub, siis..." Näen, kuidas ta põsed värvuvad leekivpunaseks.

„Palun vabandust," ütlen, lootes, et diivan mu üleni neelab. „Ma ei tahtnud teis ebamugavust tekitada. Kaotasin end hetkeks „Aurora Leigh'" värsiridadesse ja teie peate taluma minu uitmõtteid, kui tulite ometi lihtsalt mu vennale külla. Ta peaks iga hetk tulema..."

„Ei, kallis Johanna. Otse vastupidi." Theo sirutab käe ja võtab minu oma, meie sõrmed põimuvad, nagu oleks nad alati teadnud, kuidas seda teha. Ma ei võitle vastu. Mõtlen paratamatult Eduardile ja tema...

„Ma arvan, et me peaksime abielluma," ütleb Theo.

„Kuidas?" Tõmban oma käe ära ja hüppan püsti. Vaatan Clara poole, aga ta seisab avatud ukseavas ja tema silmad on otsusekindlalt pööratud põrandale.

„Ma tahan, et te saaksite minu naiseks," ütleb Theo tõustes ja püüdes uuesti mu käsi haarata.

Astun sammukese tagasi. „Teie naiseks?" küsin nagu kaja.

„Te teete mind õnnelikuks," ütleb ta ja astub sammu minu poole.

„*Mina* teen *teid* õnnelikuks?" Kordan tema sõnu, et anda endale aega aru saada, mis toimub, ja mõelda, kuidas vastata. „Theo," ütlen.

„Jah." Kuulen selles ainsas sõnas ootusärevust.

„Me oleme kohtunud ainult ühe korra." Ta ootab. „Te ei saa ometi panna mind kogu oma õnne eest vastutama." Vehin kätega õhus, otsekui demonstreerides tema öeldu tohutut kaalu. „Me teame teineteisest nii vähe."

„Ma tean, et ma armastan teid," ütleb Theo. Tema õlad on longu vajunud ja ma näen, kuidas ta enesekindlus nendelt põrandale pudeneb. „Meie vahele tekkis ju kohe side. Usun, et ka teie tundsite seda?" ütleb ta kõhklevalt.

„See ei puutu üldse asjasse," ütlen, „me teame... me teame teineteisest liiga vähe."

„Aga ma võin võimaldada teile jõukat ja mitmekülgset elu, mis stimuleerib teie ilusat mõistust. Meid ümbritseksid heasoovlikud inimesed, kes tahaksid, et te veel õnnelikum oleksite."

Raputan pead.

„Me töötaksime koos, leiaksime midagi, millele pühenduda ja teha midagi väärtuslikku," ütleb ta.

Miks ta ei saa aru, kui naeruväärselt see kõlab? Miks ta ei mõista, et tema ajastus on täiesti vale?

„Kas te ei tunne minu vastu üldse midagi?" küsib ta ja ma näen, kuidas ta silmad otsivad minu näost vastust: lootust, kindlustunnet, kinnitust.

„Ma ei tea, mida ma tunnen," ütlen ja mu jalad värisevad, kui ma uuesti diivanile istun.

Ta kortsutab kulmu ja ta pea vajub uuesti rinnale. „Kas te armastate ikka veel *teda*?"

„Sellest, kui me Eduardiga vahele jäime, pole kulunud kolme nädalatki. Ma ei tea, kas ma armastan teda ikka veel, aga ma tean..."

„Te jätsite mulje, et olete huvitatud."

„Ma ei teinud midagi sellist." Vaatan talle otsa, et ta pilgu mulle tõstaks. „See toimub liiga ruttu."

Pärast seda, kui tulin oma venna juurde Pariisi elama, olen ellu ärganud ja ma keeldun kõigest sellest loobumast mehe pärast, keda olen kohanud ühe korra, mehe pärast, kes kuulutab oma armastust, mõtlemata sellele, mida mina võiksin tahta. Mul on vaja aega, et toibuda ja avastada, mis on minu jaoks elus tõeliselt tähtis.

Theo muigab pilkavalt ja näeb välja rohkem Vincenti kui enda moodi.

„Te ei kuula, mida ma räägin," sosistan.

„Te ütlesite, et vajate mehe armastust," ütleb ta, nagu tõestaks see tema seisukohta.

„Te mõtlete ainult enda õnnele," sosistan uuesti.

„Bonger usub ka, et ma suudan teid õnnelikuks teha, ja..."

Nüüd aitab. „Ma ei abiellu teiega," ütlen. Olen end kogunud ja oma hääle leidnud. Mulle kargab pähe mõte preili Voortist. „Ja kuidas on Saraga? Kas te pole mitte kihlatud?"

Theo surub käed püksitaskutesse. „Me suhtlesime mõned kuud," ütleb ta muutunud toonil. Kuulen ta hääles viha, võib-olla kibedust. „Ma võib-olla mainisin võimalikku kihlust," ütleb ta, „aga see oli päris alguses. Kui kõik oli uus ja..."

„Täpselt nii, nagu praegu?" küsin, keeldudes oma pilku ära pööramast. Theo vaatab igale poole mujale, mitte mulle otsa.

Kas Eduard ja Theo on ühesugused? Kas minu saatus on olla petisest meeste mängukanniks?

„Kas teile meeldib paluda naistel endaga abielluda? Kas see on teie jaoks mingi õel mäng? Manipuleerida kiindumustega? Et näha, kui palju murtud südameid te enda järel maha jätate?"

„Sara on oma eluga edasi liikunud," ütleb Theo ja ta sõnad salvavad nagu krokodilli hammustus. „Tema ja Vincent on..."

„Ma ei taha seda kuulata. Naised pole mänguasjad, keda käest kätte antakse ja kelle üle keelt pekstakse."

„Mina pole tema." Theo sõnades kostab tuttav tõsidus, ta on isa, kes noomib oma kõige ulakamat last. „Ma ei ole Eduard Stumpff."

Tõusen uuesti püsti. „Ma paluksin teil nüüd lahkuda. Mul on krevettide, rannakarpide ja ubade söömine pooleli."

„Vabandan, preili Bonger." Ta kiirustab põskede punetades ja põrandat põrnitsedes uksele. „Ma tõlgendasin teie signaale valesti. Ma ei tülita teid enam kunagi."

Juuli 1888

Aga ma tahan, et ta mind uuesti tülitaks.

VAIKELU PUNASE KAPSA JA SIBULATEGA

Kell pole veel üheksagi, aga hommik on juba soe. Kardinad on eest tõmmatud, aknaluugid avatud ja salongi aknad praokil. Inimesed jalutavad Victori tänava munakividel ja tuppa tantsib nende prantsuskeelset juttu. Kuskil heliseb naer, keegi laulab ülemisel korrusel, laps hüüab ema, kõik see tekitab tunde, et sa pole linnas kunagi päris üksi, ja teeb meele rõõmsaks.

Olen poollamavas asendis külitsi diivanil. Minu kontsasaapad toetuvad roosale polstrile ja ülestõstetud põlvedel on joonistusvihik. Seelikute raske kangas on vajunud reite ümber ja ma püüan joonistada. Mamma pole ikka veel minu pagasit Utrechtist edasi saatnud, aga Andries on lahkelt kinkinud mulle täiesti uue Pariisi garderoobi: lamedamate turnüüridega kleidid (mis annavad minu siluetile S-kuju), mõnel pealisseelikud tõstetud eest üles nii kõrgele, et jätavad alusseeliku nähtavale – mulle pakub lõbu mõte, kuidas mamma sellesse suhtuks –, kleitide tihedalt liibuvad pihaosad väga kitsaste varrukate ja kõrge kaelusega. Minu uued rõivad uhkeldavad rikastes sinistes, rohelistes ja punastes värvides, neil on kontrastsed kaunistused ja ekstravagantsed pärltikandid. Täna on mul seljas küllusliku krüsanteemimustriga seelik, iga päevaga tunnen end nii sisemiselt kui väliselt üha rohkem pariislasena. Olen kindel, et ühel päeval purskab igast mu poorist puhast rõõmu. Õhus on õnne.

„Sa ju saad ikka aru, et ma pole sinu toatüdruk," ütleb Andries salongi tulles. Vaatan üles ja ta naeratab, ta pole minu peale põrmugi pahane.

Panen vihiku ja pliiatsid ära, tõmban seelikud alla ja püüan graatsiliselt istukile tõusta. See ei õnnestu, graatsia ei ole mulle omane. Vend vehib kirjadega minu sassiläinud soengust vallandunud lokkide poole ja ulatab siis mulle kaks ümbrikku.

„Ma ju ütlesin sulle, et ta võtab uuesti ühendust."

„Theo?" küsin, suutmata erutust varjata.

Venna suu venib kõrvuni ja ta noogutab. „Ainult kolm päeva norutamist. Ma hakkan arvama, et tema ekstravagantsel kiindumusel võib isegi tõepõhi all olla."

Kergitan kulmu ega suuda naeratust tagasi hoida.

„Theo ei ole harjunud, et talle ära öeldakse," ütleb Andries. „Ta on kõige ihaldusväärsem poissmees, keda ma tean. Naised seisavad praktiliselt tema korteri juures järjekorras, et talle pilku heita."

Naeran ja vehin ümbrikega venna poole.

Andries rääkis Theoga päev pärast meie kohtumist. Ütles, et ma vajan Eduardi julmusest paranemiseks rohkem aega ja kõige parem oleks mulle läheneda kannatlikult ja tuge pakkudes. Viimase kolme päeva jooksul on vend leevendanud minu ängistust, mille põhjustas ootamatu ettepanek, ja nautinud minu narrimist.

„Ma ei saanud ju armastusavaldusele „jah" öelda. Mitte pärast vaid ühtainust kohtumist." Seda, et mul *võib ikka veel olla tundeid Eduardi vastu,* me ei aruta.

Andries kehitab õlgu. „Võib-olla tõesti. Aga jälgi olukorda järgmise nädala-paari jooksul kõrvalt ja siis võime ettepanekut uuesti hinnata."

„Aga..."

„Ja Vincentilt on ka kiri."

Andries kummardub diivani kohale. Vaatan kollaseid ümbrikke, millel on minu nimi ja Andriese aadress. Üks on suur ja laitmatult puhas, teine söeste pöidlajälgede ja kollaste plekkidega.

„Ma tegin selle vea, et mainisin vendi mammale. Sain kirjas pika loengu Vincenti lõtvadest kommetest. Kuuldused tema mainest on jõudnud Amsterdami," ütlen, jälgides Andriese reaktsiooni. Mul ei ole kahtlust, et ta on mammale midagi rääkinud, ja ma tahan teada, mida.

„Ja see on tekitanud sinus Vincenti vastu huvi?" narrib Andries.

„Mitte põrmugi," vastan ja lehvitan endale kirjadega tuult. Mul ei ole mingit huvi selle ebameeldiva Vincenti vastu ja kohe selgus, et vennad van Goghid on kõige väiksemad minu probleemidest. Mamma kiri on murettekitav. Ta käskis mul hiljemalt augusti lõpus koju tulla. Kirjutas, et mind ootab „põnev üllatus", ja paljas mõte sellele on vajunud raske koormana mu õlgadele. Mamma peab põnevaks, kui sind valitakse pärast missat kiriku laululehti kokku koguma. Mamma lõhkeks õnnest, kui mind pandaks kogumiskorvi eest vastutama. Kurb tõsiasi on see, et ma ei usu, et miski minuga seotu on teda kunagi õnnelikuks teinud. Püüan end lohutada tillukese lootusega, et ta peab üllatuse all silmas kõrgklassi traditsioonilist suurt Euroopa ringreisi, võimalikult koos rikkaliku stipendiumiga, aga tean, et see on ebatõenäoline. Mamma süüdistab minu sobimatus suhtes Eduardiga „välismaa vett", mida ma jõin õpingute ajal Inglismaal. Oma siinoleku teisel päeval sain talt kirja, millest ta keelas mul Pariisis vett juua. Tundub, et kehastan mamma jaoks tahtmatult kõike seda, mida ta kaasaegsete naiste puhul vihkab. Mõnikord soovin ikka veel, et ma talle meeldiksin.

Panen Theo kirja enda kõrvale diivanile ja avan värviplekilise ümbriku.

Kallis Johanna

Igatsen Teiega uuesti kohtuda. Ma kuulsin, et Te lükkasite minu venna abieluettepaneku tagasi. On üsna tavaline, et naised, kelle vastu minu vend on huvi tundnud, pööravad selle lõppedes oma tähelepanu minule ja ma loodan väga Teiega paremini tuttavaks saada.

Saadan väikese portree, mille Teist visandasin. Ma ei oska veel Gauguini tasemel mälu järgi maalida ja ma loodan, et sarnasuse võimalik puudumine ei solva Teid.

Ma võin täna Teie juurest läbi astuda.

Tout à toi,
Vincent

„Millest ta räägib?" küsin. Vend kehitab õlgu ja vaatab kõrvale, ta on kohutavalt halb valetaja.

„Dries..."

Ohe. „Kui Theo oma suhtest Saraga tüdines, tahtis ta sellele lühikest ja konkreetset lõppu. Aga teda pani muretsema Sara hullus ja see, kuidas naine võib reageerida."

Kortsutan kulmu. Mulle ei meeldi, kuhu see vestlus ähvardab välja viia, aga ma noogutan vennale, et ta jätkaks.

„Vincent nõustus Sara üle võtma."

„Mida ta nõustus tegema?"

„Noh, nende plaan oli, et Vincent juhib Sara kiindumuse Theolt endale. Neil on see kombeks. Theo meeldib paljudele naistele ja kui ta tunneb, et need ei sobi talle, võtab Vincent nad üle. See on korduvalt toiminud, tavaliselt kulub umbes kuu aega..."

„See on barbaarne," ütlen.

„See toimis ka seekord, aga Theo abieluettepanek..."

Vangutan pead – vendade van Goghide järel käib kaos – ja voldin lahti Vincenti joonistuse.

„Oh, Andries, vaata ometi!"

Tušijoonistus, terve leht täidetud tuhandete erineva paksuse ja pikkusega joontega, mis moodustavad minu portree. Joonte rägastikus joonistub välja minu näo kontuur, peened jooned rõhutavad varje silmade ümber ja vahel. See on esimene Vincent van Goghi töö, mida ma näinud olen. Ma olen jahmunud, pilt on ilus ja meelitav. Mul pole olnud mingit kontakti Vincentiga pärast tema külaskäiku, mil ta oli ebaviisakas, kriitiline ja tõre, ja nüüd – see. Miks ta on mind nii tähelepanelikult vaadelnud?

Kas see, et ma Theole ära ütlesin, on mind tema jaoks kuidagi ihaldusväärseks teinud?

„Ta on üsna andekas," ütlen. Vincenti oskused nii lummavad kui ka heidutavad mind.

Andries kummardub üle mu õla. „Vaata kõiki neid lisajooni nina ümber." Ta torkab sõrmega joonistust ja ma tõmban selle tema käeulatusest eemale. „Tal on olnud raskusi sinu ümara nina kujutamisel."

Puudutan kiiresti sõrmedega oma ninaotsa ja vend naerab.

„See on imeline," ütlen. Voldin pildi ja kirja kokku, panen tagasi ümbrikusse ja lükkan selle oma vihiku vahele. Vaatan neid hiljem uuesti, koos Claraga, ilma Andriese *ebakonstruktiivsuseta*. Võib-olla oskab Clara selgitada selle mehe ootamatut huvi minu vastu.

„Kas sa arvad, et Vincentil on kunstnikuna lootust?" küsin venna poole pöördudes. „Ma tahaksin näha tema maale."

„Ta on hakanud tunnustust saavutama. Theol on temasse tugev usk. Ta näeb kõvasti vaeva, et Vincenti tööd satuksid õigetesse kätesse."

Naeran. „Vincenti oskused peaksid ju ometi rääkima ise enda eest?" küsin.

„Ta on loonud mõned ilusad teosed, tema lillemaalides on *midagi* erilist. Ma olen alati tema vastu aus," ütleb Andries. Tema suu kõverdub vuntside all naeratuseks.

Tonksan venna kätt oma vihikuga. „Sa kritiseerid Vincenti, ise ei oska kriipsujukutki joonistada."

„Konstruktiivne kriitika," ütleb vend oma käsivart tugevalt

masseerides. Ta muheleb. „Kas me kõik mitte ei õpi läbi selle? Kas sina siis ei tahaks läbi selle õppida?"

Muidugi tahan, aga Andries ei kritiseeri mind kunagi. Ma tahan, et ta teeks seda. Kui ta oleks kriitiline, aitaks see mul tunda end rohkem areneva kunstnikuna ja vähem väikese tüdrukuna, keda tema lemmikvend kiidab.

„Mamma ei lubaks sul ealeski seda joonistust endale jätta. Ta kuulutaks, et see viitab skandaalsele seosele," ütleb Andries.

„Mamma ütles oma kirjas, et *igasugune seos Vincent van Goghiga häbistaks meie perekonda uuesti ja põhjustaks soovimatut tähelepanu*," ütlen mamma häält matkides. „Ta ütles, et olen talle juba *terveks eluks peavalu tekitanud*." Jään vait ja jälgin Andriest. Ta keeldub mulle otsa vaatamast. „Ma oletan, et sa ikka kirjutasid mammale, et ma andsin Theole korvi?"

Vend noogutab ja tõstab silmad, et mulle otsa vaadata. „Ta arvab, et sa peaksid kõigepealt abielluma ja siis vaatama, kas see sulle sobib."

„Ma ei saa aru, miks sa peaksid minu romantilisi suhteid mammaga arutama? Räägi, milles asi tegelikult on?"

Andries kehitab õlgu. „Mamma kardab, et sind ei taha varsti enam keegi."

Vaatan venda, ta ei vaevu lähemalt selgitama ja see pole tema moodi. Õhk on paks väljaütlemata sõnadest. Ootan, kuni ta minu kõrvale diivanile istub.

„Mamma on..." alustab ta tavalisest sügavama häälega, „sa pead nüüd rahulikuks jääma," ütleb ta, mis loomulikult viib mind täielikku paanikasse.

HÄMARIK ENNE TORMI: MONTMARTRE

Olen püsti karanud ja tammun Enpire Aubussoni vaibal närviliselt ringi.

„Kuidas? Ta käskis sul..."

„Mamma tegi mulle ülesandeks leida sulle veel enne suve lõppu abikaasa."

„Seitsme nädalaga?" Andries noogutab.

„Millal see toimus?" küsin.

„Pisut rohkem kui kaks nädalat tagasi."

Vaikus. Mõtlen kiiresti viimase aja sündmustele. „Siis, kui sa hakkasid kutsuma külla kõiki Pariisi sobivaid poissmehi?"

„Jah."

Andries väldib mu pilku. Tahaksin teda raputada seni, kuni kõik mammaga vahetatud sõnad ja plaanid temast välja pudenevad.

„Ja sa nõustusid? Sa ei tulnud selle pealegi, et minul võib ka selles asjas oma arvamus olla?" küsin peaaegu karjudes. „Nii et kõik need igavad külaskäigud ja tutvustamised olid mamma pärast?"

„Kellele sa usaldaksid parema meelega endale kaaslase otsimise? Mulle või mammale? Ma pidin nõustuma, muidu oleks ta käskinud sul viivitamatult Amsterdami tagasi minna."

See kõlab usutavalt. Potsatan tagasi diivanile.

„Ma uskusin siiralt, et Theo sobib sulle ideaalselt. Kui ta poleks ainult olnud nii... läbematu," ütleb vend.

Ma võtan tema käe. „Tänu sinu armastusele, sinu toetusele, kogu sellele raamatute ja kunsti keskel veedetud ajale on mõtted Eduardist jäänud tagaplaanile. Ma alles hakkan endalt küsima, kes ma olen ja kelleks ma võiksin saada. Miks sa tahad mind abiellu tõugata?"

Vend mõtleb enne vastamist hetke: „Sellepärast, et... sellepärast, et mammal on tegelikult õigus." Andries paneb käed mu põlvedele, et takistada mind uuesti vihaselt püsti kargamast. „Sinu vanuses vallaliseks jäämine teeb elu sinu jaoks pikas perspektiivis keeruliseks. Sa kaotad oma ilu. Sinna ei saa midagi parata, Jo. Sul pole palju valikuid."

„Alati on valik." Hingan läbi nina, heli meenutab norsatust.

„Mamma eesmärk on hoida sind eemal uutest skandaalidest. Ta usub, et sul on olnud *piisavalt aega, et rahuneda ja oma vabaduseiha taltsutada*. Et Stumpffi afäär näitas sinu suutmatust..." Andries vaikib.

„Ütle välja."

„Mamma on juba leidnud sulle elukaaslase."

Nüüd loksub kõik paika, nüüd ma lõpuks taipan. „Kas see ongi tema üllatus? Põhjus, miks ta tahab, et ma augustis koju läheksin?"

Andries noogutab. „Ta on jõukas, aga...väga vana." Üle Andriese näo libiseb vastikusevari.

„Kes ta on?" Värisen üle kogu keha, sõnad lõgisevad mu suus.

„Kas sa mäletad papa sõpra doktor Janssenit?"

„Seda põrsanäo ja punnis kõhuga vanameest? Kas ta polnud mitte abielus?" Ma ei suuda varjata paanikat oma hääles. Hõõrun niiskeks tõmbunud peopesi seelikusse. *See ei saa ometi juhtuda*. Ma ei suuda uskuda, et mu vanemad peavad *seda meest* ideaalselt sobivaks.

„Ta on ligi seitsmekümneaastane. Lesk. Mamma arvates on ta sobiv abikaasa ja papa on alustanud läbirääkimisi."

„Alustanud läbirääkimisi," kordan kajana.

„Kihlus kuulutatakse välja septembris."

„Mulle on hinnasilt külge pandud," ütlen. Arvan, et sosinal.

„Sellepärast ma sekkusingi. Mamma nõudis alguses, et sa kohe koju läheksid. Ta teab, et ma ei kiida tema valikut heaks, ja andis mulle suve lõpuni vabad käed alternatiivi otsimiseks. Ma ei talu mõtet, et sind aheldatakse kokku mingi vana kännuga. Ma tean, kui õnnetuks see sind teeks, ja sa väärid paremat... Sellepärast olengi püüdnud leida sulle kedagi siit lootes, et sa armud ja pääsed..."

„Ma ei vaja päästmist," ütlen, aga ei usu seda ka ise. Mu sõnad ei veena ei mind ega mu venda.

„Ma olen sinu poolt, Jo," ütleb Andries ja me naeratame. Nõrgalt. Mul on hing kinni ja mu kõht tõmbub hirmust krampi.

„Las ma jätkan sulle inimeste tutvustamist siin, Pariisis." Andriese toon on rahustav, ta püüab minu paanikat leevendada. „Ja ma ütlesin, et me võime nädala-paari pärast uuesti Theo ettepanekule mõelda." Tahan midagi öelda, aga Andries katkestab mind. „Pariisis on terve rida mehi, kellest saaks sulle hea abikaasa. Paljud laseksid sul isegi jätkata kunstiõpinguid. Vähemalt kuni laste saamiseni."

„Aga ma ei taha abikaasat. See on liiga ruttu pärast Eduardi. Ma ei ole valmis."

Andries nihkub diivanil lähemale ja ma nõjatun tema vastu. „Mul on lubatud otsida sulle sobivat kaaslast kuni suve lõpuni. Kui see ei õnnestu..."

Ta ei pruugi oma lauset lõpetada.

Ma kehastan kõike seda, mida mamma ja minu õed vihkavad. Oli aeg, mil ma pingutasin rohkem, aga paljud ebaõnnestumised on mind ära kurnanud. Ma ei ole mamma naeruväärsete standardite kohaselt kunagi piisavalt hea. Ja siin, Pariisis, on midagi, mis pakub vabadust olla see, kes ma pean olema. Ma tahan jääda, ma tahan seda iga oma rakuga. Mida kauem ma olen mammast eemal, seda vähem tõenäoline on, et ma muutun temasarnaseks. Ma pole kunagi öelnud, et ma ei taha abielluda. Mul on lihtsalt vaja aega, et Eduardi reeturlikkusest üle saada, aega, et lõpetada tema järgi igatsemine. Aega, et mõista, kes ma ise olen, enne kui saan abielunaiseks ja emaks. Andries on minust vanem, aga keegi ei sunni teda altari ette ja abieluvoodisse. Montmartre on boheemlaslik, elunautiv, tulvil kunsti. Siin pole kiiret abielluda.

Või umbes nii ma mõtlesin. Kuni tänaseni. Täna on kõigele vint peale keeratud. Nüüd liigub kõik teises tempos ja palju kiiremini, kui olin arvanud.

Tõusen ja lähen avatud akna juurde, panen pea aknast välja ja lasen päikesel oma nägu paitada. Vaatan alla sissekäigule. Clara seisab munakivisillutisel ja räägib kellegagi, keda ma ei näe, see võib olla uksehoidja. Vaatan, kuidas ta jääb vait, pühib otsaesiselt higi ja kohendab tanu. Tema mustal kleidil on valge tärgeldatud põll, mis võetakse alati kiiresti ära, kui külalised tulevad.

Pöördun venna poole: „Ulata mulle Theo kiri."

Andries mõmiseb uuesti midagi selle kohta, et ta pole minu toatüdruk, aga toob mulle kirja. Ta võtab mul ümbert kinni, annab otsaesisele musi ja läheb siis tagasi diivanile. Avan ümbriku ja leian sellest pruuni paberisse mähitud eseme. Rebin paberi ära ja näen läikivat paletinuga. Naeratan tahtmatult. Loen kirja Andriesele ette.

Kallis preili Bonger

Palun andestage mulle minu pealetükkivus meie viimase kohtumise ajal. Ma tean, et ütlesin, et Teid rohkem ei tülita, aga see lubadus oli ilmselgelt naeruväärne. Nagu öeldud ja vabanduse märgina panen ümbrikusse paletispaatli, et võiksite harjutada impasto tehnikat.

Tänu Bongeri põhjalikule selgitusele sain lõpuks aru, mida Te püüdsite Eduard Stumpffi kohta öelda, ja mõistan nüüd Teie vajadust sellest julmast suhtest paraneda. Ma vabandan tõesti kogu südamest oma kannatamatuse pärast.

Palun andke mulle võimalus tõestada, et väärin Teie armastust ja kiindumust. Kas ma võin julgeda arvata, et mul on lootust? Saagem kõigepealt sõpradeks, õppigem teineteist tundma ja laskem südameasjadel areneda loomulikul teel, kui Teie olete oma minevikust vabanenud.

Kui Te peate võimalikuks sellele kirjale vastata, lubage mul varsti uuesti Teid vaatama tulla.

Ootaja aeg on pikk!

Kõike kõige paremat Teile,
Theo

„Ta on kahtlemata... paljusõnaline?" ütleb mu vend mõtisklevalt kulmu kergitades. „Aga ta on ilmselgelt ikka veel abielust huvitatud. Ja mida rohkem sa teda tundma õpid, seda rohkem hakkab ta sulle meeldima, Jo. Tema arusaam perekonnast langeb meie omaga kokku."

„Ta kuulas sind," ütlen ja Andries noogutab. „Aga ta võib minust kiiresti tüdineda ja püüda mind oma vennale edasi anda."

Mu kõht tõmbub ängistusest krampi – mis siis, kui ta hakkab mulle meeldima? Mis siis, kui ma luban endale temasse kiinduda ja ta väsib minust? Eduard kasutas mind ära, reetis mind – kuidas ma saan usaldada, et Theo räägib tõtt? Doktor Janssen vähemalt ei murraks mu südant ja antud hetkel tundub see vastuvõetavam kui uus meeleheide.

Loen kirja uuesti läbi. „Mul ei ole peas ja südames ruumi, et mõista, mida ma tunnen Theo van Goghi vastu."

Andries ohkab. „Ma nõustun, et ta on pisut..."

„Väsitav?" Mu sõnad mattuvad venna naeru, kui ta minu juurde tuleb.

„Ma pidasin silmas, et innukas, aga jah. Vaene mees on langenud sinu võlude ohvriks, mu lemmikõde. Ja mina veel mõtlesin, et sul polegi neid."

KUREREHA LILLEPOTIS

Ma olen pärast vestlust Andriesega püsinud oma magamistoas, mõeldes mamma „üllatusele", lugedes uuesti ja uuesti Theo kirja ja soovides miljon korda, et Vincent läbi ei astuks. Otsustasin, et kui ta seda teeb, teesklen haiget, ütlen, et mul on midagi nakkavat, näiteks rõuged või kollapalavik. Maast laeni ulatuvad aknad on paokil, luugid lahti ja ma olen põlvili aknaalusel toolil, jälgides siseõuel toimuvat. Õrn tuuleõhk toob minuni naabri köögist värske saia, tubaka ja kohvi lõhna, mu kõht koriseb, nõudes lõunaoodet.

Rue Victor on tõeline pärl. See on ootamatult vaikne ja vaid harva kõnnivad selle munakividel võõrad jalad. Tänav keerab ära vilkalt puiesteelt, privaatsust ja eraldatust lisab minu venna peidetud siseõu hoone taga. Kolme seina katab luuderohi, sirelid ja pottidesse istutatud kurerehad kümblevad päikesepaistes. Siseõue pääseb vaid ühest uksest tillukeselt alleelt hoonete vahel. Ma olen palju kordi kontrollinud ja see uks on alati lukus. Andries kardab nii mööduvaid jalakäijaid kui ka inimesi, kellest ta teab, et need otsivad varjulisi kohti. Ta ütles eile, et Muriel Thomas, kes elab meie maja kolmandal korrusel, pakkus talle kopsakat rahasummat, et ta tohiks seda siseõue kasutada. Andriese nägu säras rõõmust, kui ta rääkis, kuidas ta helde pakkumise tagasi lükkas. Venna sõnul on Pariis varjatud siseõuede linn, kõik need on oma omanike poolt kõrgelt hinnatud valdused ja Andriese oma on kallihinnaline lisa tema korterile. See ei tähenda, et minu vend oleks ärahellitatud laps, ja mitte sellepärast ei keeldu ta siseõue jagamast. Minu vend lihtsalt kogub enda ümber ilu ja ekstravagantsust, mis oli meile lapsepõlves keelatud. Ta tahab luksust, ilusad asjad panevad ta hinge helisema. Minu siinolek on pannud mind veel paremini tema rikkumatut hinge mõistma ja armastama.

Märkan liikumist ja kummardun aknast kaugemale välja. Siseõue uks on lahti. Clara hoiab käsipuust ja vaatab alla kivitrepi seitsmeteistkümnest astmest. Minu hetkelise põnevustunde ukse lahtioleku pärast pühib minema kahtlus, et midagi on korrast ära. Ma ei haara oma värve ja lõuendit ega torma välja. Põlvitan selle asemel aknaalusel istmel ja jälgin Clarat. Ta kannab oma õlgade ümber salongi raskeid kardinaid, mis tema järel astmetel lohisevad, kui ta trepist alla läheb. Alla jõudes heidab ta need maha ja kardinad kukuvad siseõue konarlikele munakividele. Clara põlvitab kardinatele, kummardub ja haarab kõhust. Hetk vaikust ja siis kuulen tema nuuksumist. Hüppan püsti, jooksen välja oma toast, Andriese korterist, läbi maja suure sissepääsu ja väikese allee siseõue avatud ukse juurde.

„Kas sul valutab kuskilt?" hüüan, kui jooksen trepist alla Clara juurde. Olen hingetu, Clara aga ei põlvita enam.

Kirikukellad helisevad missale kutsudes. Kolmandal korrusel laulab Muriel Thomas mulle tundmatut laulu, aknast kostab tema mesimagus hääl. Andriese salongikardinad on visatud üle siseõue pesunööri, Clara on küürus, hoides käega ümarast kõhust, teises käes on tal klopits. Midagi on valesti, ma ei saa aru, kas tal on valus, kas ta süda on murtud või on raskete kardinate tassimine käinud talle üle jõu. Keskpäevane päike on raske füüsilise töö jaoks liiga kuum.

„Preili Jo." Clara ajab selja liiga järsult sirgu ja otsib tuge luuderohuga kaetud seinalt. Ta kohendab oma tanu, kontrollides, kas see on otse, silub peopesadega valget põlle ja tõmbab selle õlapaelad õigetele kohtadele. Saan aru, et ta on hetkeks langetanud oma täiuslikkuse maski ja näidanud oma tõelist mina.

„Kas ma toon sulle klaasi vett?" küsin ja Clara naerab. See kõlab õõnsalt ega suuda hajutada minu murelikkust.

„See on minu ülesanne, preili Jo," ütleb ta. Clara silmitseb avatud aknaid, püüdes näha, kas keegi vaatab. Higitilk voolab mööda ta nina ja kukub sealt maha. Ta pühib nina käeseljaga ja ma märkan, et tema kaenlaalused on higised.

„Ma võin seda teha," ütlen, aga ta eirab mu sõnu, hakates kardinaid kloppima.

Andriesel ei ole teisi abilisi, kogu majapidamine on Clara õlul. Ta võtab uksel külalisi vastu, suhtleb uksehoidjaga, teeb süüa, teenindab õhtusöögi ajal, peseb nõud, teeb voodid üles, lööb mu venna saapad läikima, poleerib hõbedat ja teeb tuhandeid muid toimetusi. Ma ütlesin Andriesele, et ta peaks veel kellegi palkama, aga vend vaidles vastu, öeldes, et mamma sõnul Clarast üksi aitab. Idioodilegi on selge, et töökoormus, eriti nüüd, kus mina külas olen, on Clara jaoks liiga ränk. See oleks ränk ka kahe teenija jaoks. Annan endale lubaduse vennaga uuesti rääkida.

Olen Clarat juba mõne hetke jälginud. „Kas miski vaevab teid?" küsib ta minu mõtteid katkestades.

„Ma mõtlesin õue istuma tulla..." Clara tunneb mind paremini kui ma ise. „Sul on palju tööd," ütlen, tammudes jalalt teisele.

„Mul ei ole kunagi nii kiire, et ei saaks teid kuulata, preili Jo. Ma klopin kardinaid ja teie rääkige ausalt ära, mis teid vaevab.

PARIISI ÄÄRELINNAS

Clara tuli mamma juurde tööle, kui ma olin imikueas. Ta oli ise alles teismeline ja hoolitses minu eest, kui mamma seda ei teinud. Clara ravis kõiki mu haigusi ja puhus peale, kui ma kukkusin ja haiget sain. Usun, et mamma alahindas Clarat, uskudes kaks aastat tagasi, kui Andries Pariisi kolis, et temast saab ideaalne nuhk. Aga Clara keeldus minu venda reetmast ja ma olen kindel, et mamma ei võta teda enam kunagi Amsterdami tagasi.

„Ma olen terve tunni püüdnud teda oma mõtetest kustutada, aga..."

Clara noogutab, et ma jätkaksin.

„Kas sa mäletad papa sõpra doktor Janssenit?"

„Seda leske," nendib Clara. Ta klopib kardinaid, õhus hõljub tolmu. Astun kõrvale.

„Seda sea moodi vanameest, üllatus-üllatus." Ütlen käega vehkides: „Mamma tahab, et ma temaga abielluksin."

Clara ei vasta, vaid taob klopitsaga kardinaid. Üha uuesti ja uuesti. Tema löögid on nõrgad.

„Sa teadsid seda?" Clara noogutab.

„Härra Andries mainis miskit."

„Miks mina olen viimane, kes sellest teada saab?" Mul on tahtmine munakividele viskuda. Ma tahan rusikatega maad taguda ja lüüa uppi seina äärde pandud lillepotid. Ma ei tee seda. „See mees on ligi seitsmekümneaastane ja vanemad tahavad septembris kihluse välja kuulutada." Teen pausi ja vaikust täidab kloppimine. „Miks nad teda sinu arvates sobivaks peavad?"

„Ta on rikas," ütleb Clara hinge tõmmates. „Teie vanemad arvavad, et raha on ainus, mis loeb."

„Dries tahab, et ma abielluksin mõne sobiva mehega tema nimekirjast. Tema arvates tuleks vagusi lamades teha, mida sinult oodatakse. Kujutad sa ette?"

„Ma pigem ei kujuta," ütleb Clara. Ta paksudele huultele kerkib naeratus ja ma puhken naerma. Clara hakkab uuesti kloppima. „Parem ärge käituge nagu jonnakas jõmpsikas." Ta teeb pausi, heites uuesti pilgu avatud akendele. „Härra Andries on esitlenud teile mehi, kes ei ole paksud ja vanad. Ta tahab teile kõige paremat, preili Jo."

„Aga ma ei taha abielluda. Vähemalt mitte sel suvel. Mitte enne, kui ma enam Eduardi ei armasta. Sa saad ju sellest aru? Sa oled ligi neljakümnene ja saad suurepäraselt ilma abikaasata hakkama."

„Teise inimese täiuslikuna tunduv elu pole alati selline, nagu paistab. Me saame harva seda, millest unistame ja mida me arvame väärivat." Tema hääles on kurbus. Me pole temaga kunagi armastusest rääkinud. Kui ma olin Amsterdamis, puudus mul igasugune huvi kurameerimise vastu ja Clara isegi ei vihjanud kunagi, et on olnud armunud.

„Kas sa oled kunagi armunud olnud?"

„Ühe korra," uus löök kardinate pihta, „sellest piisas mulle täiesti."

„Kes ta oli?" küsin, kuid Clara raputab pead. Ma ei tea, kas mälestus on liiga valus või peab ta ebasobivaks oma isiklikku elu minuga arutada. Aga ma tahaks, et ta seda teeks.

„Ma ei olnud enne Eduardi ühtegi meest suudelnud," ütlen lootes, et kui ma endast räägin, usaldab ta mulle ka oma saladused, „ja näed, milleni see viis."

„Kas ta on ainus, keda te olete armastanud?" küsib Clara kergitatud kulmudega. Ta peatab kloppimise. Naeratan ja noogutan.

„Ma isegi mõtlesin... tead küll," ütlen. Clara naeratab.

„Aga te ei teinud seda?" küsib ta ja ma noogutan. „Mul on olnud omajagu romantilisi kohtumisi," ütleb Clara.

„Pariisis? Nüüd, kui ma olen siin olnud?"

Clara naerab. „Mul on praegu vaevu aega magada, rääkimata ringitõmbamisest." Ta hakkab uuesti kloppima.

„Millal siis? Kellega? Räägi mulle!" Tahan meeleheitlikult Clara kogemustest rohkem teada. Ma tahan õppida, mida tähendab olla naine.

Clara ei vasta. Vaatan, kuidas vaibaklopitsa punutud pea taob vastu tugevat siledat kangast seda kahjustamata ja paisates õhku tolmu. See on nutikas. Kuigi Clara taob aeglases rütmis ja nõrkade löökidega, pärlendavad tema otsaesine ja nina higist.

„On palju asju, mida te minu kohta ei tea, preili Jo. Mul oli raha juurde vaja ja ma töötasin mõned kuud tagasi isegi ühe naisskulptori modellina."

„Kas see oli Camille Claudel?"

Clara noogutab pärani silmi: „Kas te tunnete teda?"

„Ma olen temast väga palju kuulnud. Kas ta on imetlusväärne? Kas sa võiksid mind temaga tuttavaks teha?"

Clara raputab pead. „Mulle meeldis preili Claudeli modelliks olla, aga seda kõike sai liiga palju. Ta tahtis, et oleksin seal mitu tundi, ja teie vend vajas mind siin ja ma ei tundnud end väga hästi. Väsinud ilmselt," ütleb Clara, „liiga palju sekeldamist."

„Milline ta on?"

„Keevaline ja andekam kui härra Rodin."

„Ta saab luua iga päev ja teda ümbritsevad teised kunstnikud. Ma arvan, et hommikuti tõustes ootab ta suure elevusega saabuvat päeva. Ma tahaksin, et mul oleks tema elu." Ütlen neid sõnu täpselt löökide rütmis. Clara peatub, võtab klopitsa vasakusse kätte ja pühib peopesad põlle vastu kuivaks. Ta on väsinud, näeb oma aastate kohta liiga vana välja, aga märkan veel midagi muud: Clara jume on tema loomuliku nahatooni kohta liiga kahvatu, silmavalged kummalise helgiga.

„Ärge kunagi," ütleb ta minu ülevaatust katkestades, „soovige asju, millest te midagi ei tea."

Ma püüan ette kujutada, mida ma ei tea, aga see ei õnnestu. „Kas sa oled õnnelik, Clara?"

Ta kõhkleb. „Mul olete teie ja härra Andries, hea töö ja vähe vajadusi. Mul on vedanud."

„Ainus asi, mida ma tahan, on olla õnnelik," ütlen.

Clara naerab ja raputab pead. „Preili Jo, ma olen tundnud teid sellest ajast peale, kui te olite nii väike." Ta kiigutab klopitsat, nagu oleks see laps. „Ja te olete alati otsinud midagi enamat, kui teie pere suutis pakkuda, midagi enamat, kui leppida lihtsalt õnnelik olemisega."

„Ma tean. Theo ütles, et me töötaksime koos, leiaksime põhjuse, mille nimel elada, ja teha midagi väärtuslikku. Ma mõtlen sellele kogu aeg." Vaikus. „See erutab mind."

Clara seisab vaikides, klopits käes, ja ma ootan. „Kas te arvate, et oleksite ilma abikaasata õnnelik?"

„Ma ei arva, et korraldatud abielu põrsanäoga vanamehega võiks pakkuda mulle rõõmu..." tunnen judinaid, „mõtle mammale ja papale."

„Oh teid ja teie mõistujuttu. Ma loodan, et teie vend leiab teile õige mehe."

„Andries arvab, et Theo sobib mulle ideaalselt."

Uus vaikus. Clara, klopits käes, noogutab, et ma jätkaksin.

„Sa kuulsid tema ettepanekut. Aga mis siis, kui talle lihtsalt meeldib mõte olla armunud? Kui ta naudib tunnet, mille tekitab naiste võrgutamine? Ja kui see juhtub, satub ta paanikasse ja põgeneb. Mis siis, kui ta moonutab seda, mis tema ja naise vahel toimus, ja kui Vincent on hakanud täitma oma osa ja püüab naise kiindumust endale tõmmata, kujutab end südametunnistuse rahustamiseks pigem ohvrina?"

„Ja te muretsete, et see võib ka teiega juhtuda?" küsib Clara.

„Sara Voort..." raputan pead, „ma ei tea, mida uskuda."

„Aga härra Theo ei ole niisugune nagu see Eduard Stumpff."

„Kuidas ma võin selles kindel olla?" Clara kehitab seepeale õlgu.

„Ja lisaks, kes teeb abieluettepaneku pärast ühtainsat kohtumist?"

„Ja kes ütleb selle peale jah?" naeratab Clara.

„Ma lootsin, et sa annad nõu, mida ma peaksin tegema."

„See ei sobi, preili Jo. Mida te *ise* tahaksite, et juhtuks?"

Vastan kõhklematult: „Mulle meeldiks õppida tundma Theod kui sõpra, elada Pariisis ja tutvuda kunstimaailmaga. Kohe kindlasti ei taha ma Amsterdami tagasi minna ja olla kusagilgi doktor Jansseni käeulatuses."

Clara lõpetab kloppimise. „Siis öelgegi nii oma vennale ja härra Theole." Ta seisab vaikselt ja sirgelt, klopits paremas käes. Siis vaatab ta oma põlle ja raputab pead. „Ma olen must. Pean panema selga puhta puuvillakleidi... põlle ja tanu ka. Härra Andries soovib õigel ajal lõunat süüa." Clara ootab, et ma majja tagasi läheksin. Ta teab, et mind ei tohi üksi venna siseõue jätta.

„Olge ettevaatlik selle Vincent van Goghiga." Ootan, et Clara lähemalt selgitaks, aga selle asemel vaatab ta mulle silma ja ootab minu reaktsiooni.

„Kui ta peaks täna tulema, kas sa ütleksid talle, et ma põen rasket nakkushaigust? Et mu nahk on kollane ja kaetud lööbega?" Clara hakkab uuesti naerma. „Ma kardan, et hakkan muutuma samasuguseks nagu mu ema," ütlen, aga Clara raputab pead.

„Seda ei juhtu küll kunagi, preili Jo. Teie südames on selleks liiga palju headust."

Võtan tal ümbert kinni. Ta tundub väiksem kui siis, kui ma teda viimati kallistasin, nagu oleks temas kuidagi vähem hinge. Ta on mõne viimase aastaga aastakümneid vananenud ja ma tunnen hapukat ja niisket lõhna, mida varem tema juures polnud. Minu kallistus paneb Clara mõne sammu tagasi tuikuma. Pobisen vabanduse, lasen ta lahti ja lähen trepist üles väikesele alleele.

KÄSI KAUSI JA KASSIGA

Le Chat Noir näeb välja nagu pentsik salong ja selle omanik Rodolphe, keda minu vend kirjeldab kui läbikukkunud kunstnikku, on katnud seinad oma sõprade kõige paremate töödega. Pilte on võimatu lähemalt vaadata kõikjal tungleva rahvamassi tõttu ja seetõttu pööran oma tähelepanu keraamiliste kasside kogule, mis kaunistab meie kõrval oleva tohutu kamina simssi. Muidugi märkasin musta kassi pilti väljas tsinksildil, kassikujutisi kõigil vitraažakendel ja kõiki teisi kassidega seotud ootamatuid detaile, mis tekitavad minus põnevust: keraamilist kassipead lühtri keskel, musta kassi lugu kujutavat seinavaipa ja kõikjal ruumis ringi kõndivaid või magavaid kasse, keda olen hetkel kokku loendanud vähemalt seitse.

„Ma ei saa hästi aru, miks me pidime ilmtingimata siia tulema. On ta siis surnud või mitte?" küsin.

„Ei ole," vastab Andries, lehvitades ja noogutades oma paljudele tuttavatele. Ta puhkeb uuesti naerma. „See mees on geenius. See oli trikk inimeste ligimeelitamiseks."

Ta räägib matuserongkäigust, mis toimus sel pärastlõunal Montmartre'il. Ma olin öelnud oma vennale, et tahan värsket õhku hingata, ja rääkisin talle lühidalt ka oma hommikusest vestlusest Claraga. Andries tegi ettepaneku minna kardinate ülesriputamise ajaks jalutama.

Kui me jõudsime Clichy puiesteele, sattusime matuserongkäigu sappa, ja kui mu vend kuulis, keda maetakse, istus ta sügavas isiklikus leinas vähemalt viis minutit munakivisillutisel. See oli Andriese igav advokaat Guy, mees, kelle arvates võiksin talle miljon last sünnitada, kes rebis saladuselt katte ja paljastas, et tegemist on näitemänguga. Väidetav kadunuke Rodolphe Salis oli rongkäigu ise korraldanud. Guy rääkis Andriesele, et Rodolphe on vägagi elus ja tema triki eesmärk oli leida oma kabareeklubile Le Chat Noir uusi toetajaid. Ma jätsin küsimata, kuidas võiks surma teesklemine ärile hea olla.

Nüüd aga näen oma silmaga, et mehe plaan on hiilgav. Nimelt tekkis Andriesel pärast rongkäiku meeleheitlik vajadus külastada Rodolphe'i klubi veendumaks, et mees pole tõesti meie hulgast lahkunud. Sellepärast olemegi siin ja ilmselt on sama soov tekkinud ka paljudel teistel. Meil õnnestus saada viimane ümmargune laud ja kaks tooli ning Andries suutis vaatamata tubakasuitsusudule ja kohutavale jutuvadale tellida meile kaks kannu Baieri õlut.

„Naised, kes õlut joovad, on nii hirmuäratavad ja vulgaarsed," ütleb vend naeratades ja õllekannu minu oma juurde tõstes. „*Santé*. Ilusale Pariisi elule ja koledatele naistele, kellele maitseb see suurepärane looduslähedane märjuke." Lööme kannud kokku.

„See on van Goghi töö," ütleb Andries. Ta näitab üle minu õla tagaseinale. Keeran end ringi ja vaatan, aga ei näe, kus võiks Vincenti töö olla.

„Tseremooniameister peaks varsti välja kuulutama esimese etteaste," ütleb Andries. Ta paneb kannu lauale ja vaatab oma kuldset uuri, siis aga hajub ta tähelepanu ja ta laseb pilgul kiirelt üle ruumi käia. „Näe! Seal ta on!" hüüab ta püsti karates. „Pole teps mitte surnud." Minu venna kõmisev naer äratab mehe tähelepanu. Lühikeste punakate juuste ja teravaotsaliste punaste vuntsidega pikka kasvu mehe nägu lööb Andriest märgates rõõmust särama.

„Bonger!"

Vend embab meest seljale patsutades ja kui ta on lõpuks veendunud, et sõber ei kuku kokku ega sure, pöörduvad nad minu poole. „Salis, see on minu õde Jo."

Tõusen, riivates põlvega lauda. Mul õnnestub haarata Andriese õllekann, enne kui see ümber läheb. „Minu vend sai teie pärast tõelise šoki."

Sirutan välja oma käe, selle, mis hoiab ikka veel õllekannu, mu sõrmed on õllest kleepuvad, aga Rodolphe kummardab kergelt ja embab mind. „*Je suis désolé*."* Ta suudleb mind mõlemale põsele. „Nii et teie olete see daam, kellesse Theo van Gogh on armunud!" Ta ütleb seda dramaatiliselt kulme kergitades ja ma pahvatan naerma.

„Me oleme kaks korda kohtunud. See on naeruväärne."

* Mul on kahju – pr k

„Jo," manitseb Andries. Mulle meeldib, et ta ei lase Montmartre'i kuninga kohta midagi halba öelda. Tahaksin jätkata Theost rääkimist, teada saada, mida temast arvatakse. Tahaksin teada, kas Rodolphe usub samuti, et see mees on vaid sammukese kaugusel hullumajja sattumisest.

„Ole nüüd, vend," ütlen, vehkides õllekannuga nii, et pritsmed igas suunas lendavad, „isegi sina nõustud, et abieluettepanek pärast ühtainsat kohtumist kõlab meeleheitlikult. Ta ainult *arvab*, et armastab mind."

Rodolphe naerab ja Andries kehitab õlgu. „Johanna on Pariisis esimest korda," ütleb ta Rodolphe'ile, „ta on ikka veel läbi ja lõhki hollandlane."

„Siis ma palun Theol temaga hellalt ümber käia," ütleb Rodolphe ja pilgutab silma.

Naeratan tahtmatult. Rodolphe paneb käe Andriese õlale ja sosistab midagi. Näen, kuidas mu vend muheleb, siis keerab oma näo kõrvale ja kummardub Rodolphe'i kõrva juurde. Ma ei kuule, mis neid nii lõbustab. Nad patsutavad veel teineteist seljale, siis pöördub tseremooniameister ümber, et tervitada teist potentsiaalset toetajat.

Me istume maha ja ma annan Andriesele tema õllekannu. „Siin on kummaline õhkkond," ütlen.

„*Santé*." Lööme kannud uuesti kokku. Andries naeratab, miski valmistab talle ikka veel kangesti nalja.

Vaatan ringi. „Kas see peaks olema muusikasalong või veider kunstisaal?"

„Nii seda kui teist. Salis' idee on toetada kunstnikke, heliloojaid, luuletajaid," ütleb Andries. „Kõik käivad siin. Seal on

Toulouse-Lautrec, Signac, Debussy..." ta näitab kiiresti inimestele ja ma ei suuda järge pidada.

„Toulouse-Lautrec?" Otsin silmadega. „Theo mainis teda."

„Ta on seal. Kas sa tahad, et ma teen teid tuttavaks?" Raputan pead. „Arvan, et see seal on üks tema töödest," osutab vend seinale minust paremal. Seinal on terve rida lõuendeid, aga ma ei näe neid tubakasuitsu ja hämara valguse tõttu korralikult.

Võtan lonksu õlut.

„Salis' sõnul ütles Sara Voort Theole, et on valmis tema abieluettepanekut vastu võtma," ütleb Andries. „Nagu oleks see, kellest sa ära ütlesid, nüüd teiste jaoks saadaval." Ta naerab.

„Ja mida Theo tegi?"

„Ütles Sarale, et on olemas ainult üks naine, kellega ta kunagi abiellub." Andries pilgutab silma ja ma naeratan. „Theo on armunud," ütleb vend. Ta nõjatub lähemale ja tasandab häält. „Ja Sara on hull."

Raputan pead. Ühiskond süüdistab alati naisi. Keegi ei räägi, kuidas on mehed seotud sellega, et stabiilsed naised ootamatult hulluks lähevad.

„Sara räägib kõigile, kes kuulata viitsivad, et sa oled vaese Theo ära nõidunud." Andries pigistab mu kätt, ma loodan, et ta teeb nalja. „Kui sa muretsed Sara pärast, siis Guy Loti on ikka veel mu nimekirja tipus." Ta vaatab uuesti ringi ja viipab kellelegi.

„Kas ta on seal?" Andries noogutab.

„Mitte kõige lõbusam mees, aga ta on jõukas ja tahab perekonda luua. Tema esimene naine suri möödunud aastal sünnitusel. Sa võiksid talle toniseerivalt mõjuda."

Raputan pead. „Ta tahab kümmet last," ütlen ja tühjendan oma kannu.

„Me võiksime jõuda kokkuleppele, et sa tohid tegeleda kunstiga, vähemalt kuni esimese lapse sünnini."

Keeran ringi ja näen, et Guy vaatab mind. Tema nägu on erinevalt minu omast tõsine ja kindel. Ta on väga pikk, turd mees ümmarguse käsnakujulise näoga. Tema vuntsid, mis rõhutavad näojooni, on hallid ja puhmas. Ma pean tema välimust tugevaks, ehkki nii mõnigi võiks mõelda, et ta on kena. Aga tema pilgus on midagi, mis teeb mu rahutuks. Tilluke hääl minu peas hüüab, et ma temast kaugemale hoiaksin. Minu venna plaan korraldada Guyga mugavusabielu on väga vale, minu keha protesteerib selle vastu pelgalt temaga samas ruumis viibides.

„Nii et nüüd, kus suve lõpp kiiresti läheneb, on sul valida, kas Loti või Theo." Andries viipab peaga Guy suunas ja ma lihtsalt tean, et mees jõllitab mind ikka veel. Andries vaatab lakke, nagu paluks mõnd taevalikku sekkumist. „Mamma kiidaks liidu Theoga heaks."

Noogutan. „Ma tahtsin temast jalutuskäigu ajal rääkida, aga..." Vend kummardub lähemale ja annab mulle märku jätkata. „Ma tahaksin teda paremini tundma õppida, võtta vastu tema pakkumine veeta koos aega ja saada sõpradeks," ütlen ma ja Andries lööb rõõmust käsi kokku.

„See on imeline uudis."

Tahaksin jagada tema entusiasmi, aga vahin ainiti oma tühja õllekannu.

„Kas siin on mingi aga?" küsib Andries. Ma vihkan ja armastan seda, kui hästi ta mind tunneb.

„Aga mis siis, kui ma pühendun talle ja tema armastus saab otsa?" Andries ohkab. „Kujuta ette, kui ta annab mu edasi Vincentile, et too mind lohutaks. Ma oleksin tagasi Amsterdamis ja abielluksin selle paksu, haisva..."

„Ma tõesti ei usu, et see võiks juhtuda, aga on ju olemas turvalisem variant." Ta viitab peaga Guy suunas.

Raputan pead. Mul ei ole kuidagi võimalik sundida oma keha ja vaimu leppima selle abielukõlbuliku, kuid judinaid tekitava advokaadiga.

„Sinuvanuseid naisi, eriti kui nad keelduvad abielust, vaadatakse alati kahtlustavalt," ütleb Andries. Ta vangutab iseendaga nõustudes pead.

„Mehi mitte?" küsin tema käsivart puudutades.

„Loti ütles, et kui sa temaga abiellud, siis ta garanteerib, et sa saad kõik..." Andriese nägu muutub korraga tõsiseks. Ootan, et ta jätkaks. „Kõik kleidid, mida sa tahad."

Helde jumal! „Tänan väga, mul on juba kõik kleidid, mida ma vajan."

Andriese vali rõkkav naer üllatab mind ja ma itsitan, kui ta mu õlgade ümbert kinni võtab.

„Sa oleksid pidanud oma nägu nägema. Kas sa oled valmis?" küsib ta ja näitab lavale, kus tseremooniameister tundub valmistuvat esimese etteaste väljakuulutamiseks. „Mõne minuti pärast algab varjuteatri etendus." Andries sirutab välja tühjad õllekannud ja vehib nendega, püüdes pälvida kelneri tähelepanu.

„Etenduses on laule ja igasuguseid üllatusi. Ma luban, et see meeldib sulle, Jo."

„Kas naisi tõesti võlub mõte, et mees ostab neile kleidi?" küsin pead raputades.

*„On peut avoir la même chose, s'il vous plaît?"** karjub Andries üle kära.

* Kas saaksime veel kord sama, palun? – pr k

Juuli 1888

Arvestades pikale veninud õhtut Le Chat Noiris ja seda, kui mitu kannu õlut me ära jõime, lootsin terve päeva laiselda. Olin just diivanile tukkuma jäänud, kui Dries salongi tormas ja mu üles äratas. Vincent oli kirjutanud ja teinud ettepaneku, et veedaksin homme vendadega suurepärase päeva. Ta tahab ilmselgelt oma venda toetada ja soovib, et me kõik omavahel läbi saaksime! Kõige rohkem aga vaimustab mind see, et ma võin Montmartre'il omapäi jalutada. Mitukümmend minutit üksi Pariisis, enne kui kell üksteist Theo ja Vincentiga Moulin de la Galette'i ees kohtun.

Plaan on külastada koos vendadega mitmeid kunstnikke nende ateljeedes. Vincent kirjutas, et ühes ateljees töötab kaks paljutõotavat naiskunstnikku ja me sööme koos nendega lõunat. Dries oli minu pärast meeletult rõõmus. Ta isegi mainis, et see võib olla minu esimene kohtumine uue esilekerkiva naiskunstnike kogukonnaga, kellega ta on tahtnud mind kokku viia. Ta oli maruvihane, et ei saa oma töö tõttu kaasa tulla, ja muretses pisut, et pean üksi Montmartre'ile minema, aga ma veensin teda, et sellest pole midagi ja pealegi usaldab ta vendi van Goghe (tõenäoliselt Theod rohkem kui Vincenti).

Dries soovitas mul koostada homseks nimekiri tehnilistest võtetest, mis on minu jaoks problemaatilised, sest Vincent lubas neid kõiki näidata. Ta ei jätnud märkimata, et veedan terve päeva Theoga, ja ma püüdsin säilitada ükskõikset ilmet, aga usun tõesti, et sellest saab alguse meie sõprus.

Olen juba teinud kolm nimekirja tehnilistest võtetest ja mõelnud välja, millist teed pidi Montmartre'ile lähen.

Nüüd olen uinumiseks liiga erutatud.

ESIMESED SAMMUD

Rue Victor on vaikne tänav, sama ei saa aga öelda Clichy puiestee kohta. Olen just teed ületamas, kui kuulen piitsa plaksatust ja hüüet: „*Hé, la-bas*!"

Hüppan tagasi. „*Pardon, pardon*." Naeratan ja lehvitan voorimehele, kui tõld minust mööda kihutab. Vaatan üle puiestee kakerdades vasakule ja paremale ning keeran Lepici tänavale.

Paari sammu pärast peatun ja keegi põrkub vastu mind. „*Pardon*," ütlen. Ma ei keera ümber ega vaata, kes see on. Ka siis mitte, kui kuulen pomisemist. Selle asemel vaatan lummatuna päevast melu Lepici tänaval, soovides, et mul oleks kaasas visandivihik ja oleks sobilik istuda sinnasamasse maha ja jäädvustada kõike, mida näen.

Kaupmehed lükkavad vaevaliselt oma puidust käsikärusid üle munakivide. Õhku täidavad nende hüüded, mis tutvustavad pakutavat kaupa.

„*Voilà des beaux poissons*!"*

* Ostke neid ilusaid kalu!

*„Demandez des haricots!"**

*„Voilà des bons merlans!"***

Müügimehed püüavad kõigest väest üksteist üle trumbata. Helistavad kelli, puhuvad vilet, tõstavad häält, konkureerides neile eluliselt tähtsa müügi pärast. Väikest kasvu veider mees kõnnib minu kõrval, peatub ja noogutab, et minu tähelepanu võita. Seljale kinnitatud suur plekkanum ulatub ta peast kõrgemale, selle külgedel on konksud, mille küljes ripuvad tassid. Raputan pead. Ma ei kavatse midagi osta. Kui ta eemale kõnnib, helistab ta kellukest.

Just sel hetkel möödub minust hästiriietatud mees – triibulised püksid, salongikuub, läikivad saapad. *„Excusez-moi,"**** ütlen, „mida ta müüb?" Näitan väikese mehe seljas olevale veidrale esemele, ignoreerides asjaolu, et võõra mehe kõnetamine on täiesti sobimatu.

Mees jääb seisma ja on minu kõnetamisest ilmselgelt šokeeritud. Ta vaatab mulle otsa ja siis osutatud eseme poole, võtab peast oma korralikult harjatud kõvakübara, pühib taskurätikuga otsaesist ja tõstab siis käe. „Oodake hetk."

*„A la fraiche!"***** laulab müüja, hääl tundidepikkusest karjumisest kähe.

*

Küsige ube! – pr k

**

Vaadake neid imelisi merlange! – pr k

***

Vabandage mind – pr k

****

Jahutav! – pr k

„Suhkruvett," ütleb mees. „See on täitsa hea, aga Pariisis on liiga palju müüjaid." Härrasmees paneb mütsi uuesti pähe, puudutab põgusalt selle serva ja kõnnib mööda tänavat minema.

Jalutan edasi – mu põsed juba valutavad pidevast naeratamisest –, põledes soovist jõuda kohtumisele vendade van Goghidega õigeaegselt, kui veel üks kaubitseja minust mööda põrutab. Ta hüpleb munakividel, kaks musta kotti õlgadel. Seisan ja vaatan, kuidas ta keset tänavat seisma jääb ja kotid maha pillab. Kuub, mitu mütsi ja mitmesugused majapidamisesemed pudenevad kividele. Ehmun. Pariisi voorimehetõllad juba ei peatu. Nad on tänavate valitsejad. Kohe-kohe saabub üks, mis litsub müüja ja tema kauba laiaks nagu pannkoogi.

„Minge ära!" karjun ja siis prantsuse keeles: „*Bougez-vous*!" Vaatan paremale ja vasakule, püüdes pingutatult kuulda lähenevat piitsaplaksu, aga keegi teine ei tundu muretsevat. Kaks teenijat kummarduvad kottide kohale, üks haarab suure vasest pähklišokolaadivormi, teine uurib hõbedast küünlajalga. Nad lobisevad lakkamatult ja vähem kui minutiga on frangid vahetanud omanikku.

Mees viskab kotid uuesti õlale ja hüpleb edasi, hüüdes laulval häälel: „*Marchand d'habit. Marchand d'habit.*"* Raputan pead. Paanika on möödas. Naeratan tahtmatult uuesti.

Pariislased jalutavad kõikjal ümber minu. Neil on, kuhu minna ja keda näha. Tänavakaupmeeste võlu jätab nad ükskõik-

*

Rõivakaupmees – pr k

seks. Mind mitte. Mida kauem ma siin seisan, seda suuremat soovi tunnen osta kõike, mida ma näen, isegi merlangi.

Kirikukellad helisevad. Kell on üksteist, ma olen hiljaks jäänud. Kahman oma seelikud ja torman mööda munakive edasi. Mamma oleks õuduses, kui ta mind näeks: ta laseks mind arreteerida ja viivitamatult Amsterdami tagasi saata, aga õnneks pole teda siin.

Ma pole end kunagi elus nii vabana tundnud. Ma pole end kunagi elus nii elusana tundnud.

Jõuan hingetuna Moulin de la Galette'i juurde kümneminutilise hilinemisega. Kummardun, käed põlvedel ja püüan hinge tõmmata. Mul kulub paar minutit enese kogumiseks ja mõistmiseks, et Vincenti ja Theod ei ole veel. Ma ei tea, mida teha. Võib-olla on nad juba ära läinud. Aga nad oleksid ometi kümme minutit oodanud?

Seisan sissekäiguvõlvi all, minu selja taga kõrgub puidust tuuleveski, selle terrassilt kostab summutatud lobisemist. Vaatan paremale ja vasakule, püüdes silmata jalutavate pariislaste, voorimehetõldade, tänavakaupmeeste ja nende vankrite tulvas vendi, aga ühtki van Goghi pole silmapiiril.

„Johanna Bonger," kuulen ja vaatan tuuleveski poole. Vincent sammub minu poole, piip käes. „Nii kena teist, et tulite," ütleb ta. Vincentil on peas sama hall viltmüts ja seljas sama kittel. Värvide vikerkaar kitlil tundub erksam, plekkide, laikude ja triipude arv suurem. Vaatan üle tema õla, aga Theod ei ole näha.

„Kas teie vend..."

„Ta on hõivatud tööga, mis on teist ja minust palju olulisem," ütleb Vincent. „Jalutame, kuni ta suvatseb meile oma aega pühendada."

See, et Theo mõtleb rohkem oma tööle kui minule, ei tohiks mulle hoobiks olla, aga on. Muidugi olen pettunud, et ta ei tulnud, aga asi on milleski enamas. Mul on tekkinud mure ja kartus, et ta on mind juba oma vennale edasi andnud. Polnud ju juttugi, et ta ei tule ja et me oleme Vincentiga kahekesi; midagi sellist ei olnud plaanis.

Mida ma peaksin tegema? Trampima jalgu ja keelduma jalutuskäigust Vincentiga? Nõudma, et ta läheks oma vennale järele?

Vincent köhatab. Võib-olla minu tähelepanu äratamiseks. „Me võime ikkagi minna kunstnikke vaatama."

Noogutan. Võime minna ja mulle võidakse näidata erinevaid võtteid – see pole muutunud. Vincenti riietusest on selge, et ta kavatseb maalida ja tal on plaanis mind õpetada. Ta mõtles täna kõigepealt mulle, mitte oma tööle. Ma ei kavatse loobuda võimalusest kohtuda teiste kunstnikega ja neilt õppida. Andries nõustuks minuga. Võib-olla on see isegi hea võimalus sõbruneda Theo venna ja parima sõbraga.

„Näidake teed."

VAADE THEO KORTERI AKNAST

„Pärast seda, kui Theo saatis mulle paletinoa, olen püüdnud impasto kohta rohkem teada saada," ütlen, „näiteks mis teeb selle tehnika nii köitvaks?"

„Tekstuur," vastab Vincent napilt ja kehitab õlgu. Ta kõnnib minust kiiremini ja ma pean peaaegu jooksma, et tal kannul püsida. Oma teadmiste jagamine kellegi nii kogenematuga nagu mina ei ole ilmselgelt tema vaeva väärt.

„Ja kõik?" Ma ei suuda oma pettumust varjata.

Vincent ohkab. „Mõnikord vajab kujutatav vähem värvi, teinekord materjal. Objekt määrab ära impasto kasutamise."

„Et pintslitöö oleks paremini näha? Pärast seda, kui värv on kuivanud?"

Vincent mühatab halvakspanevalt. Mul pole ainugi, mis minu sõnades teda häiris, aga tema tahtmatus tehnikat selgitada teeb meelehärmi. Me oleme jalutanud kahekesi ilma saatjata Montmartre'il juba üle tunni ja kahtlemata on meid näinud kõik Andriese sõbrad, Theost pole aga endiselt märkigi.

„Kas teil on aimu, millal teie vend meiega ühineb? Kas teie kunstnikest sõbrad ei imesta, kuhu me jääme? Mis kell meid oodatakse?"

Tänane päev ei lähe nii, nagu oli plaanitud. Siiani oleme ainult jalutanud ja ma ei saa lahti tundest, et mind demonstreeritakse nagu auhinnatud lehma. Mis pidi Vincenti arvates juhtuma? Ma olen väsinud ja tahan meeleheitlikult midagi juua, mul on isegi kiusatus osta järgmiselt tänavakaupmehelt suhkrustatud vett. Vincent pole mind viinud vaatama ühtki kunstnikku ega isegi maininud kaht lootustandvat naiskunstnikku, kes väidetavalt tahtsid minuga kohtuda, ja mu kõht koriseb näljast. Jalutades on ta hüpanud ühelt vestlusteemalt teisele. Kas ta tunneb ennast ebakindlalt sellepärast, et Theo ei tulnud? Kas ma olen lihtsalt ettur kahe venna vahelises mängus?

Vincent on rääkinud läbisegi oma perekonnast, oma ennasttäis vendadest ja õdedest, oma loomingust ja sellest, et ta ei sobitu õieti kuhugi. Ta on rääkinud Jean Richepinist, Emile Zolast ja Edmond de Goncourtist – romaanikirjanikest, keda ma tema põlastuseks ei ole lugenud. Ta pole küsinud ainsatki küsimust minu kohta, ilmselgelt ei pea ta mind juhendamise vääriliseks. Ta pole näidanud vähimatki huvi selle vastu, mida mina kunstist arvan, aga miks pühendas ta siis oma aega ja loovust minu portree joonistamisele, kui ta minusse niimoodi suhtub? Miks kutsus ta mind veetma koos nii paljutõotavana tunduvat päeva, aga paneb mind tundma, et minu juuresolek on talle ebamugav? Samas tundub ta nautivat omaenda hääle kõla ja ma hakkan kahtlustama, et ta on hommikueineks tarbinud alkoholi. Vincent van Gogh nõuab ja ootab tähelepanu.

„Küll ta meid üles leiab," ütleb Vincent, katkestades mu mõtted ja hajutades mu mured. Kas tema eesmärgiks on mind hinnata? Kas tänane päev on test? Kas Vincent van Gogh on juba langetanud otsuse, et ma ei vääri tema venda?

Me jätkame kiiret kõndi Vincenti valitud tempos. Mul ei ole vähimatki kavatsust tal käe alt kinni võtta ja ennist, kui me kergelt kokku põrkasime ja meie sõrmed kokku puutusid, tundsin ebamugavust ja rahutust. Püüan kõrvale lükata peas keerlevaid mõtteid, mida Andries kõige selle kohta arvaks. Ma olen teinud vale otsuse – oleksin pidanud kohe koju tagasi minema, kui Theo kohale ei tulnud.

Püüan nautida suvepäikest ja maastikku lootes, et Theo iga hetk välja ilmub. Kui ta tuleb, siis lähenen loominguliselt sellele, mida räägin Andriesele Vincentiga kahekesi veedetud aja kohta. Temperatuur on pärast hiljutist kuumalainet pisut jahenenud, aga siiski on igasugune pingutus väsitav, eriti selliste seelikutega. Kasutan taskurätti, et oma näolt higipisaraid pühkida. Jalutame noorte kastanite all kurameerivate paaride vahel, mu pea on täis mõtteid uutest algustest ja võimatutest armastuslugudest, mida teised võivad sel suvel Pariisis kogeda. On nii palju kohti, mida tahaksin joonistada või kirjeldada, aga ma ei julgeks kunagi midagi joonistada Vincenti juuresolekul.

„Kas te kunagi vaatate, kui kaunis on taevas ja selles seilavad pilved ning tunnete lihtsalt tõelist tänulikkust looduse olemasolu eest?" küsin, ajades pea kuklasse ja vaadates lõputusse sinasse.

Vincent pühib käeseljaga nina, heidab pilgu taevasse, aga ei vasta.

„Nii vähesed inimesed märkavad ümbritsevat. Pariisis olen lõpuks hakanud Wordsworthi luulet mõistma."

Vincent turtsatab, ma olen teda ilmselgelt tahtmatult lõbustanud. Aga miks ta peaks mind pilkama? Kas ta on kuidagi korraldanud, et minuga kahekesi aega veeta? Ma tahan imetleda tema teadmisi ja intellektuaalseid oskusi, selle asemel aga tunnen kasvavat ebamugavust.

Vincent osutab Saint Denisi mäe kõrgeimast kohast nõlvadel asuvatele viinamarjaistandustele, tuuleveskitele, väikestele majadele ja aedadele. Ta näitab käega kohta, kuhu kunagi pani oma molberti ja lõuendi, räägib, kus tuuled teda segasid, kus valgus ei olnud soodne ning kuidas ta koera eest puu otsa põgenes. Ta avaldab mulle väikseid tükikesi oma kunstnikuelust ja ma püüan meelde jätta kohti, kuhu hiljem oma visandivihikuga tagasi tulla. Me tõttame mööda lärmakatest kohvikukontsertidest ja piilume kodanlikku moraali mõnitavatesse kabareedesse. Suitsuvine, kiiskav lavavalgus, rõkkav naer – kõik need vaated ja helid erutavad mind.

Vincent aga käitub kuidagi kerglaselt ja ettearvamatult, ta silmad volksavad helilt helile, nagu kardaks ta millestki ilma jääda. Vaatan, kuidas ta lehvitab õhinal neile, kes teda hüüavad, kuidas ta maniakaalselt karjub ja räägib veidraid nalju inimestele, keda ma ei tunne. Kunstnikud, kirjanikud, muusikud ja radikaalid – Vincenti tunnevad kõik. Saan pisut aimu, kuidas maitseb kunstniku elu, ja soovin hoolimata Vincenti ebaviisakusest ka ise kogeda midagi sellist, aga siiski erinevat. Soovin midagi, mis kuuluks mulle, või kohta, kuhu mina kuuluksin. Montmartre'il võiksid täituda paljud minu soovid, see koht tõotab õnne, vabadust, innustust, loovust, aga paraku tuletatakse mulle kogu aeg meelde, et ma olen naine ja mulle pole see kõik kättesaadav. Kas on liiga palju soovida, et mul oleks meestega võrdsed õigused? Mitte et ma tahaksin olla isekas ja manipuleerida inimestega, nagu seda teevad paljud mehed, kes nööre tõmbavad ja ootavad, et teised nende pilli järgi tantsiksid. Ma lihtsalt igatsen olla vaba nööridest, mille teised on minu külge sidunud.

Aga kus sa oled, Theo?

„Te ütlesite, et ei visanda mälust. Dries nimetas seda „nähtavaks reaalsuseks," ütlen ja Vincent noogutab. „Aga mis siis, kui olete väljas ja teid valdab tohutu loomistung?"

„Kõigil kunstnikel on alati kaasas visandivihik," ütleb ta ja patsutab oma kuuetaskut.

Jalutame mõned sammud vaikides. „Me õpime teineteist paremini tundma," ütleb Vincent, jääb seisma ja pöördub, et mulle otsa vaadata. Ma ei vasta tema pilgule ja kõnnin edasi.

„Mingis mõttes küll, aga ma ootasin midagi enamat." Pean silmas erinevaid tehnilisi võtteid, mida tahaksin õppida, kunstnikke, kelle ateljeedesse pidime minema, ja kohtumist tema vennaga.

„Midagi enamat?" ütleb Vincent ikka veel paigalt liikumata.

„Kas teie vend on kodus? Kas me ei peaks tema juurde minema?" küsin edasi kõndides. Kui me kohtuksime Theoga mõne minuti jooksul, jääks meil veel aega ateljeedes käia ja naiskunstnikega lõunatada. Mul on kolm nimekirja tehnikatega, mille kohta tahaksin rohkem teada.

Oleme jõudnud tagasi Clichy puiesteele. Me oleme jalutanud terve ringi. Kaugemal paremal algab taas Lepici tänav. Oleme mõne sammu kaugusel Theo korterist. Jään seisma ja pöördun vastust oodates Vincenti poole, ootan mingitki edasist plaani. Vincenti silmad sädelevad ja täidlased huuled kõverduvad naeratuseks. Midagi on muutunud, *mida ma ütlesin?*

„Kas te võrgutate mind?" küsib Vincent.

Ta kõnnib minu poole ja ma naeran närviliselt. „Ei, Vincent," ütlen, tõstes tõrjuvalt käed, „ma ei ole absoluutselt huvitatud millestki muust, kui teie kunstnikuoskustest."

Ta astub mulle liiga lähedale, tema hingeõhk riivab mu kõrvanibu. „Milline oli see mees, kes sai teiega olla ja teid uurida?"

Põrkan tagasi, luues meie vahele distantsi. „Mind ei ole kunagi *uuritud*," ütlen kiirustades. Teemavahetus tabab mind ootamatult. Vaatan Vincentile otsa, üritades mõista, mida ta mõtleb, aga näen ainult laia naeratust ja punastan tahtmatult.

„Theo korterist avaneb vaimustav vaade Pariisile." Ta osutab käega korteri poole.

Tunnen kõhus liblikaid. „Kas Theo on kodus?"

„Ei, ta teeb tööd. Kas te tahate tema korterit näha?"

Jõllitan Vincenti, püüdes tema sõnu seedida. Teda võib võrrelda Eduardiga, ta kasutab mind mingiks talle teadaolevaks eesmärgiks, hoolimata vähimatki, kuidas mina end tunnen.

Vincenti ettepanek on lame ja minu reaktsioon äkiline ja spontaanne. Raputan pead, ma ei taha olla Vincentiga üksi Theo korteris.

„Te olete terve päeva minuga mänginud," ütleb Vincent, „olete näidanud selgelt, et tunnete huvi..."

„Ainus mees, kelle vastu ma tunnen *huvi*, on teie vend," ütlen ja panen käed selja taga kokku, et varjata nende värisemist. „Kas ta saatis teid, et minu tähelepanu endalt kõrvale juhtida, nagu ta tegi Saraga?"

Vincent naerab ja ma ei saa aru, kas see tähendab jaatavat vastust. „Pärast teilt korvi saamist, veedab vend rohkem aega minuga. Ta on võtnud omaks minu elustiili ja me pigem jagame samu naisi."

Mul jäävad sõnad kurku kinni. Nahk kuumab, luud on tina täis. Põlved värisevad seelikute all, ma ei saa liikuda. Nii et mina olen vendade vahelise võistluse auhind? Või kogub Vincent tõendeid, mis näitavad, et ma ei vääri Theo aega?

„Mul pole vähimatki soovi olla vendade van Goghide mängukann. Ja kui Theo seda soovib, võite talle öelda, et..."

Kostab hüüe: „*Hé, la-bas*!" Meist tormab kabjaplaginal ja piitsa vihinal mööda voorimehetõld. Ma tahan seda peatada, tahan olla tagasi Andriese juures, tahan olla kaugel Vincentist ja vabaneda meievahelisest õhustikust, mis on kohmakas nagu lehm libedal jääl.

„Theo vaatab meid tõenäoliselt aknast ja laeb relva, et mind maha lasta," lõhub Vincent meie vahel võbeleva vaikuse.

„Ta on kodus?" Vaatan üles akendele ja siis uuesti Vincentile otsa. „Te just ütlesite, et ta teeb tööd. Miks ta siin ei ole?" Vincent kehitab õlgu.

„Kas te üldse kutsusite teda?"

Vincent raputab pead. „Ja nüüd on ta kade, et te otsustasite minuga aega veeta," ütleb ta. See ei ole nali, tema suule ei ilmu naeratust. „Ja ta on pisut hämmeldunud, et te eelistasite mind temale."

„Kuidas, palun? Viige mind jalamaid tema juurde, et ma saaksin selgitada."

Mul pole aimugi, mis toimub. Ma pole *valinud* Vincenti ega teeks seda kunagi. Tänane päev pidi olema pühendatud kunstile, kohtumisele teiste kunstnikega ja seda koos mõlema vennaga. Ma olen suures segaduses.

„Mulle meeldib teie vend. Perekond on tähtis ja ma lootsin, et teie, Theo, mina ja Dries saame kõik sõpradeks."

„Te olete lihtsalt kõige värskem eksemplar pikas naiste reas, kes tahavad meeleheitlikult minu venda tundma õppida. Pange tähele mu sõnu, varsti antakse teid minule üle."

Vincent naerab mürinal, lehvitab ja jätab mu üksi Clichy puiesteele.

Juuli 1888

Kui ma koju jõudsin, ootas Dries mind eeskojas. Sattusin paanikasse. Rääkisin vaimustusega, et veetsin imelise päeva, õppisin palju uut tehniliste võtete ja kunstnikuks olemise kohta. Ütlesin, et olen nüüd impasto ekspert. Ekspert! Siis ütlesin, et mul on kohutav peavalu ja ma pean pikali heitma, ning suutsin selle valega kõrvale hiilida küsimustest naiskunstnike kohta.

Nüüd peidan end oma magamistoas. Loodan, et Clara tuleb varsti, ma ei usu, et oleksin kunagi varem nii näljane olnud.

Mis mul arus oli? Miks ma Andriesele lihtsalt tõtt ei rääkinud?

Ausalt öeldes pole mul aimugi, kuidas ja miks täna kõik nii läks. Palun, tee nii, et Theo ei arvaks, et ma eelistan olla Vincentiga. Kui ta seda arvab, mida ta siis minust mõtleb? Milliseid valesid on Vincent minu kohta rääkinud?

Ma pole vendasid veel kuu aegagi tundnud, aga juba tekitavad nad minu peas kaost ja segadust.

Vincent on Theo jaoks väga tähtis. Nad elavad koos, söövad koos, neil on ühine suhtlusringkond. Theo jumaldab oma venda.

Minu jaoks on oluline, et ma meeldiksin Vincentile, et ta mind austaks. Kui ma peaksin oma tuleviku Theoga siduma, on tähtis, et Vincent näeks mind võrdväärsena.

Täna kohtles Vincent mind nagu vennalt varastatud mänguasja.

Ma ei tea, kuidas teda taltsutada, ma pole kunagi kedagi temasugust kohanud.

Ja mis on need „signaalid", mida ma väidetavalt meestele saadan? Kõigepealt Eduard, siis Theo, nüüd Vincent – kas asi on meestes või minus? Kuidas ma saan seda vältida, kui ma ei tea, mida ma valesti teen?

PÈRE TANGUY PORTREE

Sõitsime voorimehega Quai d'Orsayni ja kõnnime nüüd üle liivase Marsi väljaku. Ma ütlen kõnnime, aga mu vend praktiliselt hüpleb. Ta osutab ehitisele, mis temas nii suurt erutust tekitab: metallredelitest koosnevale karkassile, mis ootab liha luudele. Maast kerkib neli metalljalga. Hallid talad on massiivsed. Igaüks neist lõpeb järsult: see on skelett, mis vajab katmist.

„Lõpuks saab selle kõrgus olema muljetavaldav," ütleb Andries.

Ma ei kuula õieti. Olen terve hommiku muretsenud, sest usun, et Theo arvates eelistan ma talle Vincenti. See on segane olukord, mille teeb halvemaks Vincenti väide, et ma olevat terve päeva näidanud üles huvi tema vastu. Mingi osa minust tahab kirjutada ja paluda täpsustust, et ma teaksin, mida ma valesti tegin. Tegelikult on mul nagu kirbud püksis, kui ma vaatan närviliselt ringi, ega vendi kuskil näha pole. Miks ma Andriesele eile kõike ära ei rääkinud? Kui ma seda praegu teeksin, kahtlustaks ta, et mul on veel midagi varjata, ja seega püüan pigem välja mõelda, kuidas takistada vendi van Goghe, kui me peaksime nendega kohtuma, rääkimast, et me ei käinud ateljeedes, et mulle ei näidatud tehnilisi võtteid ja, mis kõige olulisem, et Theo van Gogh ei ilmunudki välja.

„Jo? Kus su mõtted ometi on?"

„Ma olen lihtsalt väsinud." Tõstan käe suu juurde, nagu peidaksin haigutust. „Ma mõtlesin, lugesin ja kirjutasin eile õhtul liiga kaua." Panen oma käe Andriese käevangu ja me kõnnime edasi. „Ma tahaksin olla rohkem nagu Charlotte Brontë. Tahaksin, et ma suudaksin töötada hilisõhtuni, ilma et oleksin järgmisel päeval täiesti rivist väljas. Ma kahtlustan, et minus puudub igasugune loovus."

„Lollus. Sa oled pärast eilset erutavat päeva lihtsalt väsinud. No ütle, mis sa arvad?" Mul kulub hetk mõistmaks, et oleme jõudnud konstruktsiooni jalamile ja ta räägib Eiffeli tornist.

„Milleks see tehtud on?" Ma ei saa tõesti aru, mida ma enda ees näen.

„Eiffel on suurepäraste tehniliste oskustega insener ja püstitab oma ambitsioonikuses uue kõrgusrekordi," ütleb Andries. „Praegu on veel raske aru saada, aga sellest tuleb maailma kõrgeim ehitis. Siinsamas meie juures. Pariisis."

Ta võtab mütsi peast, asetab selle päikesevarjuks silmade kohale ning vaatab konstruktsiooni: „Nad on just hakanud teist korrust püstitama."

Vaatan torni külge kinnitatud puittellinguid ja väikseid tõstukeid. Andriesel on õigus. Ma ei suuda ette kujutada, kuidas see hakkab välja nägema. Ma ei suuda ette kujutada midagi nii kõrget. Praegu tundub, nagu kasvaksid püstised konstruktsioonid välja otse maa seest, valmis võitlema loodusjõududega.

„See on kohutav. Selles puudub igasugune soojus ja võlu."

„See on kunst," ütleb Andries. Minu arvamus tekitab temas ilmselgelt pahameelt. „Theo arvab sama."

„Kas ta on siin?" küsin ja kuulen oma hääles paanikat.

Vaikus. Andries vaatab mulle otsa, tema näol on veider ilme. „Ei. Perekondlik kohtumine. Kumbki vendadest ei austa täna oma kohalolekuga Marsi väljakut." Ta vaatab mulle otse silma. „Kas nad siis eile ei maininud seda?" Minu vend on terane, ta haistab, *et midagi on valesti.*

Vaikus. Hingan sügavalt sisse. Naeratan. „See ei sobi üldse Pariisi." Vaatan uuesti konstruktsiooni, et venna pilku oma näolt kõrvale juhtida.

Homme kirjutan kummalegi vennale eraldi ja selgitan, mis mind vaevab. Praegu keskendun Eiffeli tornile, püüdes mõista, kuidas on võimalik selles monstrumis kunsti näha. Mulle on juba saanud selgeks, et minu arusaamine kunstist erineb Andriese ja Theo omast. Mul pole piisavalt haridust, kogemust ega teadmisi. Aga mida kauem ma seda konstruktsiooni vaatan, seda selgemini näen, et selles ei ole midagi ilusat. Kas siin ühinevad tõesti oskused ja ilu? Millest ma aru ei saa? Kehitan õlgu. Minu võimetus mõista venna kunstimaitset võrdub minu võimetusega mõista keerulisi suhteid, mis mul näivad meestega tekkivat.

„Ehitus kestab veel kuid ja torni lõplik kuju pole veel teada. Võib-olla ootad oma kriitikaga torni valmimiseni?"

Raputan pead ja Andries lööb mütsiga minu käsivarre pihta. Minu vennal, kellest on saanud tehnikaekspert, on torni kohta välja kujunenud kindel arvamus. Ma pole kindel, kui palju sellest on tema enda oma, kui palju aga üle võetud Theolt. Ma armastan oma venda sügavalt, kuigi ta ignoreerib mind sageli, kui ma ütlen, mida arvan, või kui tahan, et ta mind kuulaks. Isegi siin, Pariisi kunstnike keskel, ei ole naistel meestega võrdset kohta. Me oleme objektid, mitte võrdväärsed olendid, kellel on oma arvamus. Andries paneb mütsi pähe, võtab oma fotoaparaadi ja teeb tornist pildi.

„Üks pilt nädalas." Andries keerab fotoaparaadi peal olevast nupust ette järgmise kaadri. „Ma jäädvustan ajalugu." Ta patsutab fotoaparaadi mahagonist kasti.

„Vaata ometi kõiki neid ehitajaid," ütlen. Sajad mehed toimetavad tornijalamil, ronivad redelitel ja ripuvad tellingutel. Nad on täielikult keskendunud oma tööle ega tee märkamagi vaatama kogunenud rahvahulka, kõiki neid silindrites ja kõvakübarates mehi, käed silmade ees, et varjata eredat päikesepaistet.

„Siin töötab ligi kolmsada meest. Me oleme käinud siin pärast vundamendi ehitamist iga nädal. Ehitus on kestnud juba kaheksateist kuud, neli neist kulus vundamendi peale."

„Meie?"

„Theoga, mõnikord Vincentiga, aga peamiselt koos teiste kunstnikest sõpradega. Ma ju olen ka sind kaasa kutsunud."

„Bonger!" hüüab keegi. „Bonger, oled see sina?"

Vaatan ringi, aga näen ainult mütside, kübarate ja päevavarjude merd. Südame alt jõnksatab korraks, see võib olla Theo.

„Rodin, vanapoiss," ütleb vend. Ta embab härrasmeest, kes on meist mõlemast vanem, ta on jässakas ja tema vuntsid on pikemad ja rohkem puhmas, kui ma olen kunagi näinud. Rodini ninal on tillukesed ümmargused prillid ja tema peas püüab liiga suur silinder tasakaalus püsida.

„Jo, see on Auguste Rodin."

Rodin sirutab mulle käe. Tema sõrmed on paksud, mühklikud ja pragunenud, neid katab valge tolm. Rõõmustan ja sirutan oma käe välja.

„Pariisi parim skulptor, varsti saab ta kuulsaks kogu maailmas," ütleb Andries.

Naine Rodini kõrval mühatab ja hakkab naerma. Ta köidab mu tähelepanu.

„Seda ta muidugi loodab," ütleb naine ja ka Rodin puhkeb naerma.

Naine on umbes minuvanune ja sama kasvu, tema ilu on loomulik nagu päevavalgus: laitmatu nahk, kergelt püstise otsaga väike nina, silmad nii tumepruunid, et paistavad mustadena. Oma või- ja sidrunikollase, vaevumärgatava turnüüriga seelikuga ja toon-toonis kõrge kaelusega pluusiga on ta moodsa, ennast hästi tundva naise võrdkuju. Ta hoiab mõlema käega oma õlgkübarat, mille kollane pael lehvib tuules.

„Kas te olete Camille Claudel?" küsin kergelt kummardades. Ta vaatab mind läbi pikkade ripsmete.

„Juba olengi ebasoodsamas olukorras," ütleb ta.

„Mis mõttes?" Aga enne kui ma jõuan end esitleda, sirutab ta käe välja, et minu oma suruda, ja tuul lennutab tema kübara minema. See veereb mööda Marsi väljakut.

„*Mon chapeau de paille!*"* hüüab Camille. Ta haarab oma seelikud ja jookseb kübarale järele, ise igal sammul itsitades. See ajab mind naerma. Rodin ja Andries jälgivad teda naeratades.

„Võib-olla oleks ta pidanud sündima poisina," ütleb Andries ja ma tonksan tema kätt.

„Lollus," vastab Rodin. Ta naerab. „Ta käitub nii, nagu naiskunstnik peabki käituma."

Ma ei saa aru, mida ta silmas peab.

„Jo kohtus eile kahe paljulubava naiskunstnikuga," ütleb Andries ja noogutab, et ma räägiksin oma kunstiga täidetud päevast. „Kes need olid? Rodin tunneb neid kindlasti."

Oh issand! Kõhklen teadmata, mida öelda. Ma ei saa lihtsalt paugupealt kunstnikke ja ateljeesid välja mõelda. „Ma arvan...noh, nad..." Ma ei suuda oma paanikat varjata. Kõigi silmad on pöördunud minule. Pühin niiskeks tõmbunud peopesi seelikusse, teades, et vend tahab kõigest lähemalt kuulda.

Siis jõuab Camille õnneks tagasi, ühes käes õlgkübar ja teine käsi seelikuid hoidmas.

„Johanna Bonger," tutvustan ennast, „tema lemmikõde." Noogutan venna poole ja sirutan oma niiske käe.

*

Minu õlgkübar! – pr k

„Ah, *la soeur de Bonger!"* hüüab Camille. Ta heidab mulle käed ümber ja embab tugevalt. „Ma olen juba nädalaid tahtnud teiega kohtuda. Te olete end ära peitnud. Te olete ju kunstnik?"

Raputan pead. „Midagi ma pole."

„Rumalus," ütleb Andries. „Ta on siin selleks, et õppida, ja ma loodan, et te saate teda pisut juhendada."

„Ma ei tea skulptuurist midagi," ütlen kiiresti, „aga tahaksin muidugi kõike proovida."

„Kas te olete kuulnud, et ma aitan Rodini tema töös?" küsib Camille, noogutades skulptori poole, kes puhkeb selle peale südamest naerma. Raputan pead. Ma ei teadnud seda. Ma olin kuulnud, et ta on Rodini armuke, temast poole noorem, ja et skulptori elukaaslase nimi on Rose.

„Ta on geniaalne skulptor ja mina elan tema varjus. Aga ärge kunagi üritage talle silma vaadata. Tema pilk näeb kõike, mida te tahate varjata, ja ta teab tõde veel enne, kui te jõuate viieni lugeda." Camille loeb ülestõstetud sõrmedel prantsuse keeles viieni ja lööb siis käed kokku. „Ja ärge laske end minu tuhkru vuntsidest ära petta," ütleb ta, tirides Rodini nina all kasvavaid puhmaid. „Ta võrgutab teid kõditamise ja naeratusega."

„Ärge pöörake preili C-le tähelepanu," ütleb Rodin. „Ma lähen tunni aja pärast koju ja ta karistab mind."

„Ühel päeval ta jätab selle teise naise minu pärast maha," ütleb Camille. Ta peaaegu sosistab ja ma pole kindel, et teised teda kuulevad.

Camille ja Rodin naeratavad teineteisele, hoides nüüd käest kinni, nende vahel pole näha mingit viha. Ma ei mõista nende omavahelise suhte mänglevat kergust, aga tunnetan Camille'i valu. Taban ta pilgu ja Camille noogutab. *Sa meeldid mulle.*

„Minu õde soovib, et tal oleks teie elu," ütleb Andries.

„Haiget saanud, hooletusse jäetud, nähtamatu? Te tahate olla naiskunstnik, kes ei saa ennast teostada?" Camille naerab ja Andries samuti. Raputan pead. Ma ei saa jälle aru. „Ja te tunneksite puudust oma venna armastusest ja kiindumusest," lisab ta.

Mõtlen paratamatult, mida kõike ta on pidanud ohverdama. Tundub, et ta on lihtne, ei kahetse midagi, tema naeratus on nakkav, aga ma näen pealispinnast kaugemale. Ma olen olnud kolm aastat mehega, kes mind ei tahtnud, ja Camille peidab oma valu sama viletsalt, nagu mina seda tegin.

„*Allez, allez, allons-y.*[*] Lähme otsime kohviku ja võtame klaasikese, siis võite rääkida mulle kõigist oma saladustest ja soovidest," ütleb Camille.

* Tulge, tulge, lähme – pr k

AUTOPORTREE

Kaks päeva pärast katastroofilist jalutuskäiku Montmartre'il pole Vincentilt mingit vastust ja ma olen veetnud suurema osa ajast muretsedes, et Andries avastab mu valetamise. Ma olen endale isegi öelnud, et mind saadetakse kohe Amsterdami tagasi. Aga kiri saabus just praegu ja ma kiirustan kergendust tundes salongi.

Minu vend näeb oma kiviplaadiga kaetud laua taga istudes ja uhkest mööblist ümbritsetuna majesteetlik välja ja ma naeratan tahtmatult. Tema ees laual vedelevad paberid ja ta vaatab pingsalt üht dokumenti.

„Vincent tegi ettepaneku..."

„Ütle ei," ütleb Andries veel enne, kui ma jõuan selgitada, milles asi: Vincent demonstreerib mulle erinevaid tehnilisi võtteid ja lubab, et Theo on ka kindlasti kohal.

„Mis lahti on?"

Mulle ainiti silma vaadates tõstab Andries paberi, mida ta luges, ja vehib sellega.

„See on Theo kiri. Kas sa tõesti arvasid, et ma ei saa teada?"

Pööran pilgu kõrvale ja lasen pea norgu. Ma ei vasta.

„Ta väljendas oma muret sinu soovi pärast veeta aega Vincentiga kahekesi," ütleb vend hirmuäratavalt rahulikul toonil. „Ta on jõudnud järeldusele, et sa oled huvitatud tema vennast."

„Ma ei ole," ütlen peaaegu sosinal. Põrnitsen põrandaplaate.

„Ja ometigi kavatsesid temaga välja minna, et saaksite kahekesi olla?"

Tõstan silmad ja raputan pead. „Sa ei usu ju seda ometi? Mul polnud aimugi."

Andriese ilme on keskendunud. Ootan.

„Ma usun sind." Näen, et tema ilme muutub soojemaks. Ta naeratab. „Aga sa pead ju mõistma, kuidas see välja paistab, Jo."

Noogutan, ma mõistan.

„Kui kõik oli nii süütu, siis miks sa mulle kõigest ei rääkinud, kui koju jõudsid?" Venna märkus on õiglane. „Selle asemel sa valetasid mulle *näkku*." Sõna „näkku" juures osutab ta oma ninale. „Sealjuures ei olnud sinu vale isegi veenev. Kui me Marsi väljakul Rodiniga kohtusime, ei suutnud sa kaht naiskunstnikku meenutada." Vaikus. Ohe. „Kui ma poleks kirjutanud Theole, et küsida..."

„Aga kas sa oleksid mind uskunud, kui ma oleksin öelnud, et Vincent manipuleeris meie mõlemaga? Et me ei kohtunud naiskunstnikega ega käinud ateljeedes? Ja et ta tegi mulle ettepaneku minna temaga Theo korterisse?"

„Kas sa läksid?" küsib vend, kõrgendades esimest korda häält.

„Muidugi mitte. Milliseks naiseks sa mind õige pead?"

Andries ei vasta. *Ta peab mind selliseks naiseks.* Vahime teineteist silmi pilgutamata, mina pööran esimesena pilgu ära.

„Kas naine on alati see, kes on süüdi?" küsin ja vend kehitab õlgu.

„Vincent rääkis Theole, et teil on suhe."

„Misasja?!" karjatan. „Miks ta pidi valetama?"

Andries kergitab kulmu, nagu oleks minu küsimus naeruväärne, aga ma vajan tõesti vastust. Ma pean aru saama, miks see kõik juhtub.

„Loe see kiri mulle ette," ütlen venna laua juurde minnes. Ulatan talle ümbriku ja vaatan, kuidas ta võtab kirja välja ning loeb Vincenti sõnu. Kirjas on Vincenti vabandus oma käitumise ja selle pärast, et me ei saanud kinni pidada plaanitud kohtumistest ega õppida kunstitehnikaid, ja väike visand meist kahest jalutamas Montmartre'il.

Kui Andries on lugemise lõpetanud, raputab ta pead, voldib kirja kokku ja paneb tagasi ümbrikku. Tema liigutused on aeglased, ta kaalub, mida öelda.

„Ta on uskumatu. Ma räägin Theoga. Ma ei usu, et see teda üllatab, aga sina hoia parem Vincentist eemale."

„Aga kas tema tundmine pole siis kasulik?" küsin, libistades käega piki lauaplaadi serva. Andries ütles ju ise, et Vincent on saavutamas tunnustust ja Theo teeb kõik selleks, et tema maalid jõuaksid õigete inimeste kätesse. Ja asi on veel milleski enamas. Vennad van Goghid on lahutamatud. Kas ühest eemale hoidmine ei tähenda mitte teise kaotamist?

„Ma olen kindel, et Theol on paremad kontaktid. Aga..."
Noogutan, et ta jätkaks.

„Väidetavalt hoidsite jalutuskäigu ajal käest kinni."

„Mida me tegime?" Näen, et mu nördimus tekitab vennas lõbusust. Ta naeratab ja vangutab pead.

„Vincenti käsi puutus paar korda minu oma vastu. Nagu ikka juhtub, kui inimesed teineteise kõrval kiiresti kõnnivad."

„Loti nägi teid koos," ütleb Andries, võttes kätte teise kirja ja lehvitades seda – pole kahtlustki, et see on sellelt kõhedust tekitavalt advokaadilt. „Tuleb õigluse nimel märkida, et ta ei pea enam abiellumist võimalikuks."

„Sa ju tead, et see on *õiglasele* otse vastupidine?" küsin. Mu sõnades puudub siiski veendumus. Kas mind paneb muretsema, et ta ei pea mind enam sobilikuks abikaasaks? Tegelikult mitte. Ma olen pigem rõõmus. Mu huuled kõverduvad naeratuseks, Andries vaatab mind.

„Kui Theo ei tulnud, oleksid pidanud koju tagasi tulema," ütleb ta ja ma tean, et tal on õigus.

„Vähemalt oleksin pidanud sulle kohe kõik ära rääkima. Anna andeks."

Andries tuleb minu juurde ja kallistab mind.

„Ma tahtsin tõesti kohtuda naiskunstnikega," ütlen ja vend annab mulle otsaesisele musi.

„Sa oled minu vastutusel ja mul on raske kummutada kõiki kuulujutte sinu maine kohta. Need paljunevad kontrollimatult."

Vabastan end tema embusest. „Mis kuulujutte?"

„Sara Voort on rääkinud paljudele minu tutvuskonna inimestele sinu suhetest Stumpffiga. Nüüd ütleb ta, et sina ja Vincent..."

„Aga kas ta *ise* ei olnud mitte Vincentiga seotud?" küsin ärritudes.

„Ainult Theole lähedased inimesed teadsid sellest plaanist."

Ohkan. „Miks ta mind rahule ei jäta? Ma ei suuda uskuda, et mul oli algul sellest naisest kahju."

„Ta räägib kõigile, et sa oled Vincenti uusim mängukann. Kas sa saad aru, mida see endaga kaasa toob?"

Raputan pead. Ei saa.

„Kui see peaks tõeks osutuma..." Ta hingab sügavalt välja. „Mamma ja papa hülgaksid sinu ja viisakas seltskond hoiaks sinust eemale."

Andries võtab mu käe ja annab sellele musi. Tema huuled on pehmed. „Ma ei taha sind kontrollida ega hirmutada, aga ma pigem ei näe sinu jaoks positiivset lõppu, kui sa oled huvitatud Vincentiga suhtlemisest."

Tõstan silmad ja vaatan talle otsa. „Ma ei ole huvitatud." Raputan pead ja tõmban oma käe ära. „Ma arvasin, et mul on temaga ohutu olla. Theo jumaldab oma venda ja ma lootsin, et pärast koos veedetud aega võidan Vincenti austuse. Et ta peab mind võrdseks, ma isegi lootsin, et tema heakskiit on Theole oluline. Aga ma ei saa aru, mida ta mõtleb. Ma ei mõista tema tegusid ja käitumist." Uus vaikus. „Tundub, et Vincent ei hooli Theo õnnest. Tal puudub igasugune austus minu vastu. Ta on metsik, isegi taltsutamatu, ja see hirmutab mind. Ma pole kunagi kohanud kedagi temasugust."

Ma jätan ütlemata, et Vincenti väljakutsuva käitumise tõttu tärkab minus midagi uut, tunne, nagu ootaksid vennad minult midagi enamat, kui lihtsalt ilusa naise ja emarolli täitmist.

„Viimasel ajal on Vincent oma vennale üha suuremaks koormaks," ütleb Andries nõustuvalt noogutades. „Ta süüdistab Theod äärmuslikes tegudes ja Theo rahustab teda, aga see pole alati nii olnud. Nende omavaheliste suhete mõistmine nõuab aega."

„Miks ma ei võiks olla nagu sina?"

Vend vaatab mind uudishimulikult, tema ilme on korraga nii murelik kui huvitunud. „Nagu mina?"

„Sul on olemas selline luksus nagu aeg. Sa oled minu jaoks pidev meeldetuletus, et vabadus on illusioon ja et ma pean ühel hetkel loobuma kõigist loomingulistest püüdlustest ning hakkama arvestama ühiskonna ootustega. Aeg tormab liiga kiiresti. See paratamatu..." Jään vait ja vaatan pingsalt Enpire Aubussoni vaibast välja tulnud punast lõnga. Tahaksin kummarduda ja selle vaiba alla lükata, et vend seda ei märkaks. Hea meelega poeksin ka ise sinna. Aga ma ei tee seda. Seisan liikumatult.

„Räägi."

„Võta näiteks Camille."

„Claudel?" Noogutan.

„Ta on väidetavalt meeletult andekas, suurepärane kunstnik, aga inimesed räägivad temast ikkagi ainult kui Rodini armukesest."

„*Keerulised* inimesed teevad keerulisi valikuid. Tema tegi oma valiku ja on kiiresti muutumas inetuks."

Raputan pead. „Ta armus. See ei võta temalt tema skulptoriannet."

„Ta armus mehesse, kes ei ole vaba," ütleb Andries, „ta teadis seda, kui nad suhet alustasid." Vend ei suuda minu väitest aru saada. Ta ei kuula mind.

„Vincent on vaba, sina oled vaba, Theo on vaba. Kõik mehed Pariisis on vabad. Te võite langeda igasse embusse, võtta igaks päevaks erineva armukese, murda südameid, jätta oma teele emotsionaalsed varemed, aga teid hinnatakse ikka ja ainult selle järgi, millist tööd te teete."

„Aga kas sa siis ei mõista, et Vincenti vabadusel on hiigelsuur hind?" küsib vend pehmel toonil, olles valmis vestlust jätkama. „Ka kunst peab eksisteerima teatud piirides, kui kunstnik tahab ühiskonnas tegutseda."

„Ja Vincenti kunst ei eksisteeri?" küsin Andriese ilmet uurides.

„Ta ei ole oma kunsti veel määratlenud. Ta on oma mainet väärt," Andries krimpsutab põlastavalt nina. Ma ei tea, mida ma annaksin, et teada saada, mis sellise reaktsiooni on põhjustanud. Vend vaikib ega taha midagi lähemalt selgitada.

„Ma kirjutan Theole ja selgitan, mis sinu ja Vincenti vahel juhtus," ütleb Andries.

Surun käed seljal kokku: tunnen pettumust, viha ja hirmu.

„Ma suudan täiesti vabalt ise kirjutada."

„See asi tuleb joonde ajada, muidu jääb su ainsaks valikuks iiveldama ajav doktor Janssen."

„Ja ma parandan selle." Laiutan käsi, et sõnadele kaalu anda. „Mind ei saa sundida selle paksu seaga abielluma." Andries läheb tagasi laua juurde – ta on silmnähtavalt kogu meie vestlusest tüdinenud – ja keerab siis ringi, et mulle uuesti otsa vaadata.

„Ausalt, Jo. Ma armastan sind, aga mõnikord oled sa õudusunenägu."

„Vend, sa oled liiga lahke."

„Sa ei saa endale lubada olla nii..." ta tõstab laualt kirjad ja vehib nendega, „nii dramaatiline ja ebausaldav." Ta ohkab sügavalt. „Me oleme samal poolel."

„Ja sina lihtsalt pead olema selline ennasttäis idioot," ütlen. Ma tean, et käitun lapsikult. Ma tean, et minu vend on minu poolel, et ta tahab mulle parimat. Andries raputab pead ja istub siis tagasi oma troonile.

„Mõtle korraks praegusele olukorrale ja ainsale teisele võimalusele, mis sulle jäänud on. Ma püüan sind aidata. Mamma valitud kosilane on üsna põlastusväärne." Ta vaikib. Tahan midagi öelda, aga kehitan õlgu. „Kas sa oled mõelnud kõigele, mida sa ohverdad, kui abiellud doktor Jansseniga?"

„Ma tahan, et mul oleks sinu elu." Olen juuksekarva kaugusel jalgade trampimisest.

„See pole võimalik ja sa ei kuula mind. Kui Theo huvi kaotab, peame uuesti minu kosilaste nimekirja ette võtma. Aeg saab otsa. Kas sa siis ei mõista, et ma püüan leida sulle kedagi, kes lubab sul oma teed käia?"

„Lubab!" karjun. „Miks ma vajan luba selleks, milleks meestel seda vaja ei ole?"

„Sa pead kõigepealt maha rahunema. Sa käitud nagu hüsteeriline naine."

„Ja sina räägid nagu papa! Ma ei luba ennast kontrollida ei sinul ega..."

„Kasva juba suureks, Jo." Andries on korraga vihane. „Käitu eakohaselt või ma saadan su esimesel võimalusel Amsterdami tagasi." Minu süda taob metsikult. Pisarad tulvavad silmadesse. Dries ei ole kunagi minu peale vihane olnud, tema tõsidus mõjub mulle nagu rusikahoop kõhtu.

„Kus Clara on?" küsin nii valju häälega, et ta peaks kuulma.

„Ta on asju ajamas," ütleb vend ja ma keeran ringi, et salongist lahkuda.

„Kuhu sa lähed?"

„Seda asja korda ajama." Ma pole kindel, et ta kuuleb mind, sest tõttan korteri ukse juurde. „Ma oletan, et see on lubatud, või äkki sa eelistaksid, et olen sinu vang ja aheldatud sinu laua külge?"

AGOSTINA SEGATORI ISTUMAS CAFÉ DU TAMBOURINIS

Istun Vincenti kõrval Clichy puiestee kohvikus Café du Tambourin ja ta käitub nagu laps, kelle jonnimist ma ei suuda lõpetada. Ma olen proovinud kõike, mis vähegi pähe tuleb: toitu, alkoholi, tema venda, aga ta keeldub koos minuga tulemast.

„Mul kulus ligi tund aega teie ülesleidmiseks. Ma olen väljas ilma saatjata, riskin oma mainega... Dries saab maruvihaseks."

Minu plaan sündis pärast venna korterist lahkumist ja enne, kui ma jõudsin Victori tänava lõppu. Ma otsin Vincenti üles ja tema on nõus Theole ja Driesile oma tegu tunnistama. Sellel eesmärgil järgisin meie katastroofilise jalutuskäigu marsruuti, olles kindel, et Vincent maalib kuskil vabas õhus. Teda polnud kuskil. Leidsin ta hoopis tubakasuitsusest ja lärmakast Le Tambourinist.

„Ma ei tohiks siin mingil juhul olla," ütlen, silmad ringi ekslemas lootuses, et siin ei ole ühtegi Andriese tuttavat. „Kui mamma saab teada..."

Vincent ei kuula mind. Ta vaatab ainiti üht naist ja jälgib, kuidas too ruumis ringi liigub.

„Mul on vaja, et te koos minuga Andriese juurde tuleksite." Ma olen talle seda juba öelnud. „Siis ma saadaksin Clara Theo järele ja siis peate rääkima kõigile tõtt meie *suhte* ja meie jalutuskäigu kohta Montmartre'il."

Vincent noogutab, aga on selge, et ta ei kuula, tema mõtted on mujal.

„Kes see naine on?" küsin. Ma pean karjuma, et end üle klaverimuusika ja kättemaksule kutsuva sentimentaalse laulukese kuuldavaks teha. Mõned mehed baaris pilkavad pianisti, teised laulavad kaasa, hoides üksteisel õlgade ümbert kinni.

„Ta on baari omanik," ütleb Vincent. Ta kummardub oma toolil ettepoole, silmad naisel. „Annab kunstnikele võimaluse oma töid välja panna."

Selles baaris tunnen end sada protsenti hollandlasena. Ma olen ilmetu ja vanamoodne, see naine aga on eksootiline ja huvitav. Tema pead katab punane sall, selle alt vallandunud lokid raamistavad kahvatut kõhna nägu. Naise särtsakal erksavärvilisel lapimustrilisel kleidil puudub raske turnüür ja see laseb näha tema saledat figuuri. Ta on minust tunduvalt vanem, tõeliselt rabav ja temas on korraga nii mehelikku kui naiselikku veetlust: suur nina, paksud huuled ja oliivikarva nahk. Aga kõige rohkem köidavad mind naise tähelepanuväärsed silmad. Need on kõige sügavamad ja vapramad silmad, mida ma olen kunagi näinud. Ta on julge nagu edukas mees. Naine jalutab, pea püsti, ega kahtle karvavõrdki selles, kes ta on.

„Agostina Segatori." Vincenti silmad on ikka veel naisel. Vaatan kohvikus ringi ja kõigi silmad jälgivad Agostinat. Lauldakse, naerdakse, lobisetakse, aga kõik jälgivad perenaist. „Ta meeldib mulle," ütleb Vincent.

„Kas ta on prantslanna?"

„Itaallanna."

Agostina süütab sigareti ja kui ta peatub ning seljaga vastu baariletti nõjatub, ulatatakse talle õlleklaas.

Ma kummardun ettepoole, et Vincent mind kuuleks, ja ütlen talle kõrva, võtmata oma pilku Agostinalt: „Ma tahan sigaretti."

Vincent naerab. Ta tirib oma vasakut kõrvanibu. „Te ei suitseta," ütleb ta ega keera end, et mulle otsa vaadata.

„Ma tahan klaasi õlut," ütlen. *Tahan olla selline nagu Agostina.* Vincent nipsutab sõrmi ja ma näen, et naine märkab teda.

Tema näos vilksatab hetkeks äratundmine. Agostina tuleb meie juurde. Tema puusad õõtsuvad Vincenti pilgu all, kui ta liugleb kohviku muusika taktis meie poole. Ta vaatab Vincenti, kordagi silmi pilgutamata. Tundub, et tema tumedad silmad tungivad iga sammuga üha sügavamale Vincenti hinge. Vincenti ja naise vahel on nii intensiivne särin, et see tantsib nende ümber kirglikku tangot. Vajun tagasi oma tooli. Ma olen nähtamatu ega ole kunagi varem tundnud, et see koht ja aeg on minu jaoks nii valed. Ma olen värvipime naiskunstnik, kirjanik, kes pole kunagi ühtegi raamatut lugenud, näitleja, kes ei suuda rolli pähe õppida. Ma ei kuulu sellesse maailma, aga siiski oleksin just sel hetkel valmis andma oma vasaku käe, et olla nagu tema. Ma tahan olla Agostina Segatori.

„*Una birra e una sigaretta per la signora*,"* ütleb Vincent. Ta näitab käega õllele ja sigaretile. Agostina silmad libisevad minule, tema ilme ei muutu ja siis pöörab ta pilgu uuesti Vincentile. Ta laksutab keelt ja heidab pea kuklasse. Vincent naerab. Naer tuleb sügavalt tema seest ja kajab ruumis vastu, kui Agostina tagasi oma baari juurde läheb.

„Ta keeldus," ütles Vincent, „ta peab teid korralikuks naiseks."

Nad irvitavad minu üle. „Mul on villand teie mängudest," ütlen. Tõusen, et lahkuda, aga Vincent haarab mu käest. Tõmban käe ära ja hingan sügavalt sisse.

„Tulge minuga tagasi Andriese korterisse," ütlen.

Vincent kergitab kulmu. „Kas mitte just nii ei alanud meie viimane *arusaamatus*?" Ta puhkeb uuesti naerma.

See mees peab end naljakaks. „Rääkige meie mõlema vennale, et meie vahel pole midagi juhtunud. Rääkige Theole, et ma ootasin kogu aeg, et ta tuleks."

„Paljud püüavad mind taltsutada, minu ekstsentrilisust tuimestada. Kardan, et paljud peavad kirge nõrkuseks," ütleb Vincent. Ta topib tubakat oma piibukahasse, süütab tiku, laseb sel mõne sekundi põleda ja siis liigutab seda tubaka kohal.

„Ma olen huvitatud Theost ja te olete talle oluline. Just sellepärast olen ma siin ja just sellepärast *püüan* ma teisse hästi

* Daamile üks õlu ja sigaret – it k

suhtuda, teid tundma õppida." Põrnitsen teda, aga ta ei vaata mulle otsa. Ma ei tea isegi, kas ta kuulis, mida ma ütlesin.

Vincentis tekkinud muutus, tema hirm on silmapilkne, otsekui näeks ta midagi, mis jääb minule märkamatuks. Tema silmades on metsik pilk, see hüppab inimeselt inimesele. Klaaside kõlin, tikutõmbed, laul, naer – kõik need helid tunduvad tungivat tema sügavaimasse olemusse.

„Te ei taha mind tundma õppida," ütleb Vincent peaaegu sosinal, aga ma suudan lugeda ta huulilt. Ta popsutab oma piipu.

„Teie teadmised kunstitehnikatest ja kunstimaailmast paeluvad mind. Ma tahaksin väga rohkem teada..."

„Mina armastan kogu olemusega, pühendun kogu olemusega või üldse mitte. Teised suhtuvad minusse samuti. Nad kas jumaldavad või põlastavad mind kogu südamest. Tundub, et vahepealne variant puudub," ütleb Vincent. Mul pole aimugi, mida ta silmas peab, me räägime küll samas keeles aga tema sõnade mõte jääb mulle võõraks.

Sirutan käe ja puudutan tema käsivart. Ta võpatab ja tema põlv kolksatab vastu lauda. Haaran lauast kinni, enne kui kõik maha kukub. „Kas me ei võiks selle jama lõpetada ja korralikult vestelda?" küsin, enne kui jõuan mõista, kui ebaviisakas see on. „Kasvõi ainult sel korral?" lisan pehmemal toonil. „Kas te ei räägiks mulle oma vennast?" Vincent ei vasta, võib-olla ta ei kuule mind. Võib-olla on ta otsustanud mitte kuulda. Ta süütab uue tiku ja hoiab seda piibukaha kohal.

„Puud on kujutatud üsna väljendusrikkalt," ütleb ta.

„Misasja?"

Ta silmad on pööratud seinal olevale metsaalust kujutavale maalile, mida ta piipu popsides vaatab. Jälgin tema pilku.

„Te imetlete seda maali?" küsin ettevaatlikult, samas lootes, et kunstist rääkimine viib meid ühele lainele. „Eemaldumine traditsioonilisest maastiku maalimise viisist ja süüvimine maalitavasse metsa... see on ilmselt kunstniku jaoks väga põnev." Ma ei tea, kuidas Vincenti vestlusse haarata, sest ma pole kunagi kellegi temasarnasega rääkinud.

„Asi on selles, et kui mul ei õnnestu luua, siis ma reaalselt hävitan ennast. Kunst ja loomine aitavad mul peatada pimedusse langemist. Kunst ja kirjandus erutavad mind. Aga ma olen rahaasjades kohutav."

„Kas ma palun arvet?" Tõstan käe, nipsutades tähelepanu äratamiseks sõrmi, aga Agostina ei tee mind märkamagi. Naised ei võta teistelt naistelt raha, isegi mitte Le Tambourinis. Ka Vincent ei reageeri. „Kuidas te toime tulete? Rahaliselt?"

„Theo tuleb toime meie mõlema eest."

Hingan nina kaudu välja. Ta ajab mind vihale. See vestlus on, nagu ma kisuksin tangidega talt hambaid välja. „Ma ei saa sellest päris hästi aru."

„Ometigi mõistate igat sõna." Ta tõstab piibu silmade juurde ja uurib selle kaha.

„Aga millised on teie tulevikuväljavaated?"

„Oh, see õnnetu tulevik. Kõik tahaksid seda teada. Vincent tulevikus. Mis temast saab? Kui palju raha on ta suutnud teenida? Kas temast võiks saada kunstiajaloo kõige kuulsam kunstnik?" Vincent tõmbab nina kaudu suitsu sisse ja hingab suu kaudu välja. Ta paneb piibu lauale, sirutab käed ette ja siis vehib nendega, otsekui püüaks minu küsimust eemale peletada.

„Ei, ma ei pea seda silmas. Ma tahan..."

„Aga kuidas on lood praeguse Vincentiga? Kas tema ei vääri teie aega ja tähelepanu, preili Bonger? Kas te jäätegi tekitama minus ootust ja siis teesklete, et teil pole aimugi oma võrgutamisoskustest?" Ta karjub üle Le Tambourini lärmi, pärani silmad minule pööratud. „Ma olen terve elu olnud liiga arg, et tutvustada end nendele, kes mulle huvi pakuvad. Ma olen imetlenud neid kaugelt, tundes alati väljapaistvuse ees alaväärsust."

„Ma ei ole väljapaistev. Kaugel sellest. Preili Segatori on väljapaistev," ütlen, rõhutades seda nime pisut liiga terava tooniga.

„Kas te tahaksite teada, mis on minu suurim hirm?" Noogutan. Vincent lonksab oma klaasist õlut ja nõjatub mulle lähedale. Tema huuled on minu paremast kõrvast vaid mõne sentimeetri kaugusel. Tema vuntsid kõditavad mu nahka. Tõmbun instinktiivselt tagasi. *Ei, Vincent.* Ma ei taha teda enda lähedale. Tõele au andes ei ole see vestlus läinud minu plaanide kohaselt, ma olen jälle pinna kaotanud.

„Et minu elu ei teeni kunagi mingit eesmärki. Et ma pole kunagi piisavalt hea. Et ma ei oska kunagi midagi hästi." Tema iga sõna külge on ankurdatud kurbus.

Olen vait. Üllatunud Vincenti ootamatust muutusest, tahaksin mõista tema igatsust. Aga ma pean oma plaaniga jätkama. Kui ma varsti koju ei lähe, hakkab Andries mind otsima. Kui ma mõtlen, millisesse raevu ta satub, leian jõudu jätkata. „Ma pean tungivalt paluma, et te tulete minuga Andriese..."

„Ühel päeval rajan väävelkollase päikese alla kunstnike koloonia. Koha, kus kunstnikud võivad olla ja maalida."

Vincent teeb pausi. Meist kaks lauda eemal paremal puhkeb üks naine naerma. Vincent võpatab. Ta põlv kolksatab nii tugevalt vastu lauda, et õlleklaasid ja piip maha kukuvad. Klaasid purunevad. Muusikud peatavad mängimise. Hetkelises vaikuses pöörduvad kõigi silmad meie poole. Vincent kummardub põranda kohale. Ta korjab paljaste kätega killud kokku.

„Lõpetage," ütlen. Haaran tema randmed ja näen, et väikestest haavadest immitseb verd. Vincenti silmad kohtuvad minu omadega, neist nõrgub kurbust.

„Driese sõnul usub Theo, et te saate kuulsaks. Ta paneb teid ühte ritta kõige suuremate meistritega."

„Teda pimestab vennaarmastus."

Meid ümbritseb jälle lärm. Lasen Vincenti randmed lahti.

Ta võtab oma piibu. „Oh, ainus, mis ma tahan, on rahus piipu suitsetada ja juua."

Istume tagasi oma toolidele.

„Dries ütleb, et teie kunsti muudavad teistsuguseks värv ja värvikihi paksus. Ma tahaksin seda näha. Ma tahaksin, et te näitaksite mulle, kuidas te maalite."

„Theo usub, et ma valdan oma kunsti. Ta ütleb, et põhjuseks on stabiilsus, mida pakub meie koos elamine." Vincent uurib oma peopesi. Ta nokib nahast väikseid klaasikilde ja paneb need lauale.

„Kas te usute sama?" Olen valvel ja ärevil, kartes, mida ta järgmisena teeb.

„Teie olete mu viimane kinnisidee." Ta ütleb seda kindlusega nagu fakti ja see teeb mind uuesti rahutuks.

„Ma vajan teie abi," ütlen. Sõnad kõlavad kalgilt, sest ma karjun. „Ma tahan, et Theo teaks, et me..." viitan meile mõlemale, „et me pole suhtes. Et meie vahel ei ole midagi. Palun, Vincent. Palun rääkige talle tõtt."

Vincent tõuseb. Meie vestlus ei huvita teda enam. Ta lehvitab Agostina Segatorile ja naine noogutab vastuseks. Klaas krigiseb tema sammude all, kui ta välja jalutab ja mind üksi Le Tambourini jätab.

Juuli 1888

Selleks ajaks, kui ma koju jõudsin, vend juba teadis minu ja Vincenti salajasest kohtumisest. Ma rääkisin talle põhjalikult meie vestlusest ja sellest, kuidas Vincent mind ärritab, sest ta käitub mõistusevastaselt. Ma ei oska ennustada, mida ta järgmisena ütleb või ette võtab.

Ma ei usu, et Pariisis on naist, kes suudaks Vincenti maha rahustada.

Driesel ei jäänud muud üle, kui mulle rääkida, kuidas Vincent on oma maine ära teeninud. Ta rääkis (väga) intiimsete üksikasjadega Vincenti maniakaalsest kiindumisest ühte oma sugulasse ja kunagisest patuelust raseda prostituudiga.

Ma lootsin, et olen pärast Pariisi saabumist muutunud boheemlaslikumaks, aga Andriese loo detailid ajasid mul südame pahaks. Iga nõme fakt ja kahtlustatav haigus pani mul kõhus keerama. Mõtte juures, et teiste arvates võivad meie vahel olla intiimsuhted, kattus mu otsaesine külma higiga. Mõni ime, et Guy Loti oma huvi kaotas.

Aga mida ma peaksin tegema? Ta on Theo vend ja kui ma luban Theo oma ellu, kas ei tähenda siis see, et pean ka ta venda taluma?

Muidugi teab Theo juba meie kohtumisest Le Tambourinis ja on kõiki „tõendeid" arvesse võttes veendunud, et olen tema vennast sisse võetud. Ma ei usu, et ma temast veel kunagi kuulen.

Kuidas mul õnnestub kõik asjad alati hullemaks muuta?

KAKS NAIST METSAS

Küsin juba kolmandat korda kümne minuti jooksul, kas vend on kindel, et meil paluti täna tulla.

Kell pole veel üksteistki ja me oleme juba jõudnud ukse ette. „Võib-olla on skulptuur sinu õige ala," ütleb Andries.

Ta tõmbab nöörist, mis paneb helisema Rodini ateljee uksekella. Mõne minuti pärast näeme, kuidas Camille jookseb ukse juurde, valge kunstnikukittel riideid katmas. Tema märja saviga kaetud sõrmed on välja sirutatud. Kuigi meie vahel on ikka veel uks, on tema energia nakkav, Andries naerab ja ka mina naeratan tahtmatult.

„Johanna, *mon amie*." Kuuleme teda läbi klaasist uksepaneeli, kui ta kohmitseb luku kallal, püüdes peopesadega võtit keerata. „*Je suis si contente que tu sois là.*"* Siis embab ta mind kergelt, püüdes samal ajal, et savised sõrmed minu riideid ei puutuks.

* Mul on nii hea meel, et te siin olete – pr k

„Bonger, alati rõõm teid näha," ütleb Camille. Ta kallistab energiliselt mu venda. „Minu tuhkur on seal." Ta viipab käega paremale. Väikesed savitükid kukuvad põrandale. Vaatan nende langemist, hoides tagasi soovi neid peoga kinni püüda. „Minge tervitage teda ja jätke Johanna minu hoolde."

Naeratan tahtmatult. Mulle on liiga tihti tundunud, et suhtun naistesse, keda tunnen, paremini, kui nemad minusse, Camille'iga see tunne puudub. Tema heameel minu külaskäigu üle täidab mind rõõmuga.

Camille'i juures ma ei ole nähtamatu, ta võtab minu huvi kunsti vastu tõsiselt.

„Te võtate mind vastu südamlikumalt kui minu vanemad, kui ma neile külla lähen." Järgnen Camille'ile läbi eeskoja. „Tänan, et te nii lahke olete." Ta jääb seisma, oodates, kuni ma tema kõrvale jõuan, siis võtab mult käe alt kinni, pillates paar savipisarat minu kleidile. See meeldib mulle. Ka mina olen kunstnik.

„Ja kas te meeldite oma emale?" Camille'i julge otsekohesus on nakkav. Ta tunneb mu vastu huvi. Minu, Johanna Bongeri, mitte Andriese väikese õe vastu. Naeratan ja raputan pead. Ei. Mamma pole kunagi varjanud, et ma talle ei meeldi.

„Minu ema põlgab mind. Ta soovib, et ma oleksin sündinud poisina, ja peab minu kunsti nilbeks," ütleb Camille. Ta naerab. „Kui mulle öeldi, et olen kunstikooli minekuks valest soost, siis tundsin end äraneetuna, et olen naisena sündinud."

Noogutan. „Ma olen terve nädala soovinud, et oleksin mees."

„Aga naise keha ja vorm on imelised kingid," ütleb Camille naeratades. „Õhus on muutusi ja Pariis on selle keskpunkt."

„Kas tõesti?"

„Absoluutselt." Tema sõnades pole kahtlusevarjugi.

Jõuame hiiglaslikku banketisaali, mille põrandal vedelevad valged linad ja veeämbrid. Kõikjal erineva suuruse, kuju ja töötlusastmega skulptuurid.

„Kas see on teie ateljee?"

„Rodini oma, aga me jagame seda. Enamik skulptuure pole veel valmis," ütleb ta, kui me sisse astume. Õhuke valge tolm hõljub õhus ja katab kõiki pindu. Puitalustel ja kastidel lebavad marmori- ja kiviplokid. „Meislid, rasplid ja hammasmeislid." Camille osutab märja mudase savihunniku juurde kõndides ühe kivi kõrvale korralikku ritta pandud tööriistadele. Ta võtab läbiligunenud kaltsu ja nühib tugevalt oma sõrmi.

Näitan käega voolitud kehaosade hunnikute peale. „Miks on seal nii palju jalgu ja käsi?" Hunnikud vedelevad kõikjal, nagu oleks siin äsja lõppenud veretu lahing.

„Ma teen neid Rodinile. Ta peab nende voolimist raskeks."

„Kas ta kasutab neid oma skulptuurides?" Camille noogutab.

„Ja kas teid tunnustatakse teie panuse eest?"

Camille raputab pead. „Mõnikord paneb ta neile isegi oma signatuuri, nagu oleks need tema omad."

„Aga..."

„Ma olen parema meelega osa millestki, kui mitte millestki," ütleb Camille vähimagi kibestumiseta.

„Aga see on nii ebaõiglane. Miks..."

Camille'i naer katkestab mu tormaka purske. Ta raputab uuesti oma pead. „Ma tulin Pariisi kaheksateistkümneaastasena, et õppida Alfred Boucher' juures." Ta vaatab mulle küsivalt otsa, aga nimi on mulle tundmatu. „Kui Alfred läks Firenzesse, palus ta Rodinil minu õpetamine üle võtta, aga selle asemel kutsus minu tuhkur mu oma assistendiks. Sellest peale olen olnud tema modell, armuke, inspiratsioon ja võrdne partner kunstis. Teised jäävad mind paraku alati nägema vaid tema armukesena."

„Kui kaua see on kestnud?" Jalutan skulptuuride keskel, surudes maha soovi nende siledat pinda silitada.

„Neli aastat." Ma ei suuda oma šokki varjata. *Neli varastatud aastat.* „Ta ei ole halb mees," reageerib Camille kiirelt, „ta armastab kahte naist, kumbki neist pakub seda, mida teine ei suuda. Ma ei tea siiani, kas tegemist on ebakindluse või liiga suure näljaga."

Peatun ja keeran end tema poole. Ta põrnitseb saviskulptuuri. „Kas te olete õnnelik?"

„Ei," vastab ta kõhklematult. „Kurbus teeb mu hinge haigeks. See siin hoiab mind elus," viipab ta käega hiiglaslikule ateljeele. „Ma arvan, et ilma oma kunstita läheksin hulluks." Vaikus. „Ja ma ei suudaks taluda elu ilma temata. Rodin on aidanud mul saada selliseks kunstnikuks, nagu ma olen, aga..."

„Ta hävitab teid." Lähen Camille'i juurde.

„Ma tahan teda endale. Tema on otsustanud elada teise naisega," ütleb ta vaikselt.

„Kas see on tema naine?"

„Nad ei ole abielus, aga neil on poeg. Ta on lubanud, et jätab naise maha..."

Olen vastamas, aga märkan siis skulptuuri tema kõrval. Selle ilu rabab mind ja sunnib vaikima.

„Ma alustasin seda sel aastal, kui Rodiniga kohtusin. Selle nimi on „Valss"."

„Valss. See, kuidas teil on õnnestunud kujutada liikumist... sellise jäiga materjaliga, see võtab hinge kinni." Astun sammu lähemale. „Kuidas see üldse võimalik on?"

Teen ringi ümber skulptuuri, ahmides endasse selle detailide keerukust. Kuju on iga nurga alt erinev. See kujutab tantsivat paari. Nad on pühendunud teineteise kehadele ja tantsule.

„Pole kahtlustki, et nad on täiesti armunud. Nende kehade kalle, peatumine just sel hetkel... see kõik räägib haavatavusest." Mind heidutab paljastatud armastuse haprus, see, et mulle on antud võimalus heita pilk Camille'i kirele. See töö on tulvil rõõmu ja õrnust.

„See on täiesti rabav. Lihtsalt võrratu. Ma arvan, et te olete tõenäoliselt kõige andekam kunstnik, kellega ma olen kunagi kohtunud."

Camille naerab, otsekui tõrjudes minu kiitust. „Ma panin selle näitusele ja inimesed olid õuduses." Ta ei varja kurbust oma hääles.

„Misasja?" küsin, kummardudes lähemalt vaatama. „Kuidas on võimalik, et see ilu kedagi ei puuduta?"

„Sest ma olen naine ja Rodini armuke. Naisskulptoril on raske leida alastimodelle ja kui see osutub võimalikuks, siis on lubatud alastust kujutada ainult väga tagasihoidlikult. Ma keeldusin reeglite järgi mängimast."

„Mis siis juhtus?"

„Seda peeti siivutuks ja mulle on öeldud, et selle koht ei ole avalikus galeriis."

„Mehed aga võivad uurida alasti keha ja nende kunsti pühitsetakse?" Camille noogutab.

„Ma tahaksin selle pronksi valada, aga Riiklik Kaunite Kunstide Selts ei toeta projekti selle alastuse pärast." Ta osutab skulptuurile ja me oleme mõned minutid vait, vaadates tema loometööd.

„Ma tean, et see pole ideaalne lahendus," ütlen, „aga olete te mõelnud panna naisele seelik selga?" Camille ei vasta, aga teeb ringi ümber skulptuuri. „Ainult siia." Vean sõrmega joone paljast tagumikust skulptuuri aluseni.

„Eneseunustus," ütleb ta. Ta veab sõrmedega üle savi. „See võiks olla liibuv ja ilma turnüürita, võimaldades keha siluetil esile tulla."

„Voolav joon võiks sobida," lisan, „nagu neelaks maa kogu tema olemuse."

„Nii, nagu on armastada Rodini," ütleb Camille.

Püüan märkamatult pühkida silmanurka tekkinud pisara. Ma pole kunagi näinud sellist haavatavust ja ausust, nagu on selles töös. Camille'i anne on uskumatu. Meie vestlus, see elu – ma tunnen end rohkem iseendana, kui kunagi varem.

„Kes ta oli?" küsib Camille. Ta tuleb minu juurde ja võtab mu õlgade ümbert kinni.

„Kirjanik. Vanem ja targem ning töötab edasi koolis, kust mind välja visati. Amsterdamis jääb mind alati saatma minu kohatu käitumise vari. Aga varsti minevik kustutatakse ja minust saab abielunaine."

„Ma ei kuule teie hääles kübetki rõõmu."

„Ligi seitsmekümneaastane lesk. Vanemad on kõik korraldanud. Ma pean nõustuma, või nad pühivad oma käed minust puhtaks."

Camille tuleb minu juurde ja paneb oma käed mu õlgadele. Sinna, kus ta käed on, jäävad savijäljed: „Las nad pühivad."

„Mul ei ole võimalik end ära elatada." Ma ei suuda Camille'ile otsa vaadata. Tunnen end äkki ebaadekvaatsena, ma ei ole temaga võrdne. „Andries püüab leida mulle sobivat abikaasat Pariisist, aga see on juba keeruliseks muutunud. Theo tegi mulle abieluettepaneku."

„Van Gogh?"

Noogutan. „Ta meeldib mulle, aga ma armastasin Eduardi kolm aastat. Ma ei ole ikka veel valmis pühendama end kellelegi teisele..."

„Mehed valetavad ja petavad, aga skandaali koorem jääb meie õlgadele. See, et sind liigutas minu kunst, seob meid igaveseks."

Juuli 1888

Ma lugesin kord Beethoveni elulugu ja see pani mind tema muusikat palju rohkem hindama ja nautima.

Ja nüüd, kus ma olen kohtunud Camille'iga, jään alati igas skulptuuris otsima tema lugu.

LAMAVAS ASENDIS ALASTI NAINE SELJA TAGANT VAADATUNA

Ma kuulen esikust Vincenti valju häält, aga ei jõua oma seelikuid ega juukseid kohendada, kui ta juba Clarast mööda otse salongi tormab. Minu viimane lõuend on kuivamas – see on katse maalida vaikelu: portselantaldrik, salvrätt, kristallklaas, pitsist laudlina, kannikesed väikeses vaasis, lusikas, kahvel ja nuga – ning ma olen just hakanud lugema „Hüljatute" esimest köidet, saabastes jalad tõstetud tumbale. Ma ei oodanud Vincenti ja ma ei taha teda näha. Ta pidi luusima väljas Victori tänava puude varjus ja ootama oma hetke.

Clara on tal tihedalt kannul. Naise nägu on tema jume kohta liiga kahvatu, selles peegeldub mure ja haigus. Andries hakkab Vincenti sisselaskmise pärast süüdistama teda, mitte uksehoidjat. Ma noogutan Clarale, andes märku, et *saan hakkama*, ja teades, et pean tegema nii, et see kohtumine oleks lühike, ja olema oma külalisega konkreetne.

Tõusen, et teda tervitada. Ma kõigun kergelt, kui oma rasket seelikut kohendan, ja sirutan käe, aga Vincent ei suru seda, tal pole ilmselgelt tuju etiketireeglitest kinni pidada. Ta silmad purskavad tuld ja ta tammub kiiresti jalalt jalale. Clara on toas oodates, mida ta peab tegema, kui ma oma käe tagasi tõmban. Ma olen kindel, et ta on juba välja mõelnud, kust vajadusel kõige kiiremini abi kutsuda.

Ma kohendan oma kleiti, hingan sügavalt sisse ja pöördun siis Clara poole.

„Luba mulle mõned minutid härra van Goghiga."

Clara kummardab kergelt, astub mõned sammud tagasi ja jääb uksele seisma.

„Te ei saa jääda, Andries tuleb iga hetk tagasi," ütlen karmil toonil.

„Bonger kohtub praegu Theoga," ütleb Vincent peaaegu karjudes ja puterdades. „Le Tambourinis, et meist rääkida. Meil on aega."

„Rääkige vaiksemalt." Ma loodan, et mu nägu on ilmetu ja et mu toon on terav. „Pole olemas mingit *meid*, mida arutada. Miks te tulite?"

„Te ei vastanud minu kirjale ja meie kohtumisest Le Tambourinis on möödas juba neli päeva. Te ei jätnud mulle muud valikut kui kohale tulla."

Ta käitub nagu haavunud armuke, nagu oleks ma milleski süüdi, ja see tabab mind ootamatult.

„Ma sain teie kirja kaks päeva tagasi ja mul on olnud kiire oma lõuendiga." Viitan peaga vaikelu poole, aga Vincent ei heida sellele pilku. Selle asemel jätkab ta põrnitsemist. Annan

Clarale märku lahkuda ja vaatan, kuidas ta ukselt kaob. „Ja ma ei ole vastutav *teie* valikute eest."

„Te väldite mind." Vincenti hääl on pahur nagu lapsel, aga tema pilk on nii intensiivne, et ma tunnen meeleheitlikku soovi oma küüsi närida.

Pilgutan silmi ja hingan nina kaudu välja. Ka kõige taltsutamatumad lapsed Utrechtis ei käitu nii nagu Vincent van Gogh.

„Ma nõuan, et te mulle ütleksite, mida ma olen teinud, et teid solvasin," ütleb ta kergelt kõikudes, tehes pingutusi, et sirgelt seista.

Mõtlen kiiresti, mida võiksin vastata. Et ma ei kirjutanud, kuna võtsin aega, et sobiv vastus sõnastada. Et ma ei suuda unustada, mida Andries rääkis mulle suguhaigustest, mille Vincent on elus oma suguelunditele kokku kogunud. Et asi pole korralikkuses ja kombekuses, vaid minu eneseväärikuses ja muretsemises selle pärast, et inimeste arvates on meil intiimsuhted. Et sellest, kui ma kirjutasin Theole, on kulunud kolm päeva ja ma ootan meeleheitlikult, et ta ühendust võtaks.

Mõte, et Theo huvi võib olla kadunud, võtab mul kõhust õõnsaks. Andries räägib just praegu temaga sellest kõigest ja minu plaan oli vastata Vincenti kirjale pärast seda, kui olen Theoga asjad uuesti joonde saanud. Mõtlesin kirjutada midagi stiilis, et kirjutan viisakusest, nagu me mõlemad teame, ja see on minu viis öelda, et ma ei ole temast romantiliselt huvitatud. See oleks olnud kiri, mille eesmärk olnuks öelda, et olen huvitatud vaid tema vennast. Ma ei oodanud, et me täna kokku puutume; ma alahindasin seda, kuidas Vincent reageerib tõrjumisele.

Vincent lööb käsi kokku: „Kas te üldse saate aru, mida ma räägin?" Vaatan teda, aga tema silmad volksavad minu näolt salongi heledatele seintele, peatudes akende lähedale riputatud, kaht õde kujutaval maalil.

Ta krimpsutab põlastavalt nägu: „Milline jõledus."

„See on Renoir."

„Ma arvasin ikka, et Bongeril on hea maitse. Ma pean..."

„Miks te siia tulite?" küsin uuesti.

Tekib vaikus, Vincent vaatab ikka veel maali, aga on toimunud muutus. „Mul on palve," ütleb ta.

„Nimelt?"

„Ma tahan teid joonistada." Ta jälgib pingsalt, kuidas ma reageerin.

„Veel üks tušiportree?"

„Ma kuulsin, et te imetlete Claudeli?" Noogutan. „Ta on Rodini alastimodell."

„Ta on iseseisev kunstnik," ütlen, „kes on sunnitud liiga sageli vastuvoolu ujuma. Ma pole kunagi näinud kunstis niimoodi kujutatud liikumist ja sellist sügavust."

„Puhas pask." Vincent naerab, nagu ma oleksin öelnud midagi hirmus naljakat. „Lubage, et ma joonistan teid kohe. Alasti. Selja tagant."

Tema sõnades kõlab nii meeleheide kui ka paatos. Kui ta kavatsus oli mind šokeerida, siis ei läinud see tal korda.

„Ma olen näinud palju alasti kehasid." Ta vehib õhus kätega, nagu püüaks mingit kuju visandada.

Plaksutan käsi: „Siis on ju hästi. Olete õnnega koos. Mina saan anatoomiat õppida ainult kipskujude järgi."

Vincent turtsatab ja raputab pead: „Ma olen kunstnik. Ma uurin inimese kuju ja vormi."

„Te olete privilegeeritud meeskunstnik. Ühiskond toetab seda, et te maalite modelle, naiste puhul peetakse sedasama ebasündsaks ja ohtlikuks. Mõelge näiteks Camille'i ja tema..."

„Ma tahan teid alasti maalida." Vincent vaatab mulle vastust oodates otsa. Ta peab mind haletsusväärseks, minu kimbatusse ajamine on tema jaoks mäng. Naised on meeste naudingu objektid, valmis alistuma ja kohanema. Vaatan talle otse silma. Ta pilgutab ja pöörab pilgu ära. Olen saavutanud väikese võidu.

„Kas te olete joonud?" Vincent kehitab õlgu.

„Minge ja magage end kaineks," osutan uksele.

„Oijah, magada, võib-olla näha und süütundest ja asjadest, mis mind hirmutavad. Kurat tahab, et ma tasuksin lepingu temaga täies mahus, see läbipõrunud hingekarjane tundub olevat auhinnaks." Vincent heidab pilgu mu lõuendile, ei vaevu aga midagi ütlema, siis vaatab raamatuid, mis on diivanile kuhjatud. „Teil on olnud tegus hommik." Ta vaatab „Hüljatuid" ja seekord kehitan mina õlgu. Ta on omadega täitsa sassis – joodik, kirjeldamatu egoist – ja mul on sellest draamast kõrini.

„Ma tahan, et te lahkuksite, enne kui mu vend.."

„Bordellid ei paku mulle enam rahuldust."

Vincent astub sammukese tagasi. Ta vaatab mind pealaest jalatallani. Ta ei suuda näha minust naist, ammugi siis kunstnikku või endaga võrdset. Tema arvates eksisteerin ma ainult tema naudinguks. Ta hindab mind minu ilu ja seksuaalse kättesaadavuse pärast, nagu hindaks mõnd oma modelli.

„Ma olen juba öelnud ja kordan uuesti, et ma ei ole teie meeleheaks loodud maal. Ärge vahtige mind niimoodi."

„Kas ütlen ausalt?" Ta nipsutab sõrmi, nagu oleks jõudnud järeldusele: „Ma ei ole kindel, miks ma siia tulin. Ma ei usu, et ka teie suudaksite mind rahuldada. Aga kui te hingasite Le Tambourinis mulle kõrva..." ta puudutab oma vasakut kõrvanibu.

„Millest te räägite?" Ma ei saa enam aru, millest jutt käib.

„Kas te valetasite, et teil on vähe kogemusi?"

Ma raputan pead, punastan ja kaotan silmapilkselt võime oma tundeid peita. „Mind ei ole kerge šokeerida, Vincent. Ma tahan, et te lahkuksite."

„Ei. Ma tahan heita teid enda alla sellele vaibale." Ta näitab venna Empire Aubussonile.

Naeran tahtmatult. Närviliselt. Ta tahab mind omada, tahab, et ma rahuldaksin tema idiootlikku fantaasiat. Olukord on naeruväärne, Vincenti kruvid ilmselt logisevad.

„Ma heidan teid teie ümarale kõhule ja rebin teilt seelikud ja aluspesu." Ta hääl on terav, ärritatud ja puterdav. Minu naer on teda kas vihastanud või erutanud, aga igal juhul on toimunud muutus.

Ma olen muutunud saakloomaks.

Panen käed rinnale ja taganen: „Vincent, lõpetage."

Ta põrnitseb mind ja on nagu hüppeks valmistuv metsloom. „Ma teen seda, mida ma tahan."

Astun veel ühe sammu tagasi.

„Ma võtan teid tagant, nagu koer kargab litat, nautides oma majesteetlikku õhinat ja teie ümarate tuharate niiskust."

„Härra van Gogh..."

Ta tõstab käe ja läheneb. „Siis keeran su ümber ja tunnen, kuidas su sõrmed mu mune hellitavad, enne kui sinu suu sulgub ümber minu..."

„Aitab!" karjatan. Ma keeran ümber ja jooksen ukse poole.

„Aga kõigepealt tõsta üles oma seelikud ja tule istu..."

Ma kuulen kolksatust. Ümber keerates näen põrandale kukkunud lampi. Vincent on samuti põrandal, ta põlvitab kamina ees vaibal, näppides oma püksinööpe, liiga purjus, et neid lahti saada.

Mul on oksemaitse suus. See pole, mida ma tahan. Mitte siin, ja mitte kunagi Vincent van Goghiga.

Vincent lükkab püksid üle puusade, nähtavale tulevad hallid aluspüksid. „Kas aitab?" Vincent naeratab. Ta pilkab mind.

„Lahkuge," värin mu hääles reedab mind. Vincent kuuleb minu hirmu. Ma ei taha näha tema haigusest puretud meheau. Ma ei saa lubada, et see juhtuks.

„Ma pole veel alustanudki. Tule siia." Ta veeretab end külili ja püüab küünarnukile toetudes asjatult oma pead peopesale asetada.

„Ja mina veel mõtlesin, et te aitate mind koos minu vennaga."

Vincent hoiab käsi aluspükstel oma riista peal. Ma vaatan tahtmatult, kuidas see punnitab. Tipu juures on märg plekk.

„Hoidke oma *haige peenis* minust eemale." Öeldes „haige peenis", viibutan õhus sõrmega.

See on kolmas kord, kui ma olen Vincentiga üksi, ja isegi Andriesel oleks raske uskuda, et see pole planeeritud. Ja Theo – mida veel tema minust mõtleb? Kas ta suudab uskuda, et Vincent valetas kolm korda?

Vincent naerab. Ta on püsti tõusnud ja komberdab kas minu või ukse poole. Astun kõrvale, et ta võiks mööduda, aga ta haarab mul piha ümbert kinni ja tõmbab enda vastu. Teise käega haarab ta oma pükse lahtisest värvlist.

Me oleme suure eendakna ees ja kõik möödujad võivad näha meie lähedust ja võib-olla ka Vincent van Goghi aluspükse. „Laske lahti," kisendan. Löön teda näkku. Ta tõstab käe kipitavale põsele, püksid kukuvad maha. „Kaduge minema. Kaduge minema. Kaduge minema!" karjun järjest valjemalt.

„Ole vaiksemalt, Johanna," ütleb ta juba väiksema bravuuriga. Tema silmad volksavad salongiuksele: „Teenija võib sind kuulda. Bonger saab..."

„Kaduge minema, kaduge minema, kaduge minema!" karjun lakkamatult. Sõnad sulanduvad üksteisesse, kõlavad hullumeelselt. Clara tormab salongi.

„Preili Jo?" Clara hääl on kuri, ta hingeldab. Tema nägu on kriitvalge. „Ma kutsusin abi," ütleb ta. Ta uurib mu nägu ja riideid, näeb Vincenti pahkluudele kukkunud pükse. Raputan pead, *midagi ei juhtunud*. Mul on piinlik.

Vincent krabab oma pükste värvlist ja peaaegu komistab, püüdes põgeneda minu kriiskamise ja Clara viha eest.

„Ja ära mõtlegi tagasi tulla," hüüab Clara talle järele. „Ma räägin kõigest härra Theole." Clara köhib kramplikult, köhahoog täidab toa.

Pöördun akna poole. Värisen üle kogu keha. Jälgin, kuidas välisuks pauguga kinni langeb ja Vincent trepimademelt alla hüppab. Ta põrkab kokku tänaval kõndiva naisega, lükates ta peaaegu pikali. Vaatan, kuidas naine püüab kõikudes tasakaalu säilitada, siis vaatab üles aknasse ja meie pilgud kohtuvad. Vincent paneb oma käe naise kuuevarrukale ja haarab tema käsivarrest. Naine vaatab talle otsa. Ta vaatab Vincenti pükse, need on jälle alla langenud. Siis vaatab ta uuesti minu poole. Näen tuttavaid mandlisilmu, saledat väikest nina, täidlasi huuli ja südamekujulist nägu. Naine kortsutab kulmu. Sara ajastus on täiuslik nagu alati.

Kas ma peaksin uskuma, et ta puht juhuslikult jalutab vaiksel Victori tänaval? Vincent räägib midagi, aga ma ei kuule tema sõnu. Sara vastab, naeratab, tema käsi puudutab Vincenti käsivart, Vincent aga hoiab endiselt Sara käsivart tugevas haardes, püüdes tasakaalu leida. Ta kummardub ja püüab kõikudes pükse üles tõmmata, kohmitsedes nööpide kallal, naeratades ja isegi naerdes koos preili Voortiga.

Juuli 1888

Ma hakkan end kordama, aga loomulikult räägiti Andriesele, et Vincent oli siin.

Ta tuli koju nagu tuulispask. Mul ei jäänud muud üle, kui rääkida meie kohtumise kõigist räpastest üksikasjadest. Clara õnneks toetas mind ja ütles, mida tema kõigest sellest arvas. Andries tammus kuulates mööda salongi, aga ta ei olnud kohtumise üksikasjadest šokeeritud ega minu peale vihane. Ta soovitas mul oma impulsiivset tegutsemisvajadust taltsutada. Võtta aeg maha ja mõelda, enne kui jälle midagi tormakat teen.

Aga kas selline on siis kunstniku elu? Dramaatiline, täis tundeid ja võitlust, kas ma tõesti tahan ka selline olla?

Ma küsisin, kuidas ta teadis, et Vincent siia tuli, ja loomulikult oli ta koos Theoga, kui Sara neid valgustas. Sara olnud väga endast väljas, nähes, kuidas metsik ja alasti Vincent korterist välja tormas.

Veendunud, et minuga on kõik korras, kiirustas vend minema. Ta tuli tund aega hiljem tagasi ja ütles, et Theo saatis tervitusi ja tuleb päeva-paari jooksul külla.

Kas Pariisis pole enam üldse rahulikku ilma?

Vend seisab kirju lugedes sirgelt nagu pulk, fotoaparaat on tema kõrval kivist lauaplaadil. Ta pole isegi veel oma sabakuube ära võtnud, miski neis kirjades on pälvinud tema täieliku tähelepanu.

„Täna on Moulin de la Galette'is järjekordne tantsuõhtu," ütleb ta ilma vähimagi õhinata.

„Ja see on halb?" küsin diivanilt.

„Mitte just seda," ütleb ta pingsalt kirja vaadates.

„See annab mulle suurepärase võimaluse uuesti Theoga rääkida," ütlen. Mõtlen endamisi, kas Theole meeldib tantsida. Mõte sellest, et ta naudib salaja eksootiliste polkade tantsimist, ajab mind naerma. „Kas sa tegid täna oma iganädalase pildi Eiffelist?"

Andries tõstab pilgu ja naeratab: „Tööd on sel nädalal tublisti edenenud, praegu kindlustatakse juba teist korrust. Aga mis tänasesse puutub, siis..."

„Kõik naised on oodatud," ütlen.

Andries noogutab. „Tavaliselt küll. Need õhtud on väga lõbusad, suurepärane viis nautida klaasikest muskaatveini. Aga tänane üritus on erinev. See on erapidu, kuhu ei kutsuta kõiki naisi, eriti mitte neid, kelle *moraali peetakse lõdvaks*. See on kutsetega." Ta jäljendab kedagi, kui räägib lõdvast moraalist, aga ma ei saa aru, keda.

„Kas Sara on seal?" Andries noogutab uuesti. Võib-olla tekib mul võimalus temaga rääkida, nii et ta saab aru, et ta ei saa mind heidutada. „Mida ma peaksin selga panema? Mul on uus satiinist roheline ja paabulinnusinine kleit...". Jään vait nähes, kuidas Andriese nägu punaseks lahvatab. „Mis on?" küsin mõistmata, mis teda kimbatusse ajas.

„Sara."

„Sara on kohal, sa ütlesid." Tõusen ja lähen tema juurde: „Ja sa tahad, et ma käituksin Theoga tema juuresolekul korrektselt?" Oletan, et vend kardab võimalikku pahandust, mille võin põhjustada. Ei mingit õrnutsemist laudade ääres, ei mingit pahkluude välgutamist tantsupõrandal.

Andries raputab pead: „Asi on hullem." Ta vaatab kaminat ja siis vaipa. „Sara on..."

„Räägi juba!"

„Sara on kursis arengutega sinu ja Theo suhetes."

„Meil ei ole veel suhteid."

„Pärast minu viimast vestlust Theoga, kui ma rääkisin, kui innukalt sa nõudsid, et Vincent tunnistaks, et teie vahel ei ole midagi, sai Theo aru, et sa võtad teda tõsiselt."

„Võtan teda tõsiselt?" kordan kajana. „Kas võtan?"

„Võib-olla ma *pisut* liialdasin," ütleb Andries ja tõstab käe, enne kui ma vastata jõuan.

„Kas te rääkisite seda siis, kui kohtusite Le Tambourinis?" küsin ja Andries noogutab kergelt. „Ja uuesti siis, kui ma tagasi läksin ja ütlesin, mida Vincent proovis teha..."

„Kas Sara oli ka teisel korral kohal?"

„Ei, aga me nägime teda täna Marsi väljakul."

„Ja siis?"

„Ja Theo rääkis innukalt sinu ja tema vahelise suhte võimalikkusest..." Andries vaikib, aga ma annan märku jätkata. „Ta ütles Sarale, et sina ja tema..., et te kihlute varsti." Ta ütleb viimased sõnad kuidagi kiirustades.

„Mida ta ütles?" Ma lähen venna juurde ja laksan vastu tema käsivart.

„Sara provotseeris teda," ütleb Andries, tõstes peopesad kaitseks, „ta ütles Marsi väljakul sõprade juuresolekul, et ta ei tule tantsuõhtule, kui sina oled kutsutud, ja on hoiatanud õhtu organiseerijat. Ütles, et sinu kohalolek madaldab õhtu sotsiaalset staatust."

„Ja kuidas Theo reageeris?" küsin, püüdes detailide tulvas orienteeruda. „Väites, et me varsti kihlume?"

Andries noogutab: „See pani Sara suu kinni." Andriese suu venib kõrvuni. Theo ja minu vend on kahtlemata samast puust.

„Sarale tuleb koht kätte näidata."

„Täna näidatigi," Andriese naeratus on nakkav, „aga õhtu korraldaja ei taha Saraga vastuollu minna ja nüüd on mulle teatatud," ta vehib kirjaga, „et minu kutse sinule ei laiene."

„Nii et ta sai, mida tahtis? Naine, kes suudab mehi kontrollida."

„Vaevalt küll," ütleb Andries naerdes, „kui arvestada, milliseks kinnisideeks Theo tema jaoks on."

„Miks nad siis tema pilli järgi tantsivad?" küsin, võttes vennalt kirja ja lugedes minu kohta käivat lõiku.

„Tema isa on mõjuvõimas ja rikas."

„Kas Saral on mõjuvõim kõigi üle, kellega ta kohtub?"

Andries itsitab. „Muidugi mitte. Ta on naine ja tema reputatsioon muutub iga päevaga halvemaks. Ta on kiiresti muutumas minu sõprade seas naljanumbriks."

„Ja see ei ole sinu jaoks probleem?"

Vend kehitab õlgu ja ma raputan pead. Ta ei suuda mõista, miks see mind vihale ajab. Mul on Saraga oma kana kitkuda, aga me elame mõlemad ühiskonnas, kus naised on tõrjutud. Teda kuulatakse ainult tema mõjuvõimsa isa pärast. Ta isegi ei aima, kui väikest vaimustust tekitas õhtu korraldajas vajadus alluda naise tujule, et tema väikest intriigi toetati ainult härra Voorti meeleheaks. Miks ma peaksin tahtma sellisele õhtule minna?

„Siis veedan õhtu üksi oma lõuendi, värvide ja Charlotte Brontëga, või lubad ehk lugeda mõnda romaani oma riiulist?" Viitan raamaturiiulile, kus läbi lugemata raamatud ootavad tähelepanu, igatsedes, et keegi need ühel päeval kätte võtaks.

„See tuletab mulle meelde," Andriese toon on muutunud, „et sulle saabus täna pakk raamatutega."

„Ma pole midagi tellinud."

„Vincent," ütleb Andries. Ta vaatab üle mu õla. Keeran ringi arvates, et näen teda. See nimi on lühikese ajaga hakanud mu venna korteris kummitama. „Need on eeskojas."

Kiirustan eeskotta. Laual on nööriga kinni seotud raamatupakk. Kummardun, et raamatuselgadelt pealkirju lugeda. Kolm autorit. Kolm romaani. Romaanid, mida Vincent armastab ja on lugenud. Jean Richepini „Kenad inimesed", Emile Zola „Daamide õnn" ja Edmond de Goncourti „Neiu Elisa". Ja kirjake.

Mu kallis Johanna

Need kirjanikud suudavad kujutada meie elu sellisena, nagu see on.

Tout à toi,
Vincent

Seisan liikumatult ega sõlmi paki ümber olevat nööri lahti.

„Vincentil on luulud." Võpatan venna häält kuuldes ja noogutan.

„Me peaksime need talle tagastama," ütlen.

„Kas see ei muudaks teda veel pealetükkivamaks?"

„Mind huvitavad need raamatud, aga ma ei taha Vincentiga mingit tegemist teha." Kui ma need endale jätan, kas ta rahuneb siis maha? Ja mina annan talle tema käitumise andeks? Loen uuesti kirja. „Mitte vähimatki vabandust oma käitumise pärast." Vean sõrmega üle raamatuselgade: „Aga äkki Theo solvub, kui ma ei võta vastu tema venna kingitust?"

Puurin pilgu mustvalgetele põrandaplaatidele, püüdes välja mõelda, kuidas oleks kõige parem reageerida. Aga kuidas ma saan oletada mehe reaktsiooni, keda ma ei mõista? Põrandaplaadid on juba määrdunud ja vajaksid puhastamist. Mõtlen vaesele Clarale ja sellele, kui võimatu on kogu majapidamisega üksinda toime tulla, siis silmitsen uuesti raamatuid.

Vincent mainis neid romaane meie jalutuskäigu ajal. Need raamatud on innustanud tema loovust. Aga ma tean, et need on midagi palju enamat. Need on sõnad, mis on vorminud teda kui kunstnikku. Iga teise kunstniku käest oleksid need täiuslik kingitus, helde kingitus. Ma tahan lehitseda lehekülgi, mis on Vincenti nii tugevalt vaimustanud, tahan endasse võtta iga sõna, mis on motiveerinud tema loomingut, teada saada, kas need sõnad erutavad ka mind. Ma tahan, et loovus vallutaks kogu mu olemuse. Ma tahan tema kunsti paremini tunda. Omandada kunstniku terava tunnetuse, mõista, kuidas kunstnikud maailma näevad.

Aga ma olen juba kiiresti õppinud, et kõigel, mis on Vincentiga seotud, on oma hind.

„Jäta need endale," ütleb Andries. „Vincentile meeldib tagaajamine. Ta väsib, kui leiab järgmise naise."

Raputan pead, ma ei jaga venna arvamust. „See ei ole vabanduse palumine. Vincent märgistab oma territooriumi." Kingituse sõnum on mõeldud samapalju Theole kui minule.

Andries kehitab õlgu: „Värskeim kuulujutt on, et sa oled Vincenti uusim modell ja et eile visandas ta sind ilma riieteta," ütleb vend.

Vaatan venda ja ta kergitab vastust oodates kulmu.

„Tõsiselt?" küsin ja Andries naerab. „Ma tõesti ei tea, mida ma võiksin veel Vincent van Goghi kohta öelda. Mul puuduvad sõnad tema mõistmiseks."

Andries embab mind ja annab otsaette musi. „Aga sa polegi veel küsinud, millised on minu õhtused plaanid," ütleb ta.

Tõmbun tagasi ja vaatan talle otsa: „Pidu Moulin de la Galette'is?"

Minu viha Sara vastu podiseb koos Vincenti tekitatud frustratsiooniga.

„Vale vastus." Andries naeratab mänglevalt. „Ka Theolt on kiri." Tahan midagi öelda, aga ta tõstab käe, et ma vaikiksin: „Me nimelt otsustasime, et kui sind peole ei lasta, siis meie ka ei lähe. Selle asemel tuleb Theo siia õhtusöögile."

Naeran tahtmatult. Sara ei võitnud.

„Näed, ta on võtnud endale juba meelt lahutava *sõbra* rolli," ütleb Andries.

„Sara on kindlasti märkinud ta oma erikülaliseks."

„Märkis jah. Theo on edukas, paljude sidemetega. Sara saab maruvihaseks." Vend naerab südamest ja nakkavalt. „Ja Theo ei kavatse talle ette teatada, et ta ei tule. Kujuta ette, et Sara ootab terve õhtu tema saabumist."

Ma naeratan, aga tunnen end ebamugavalt. Sara armastab meest, kes tema tunnetele ei vasta. Ta igatseb koosveedetud aega ja seda, et mees teda tahaks. Ta on mänguasi vendade van Goghide armust, tema armastus Theo vastu on poolarmastus. Tema tee viib samasugusesse hullumeelsusesse, mida Camille kardab, mida mina kartsin ja mis kummitab nii paljusid naisi.

Juuli 1888

Ootan Theo tulekut õhtusöögile, aga mida rohkem ma mõtlen naiste seisundile, seda enam mõistan, et ma olen Eduardi pärast tahtlikult oma õnnest loobunud. Ma olen hakanud kahtlema, kas ma teda üldse kunagi armastasin, võib-olla oli ta mulle pigem kinnisideeks ja ma ei teagi, mida tähendab sügavat armastust kogeda.

Mõtlen ka Sarale. Temas tantsivad hullumeelsus ja arusaam armastusest käsikäes. Mõtlen, kas ta on juba praegu sama meeleheitel, nagu mina olin. Kas ta kardab, et igatsus tapab ta, kas ta muretseb, et ei suuda ilma Theota elada?

Miks nii paljud naised kannatavad? Kas meid panevad kannatama mehed, kellel on täielik voli meie elude üle?

ITAALIA NAINE

Õhtusöök oli meeldiv, täis naeru ja jutte kõigest, mida minu vend on Pariisis ette võtnud. Theo ja Andries põrgatasid vastamisi lõbusaid lugusid ja naersid kogu südamest: jalgu trampides, kätega vehkides ja kogu kehaga kaasa elades. Praegu aitab Theo Claral lauda koristada. See meeldib mulle. Clara keeldus minu abist, aga oli liiga viisakas, et külalisele ära öelda.

Minu vend lahkus seltskonnast, öeldes, et peab kohe oma magamistoas tegelema tähtsa kirjavahetusega, kuigi oli joonud mitu klaasi muskaatveini. Tema kohmakas viis meid Theoga kahekesi jätta lõbustab mind. Ma ei oodanud, et ta laseb meil omaette olla. Vaatan, kui lahkelt ja austavalt Theo Clarasse suhtub, seejärel vabandan ja lähen tagasi salongi.

Väljas on hakanud vihma kallama. Kardinad pole veel ette tõmmatud, ka luugid on lahti. Vihma trummeldamine vastu aknaid annab toas valitsevale vaikusele rütmi. See rahustab mind, suvevihmas on midagi maagilist. Tänane õhtu on olnud Pariisis veedetuist parim. Ma olen rõõmus, et mul avanes uus võimalus Theoga kohtuda, ja tänulik, et Vincentiga seotud draamat ei puudutatud. Polnud sugugi üllatav, et Theo teadmised puäntillismist aitasid seda tehnikat paremini mõista, kui jutt kunstile läks. Ta isegi tunneb Paul Signaci ja rääkis tema „lõdvast maalimistehnikast". Ta andis nõu, milliseid moodsaid maalimismeetodeid mitte kasutada, kirjeldades neid kõiki, et ma teaksin, mida vältida, ja tõi esile arvukad põhjused, miks ma ei peaks maalimisel üht või teist stiili kasutama. Ma ei saa täpselt aru, kuidas ja miks, aga kõigist tema nõuannetest kumas läbi lahkust ja siirast huvi. Theo tahab aidata mul omandada uusi kunstioskusi sama palju, kui mina neid õppida. Olen põnevusest õhevil, on nii palju asju, mida see mees võib mulle õpetada.

„Johanna."

Naeratan tahtmatult. Theo ütleb mu nime, nagu see oleks mesi tema huultel, ja minus tärkavad ununenud tunded. Keeran ringi ja näen teda ukseavas. Theo punased vuntsid on hästi hooldatud, ilme rahulik.

„Ma peaksin minema hakkama."

Seisan vaikselt, selg salongi akende poole, väljas tantsivad vihmapisarad. Theo vaatab mind ja siis aknaid. Näen, kuidas ta ilme muutub.

„Jääge. Kuni sadu lõpeb."

Theo näoilme muutub jälle, sulades mulle silma vaadates veel leebemaks. Ta astub naeratades tuppa ja tuleb minu juurde. Naeratan samuti.

„Johanna," kordab ta mu nime. Ta võtab mu parema käe, tõstab selle oma suu juurde ja puudutab huultega peopesa. Tema silmad on kinni. Mõtlen Vincentile ja tema tahumatusele. Theo liigutused on temaga võrreldes elegantsed, kõik, mis ta teeb, on kantud sündsustundest. Ometigi on õhus vihje ka millelegi enamale. Mõte sellele, mida ta välja ei näita, mida ta tagasi hoiab, toob mu näole laia naeratuse. See on erutav, Theo on erutav ja kui ma ettevaatlik ei ole, võin end kaotada veiniudusse ja ihasse.

„Kas te tahate kunagi vaba olla?" küsin. Alkohol mõjutab mu sõnu ja Theo avab silmad.

„Ma ei usu, et keegi meist võiks kunagi täiesti vaba olla. Isegi minu vend mitte. Kuigi ta ei ole võimeline sellest aru saama."

„Ühiskond määrab, millist teed me käima peame," ütlen.

„Aga me võime sellelt kõrvale kalduda, kui juhus avaneb." Vaikus. „Usun siiralt, et meie jaoks on hea, kui piirid on paigas. Minu vend elab kaoses, ta tekitab jälle probleeme..." Theo jääb vait ja neelatab.

„Kas te püüate alla neelata seda, mida ei taha välja öelda?" küsin. Theo silitab pöidlaga mu peopesa. See on ootamatu, ta käitub juba praegu teisiti, kui ma arvasin. „Ma ei ole õrn lilleke, keda kohutab tema nime kuulmine. Te võite Vincentist rääkida."

Theo uurib minu nägu. Ta püüab mõista ja lugeda minu ilmet ja otsustada, kas ma räägin, mida mõtlen. Ta noogutab.

„Vincent on minuga koos elades praegu märksa rõõmsameelsem. Ei möödu päevagi, kui mõni oluline maalikunstnik teda oma ateljeesse ei kutsuks."

„Te vist räägite mulle seda, mida ma teie arvates tahan kuulda?"

Vaikus. „Jah." Ta hingab sügavalt välja. „Minu vennal puuduvad igasugused kombed. Tundub, et viimasel ajal meeldib talle kõigiga tülli minna. Ja tema provokatiivne käitumine..."

Noogutan. Ma olen seda näinud.

„Ma ei suuda tema käitumise pärast piisavalt vabandada," ütleb Theo.

„Ja ikkagi on ta teie vend ja te armastate teda südamest," ütlen.

„Te teate Agostina Segatorit," ütleb Theo.

Selle nime kuulmine paneb mind punastama, aga ma püüan seda varjata. „Me kohtusime Le Tambourinis. Ma ei meeldinud talle esimesest hetkest."

„Vincent usub, et ta tegi hiljuti abordi. Et laps oli Vincenti oma."

Olen kindel, et minu ilme on kivistunud ja silmad pärani nagu tõllarattad. Öeldu on väljaspool minu üldist arusaamist ja kogemusi.

„Kas nad on ikka veel paar?"

„Seda on raske seletada. Vincenti suhted pole kunagi... noh, ütleme nii, et *tavapärased*. Ja Vincent teab paljusid, kes on Agostina buduaaris tantsinud."

„Nii et see laps ei pruukinudki Vincenti oma olla?"

Theo kortsutab kulmu, pea kergelt kaldus. „Vincent usub, et ta paraneb kahe kuuga," ütleb ta sügava kurbusega hääles.

„Nad elavad maailmas, mis jääb mulle suures osas arusaamatuks," ütlen. Mu hääl on muutunud sosinaks.

„Siiski maailmas, kuhu tahaksite kuuluda?"

Teen pausi, et tema küsimust kaaluda. Mõni hetk hiljem raputan pead. Ma ei tea, kuidas selles maailmas olla. Ma ei taha eksisteerida ühiskonna hämarates nurkades, aga ma otsin samas normaalsust, mis erineb kõigest, mida minu vanemad normaalseks peavad. Ma otsin elus midagi tähelepanuväärset, aga kardan kukkuda sellega kaasnevasse kaosesse, kuristikku, hullumeelsusse ja segadusse. On raske leida sõnu, et kirjeldada, mida ma tahan, aga olen juba mõistnud, et selline kahe maailma piiril kõikumine ei saa kunagi olla turvaline.

„Kas te tahaksite minu venna kui kunstniku kohta rohkem teada saada?" küsib Theo.

„Jah," vastan lootes, et see on vastus, mida Theo ootab.

„Ta sai eelmisel kuul valmis neli maali ja töötab hetkel ühe kallal, mis on ülepaisutatult suur, lootuses et ma leian sellele ostja. Suuri lõuendeid on paraku raske müüa."

„Kas teile meeldib teie töö?"

„Minu päevad on täidetud kunstiga kauplemisega. Monet ja Degas tagavad, et mul on tegevust. Te peaksite tulema minu kontorisse. Ma näitan teile, mis kunstikogujaid huvitab, ja ma pole ikka veel täitnud oma lubadust teile Degas'd tutvustada."

Naeratan: „See oleks tore. Kas inimesed on hakanud Vincenti kunsti rohkem imetlema?"

„Minu venna töödes on palju rõõmustavat ja tema suuremad lõuendid sobiksid hästi kaunistama igat söögituba."

Mul on suu ikka veel kõrvuni nagu lollakal, meie vestlusse tekib paus. On üks asi, mida ma pean küsima. Võtan oma käe tema omast ära ja lasen sel alla langeda.

„Mida te minult ootate?"

„Ma olen teid armastanud alates meie esimesest kohtumisest," ütleb Theo vähimagi kõhkluseta. Ta näeb, kuidas ma nägu krimpsutan. „Mis on?"

„Usk armastusse esimesest silmapilgust," ütlen.

Theo naerab südamest. „Kas teie tundsite midagi minu vastu meie esimesel kohtumisel Moulin de la Galette'is?" Tundsin muidugi ja olen kindel, et ta teab seda.

„Kui ma teid esimest korda nägin, leidsin midagi, mida olen teistes asjata otsinud. Te pole kunagi mulle võõras olnud."

„Ka mina tundsin seda," ütlen sosinal.

„Võib-olla on asi lihtsalt selles, et mu süda oli armastuseks vaba. Ma ei ole kunagi kohanud kedagi, kes mind niimoodi erutaks..."

„Kas ma meenutan teile teie venda?" küsin, ja Theo näoilme muutub.

„Preili Bonger, kas te peate mind *liiderlikuks*?"

Naeran. „Aga kui te kuulsite minu... *loost* Eduardiga, kas see šokeeris teid?"

„Minu vend on Vincent van Gogh. On väheusutav, et te suudaksite teha midagi, mis mind šokeeriks," ütleb Theo, ja mul on tahtmine teda emmata. Tema korrektselt kinni nööbitud kuue all on huumorimeel täitsa olemas. Ma tahan, et ta räägiks rohkem, kõigest, ma ei usu, et võiksin temast kunagi tüdineda.

Võib-olla tunneb ta end lõpuks vabalt ja näitab mulle oma tõelist palet. Võib-olla oli Claral õigus, kui ta ütles, et ma olen alati tahtnud rohkem, kui minu perekond suudab pakkuda. Mõte Claarale täidab mind kurbusega.

„Mis on?" küsib Theo. Mu nägu ilmselt reetis mind.

„Ma olen mures Clara pärast. Teda võiks pidada kaheksakümneaastaseks, aga ta pole veel nelikümmendki."

Theo noogutab. „Tundub, et tal on tuberkuloos."

„Ma armastan oma venda, aga ta pole isegi märganud, et Clara on haige. Teie saite paari tunniga aru ja aitasite tal lauda koristada."

„Clara on teie jaoks väga oluline?"

„Ma olen teda tundnud terve igaviku. Aga ta on uhke ja keeldub abist."

„Lubage, et ma räägin temaga."

„Andries ei tohi sellest teada," ütlen ja Theo noogutab nõusolevalt.

Hetked mööduvad. Kumbki meist ei ütle midagi. Vihm trummeldab aknale, täites toas valitsevat vaikust. Puudub igasugune kohmetus. Tunnen, et minu ja Theo van Goghi vahel on midagi erilist.

„Te ei vastanud minu küsimusele," ütlen. Theo tundub olevat segaduses, püüdes ilmselt meelde tuletada, mida ma küsisin.

„Et mida ma teilt ootan?" Ta mõtleb vaid sekundi: „Mul on võimalik pakkuda teile vabadust olla teie ise. Ma valdan vestluses paljusid teemasid. Majanduslik kindlustatus oleks enesestmõistetav, ma võin vabastada teid teie emast." Turtsatan naerma ja ta naeratab. „Ma ei ootaks kunagi, et teeksite abikaasana midagi, mis alandaks teie intelligentsust. Ma innustaksin teid kunstiga tegelema, aitaksin teil leida oma koha kunstimaailmas. Romantiline suhe pole antud hetkel kõige olulisem, aga ma loodan, et te armastate mind ühel päeval sama palju, nagu mina teid. Te teate, mida ma teie vastu tunnen…" Uus paus. Ma ei suuda vabaneda hirmust, mis mul kõhu seest õõnsaks teeb. „See, et teiega abiellumine aitab kaasa minu staatusele ühiskonnas, on lisahüve. Te oleksite minuga võrdne, minu partner."

Ma tõstan käe, et ta vaikiks. „Aga te ütlete täpselt seda, mida ma *teie arvates* tahan kuulda. Kas te annate lubadusi lihtsalt selleks, et saada, mida tahate? Tegelik elu on aga teistsugune ja…"

„Te arvate, et ma vean teid ninapidi?"

Noogutan. Ma ei taha elada „tavalist" elu, ma muutuksin siis oma emaks. Ma ei tohi lasta juhtuda, et tormakad lubadused mind selles suunas lükkaksid.

„Te arvate, et ma võtan, mida tahan, ja jätan teid siis maha?"

Ma olen teda solvanud. Uurin oma käsi. Mis siis, kui ta lihtsalt tahab, et ma talle kuuluksin? „Mulle on midagi sellist ka varem öeldud."

„Minu tunded on siirad," ütleb Theo.

„Aga te pole rääkinud sõnagi sellest, mida te *ise* soovite. Kas teie naeruväärne ettekujutus armastusest esimesest silmapilgust on teinud teid pimedaks selle suhtes, mida te päriselt vajate?"

Theo ohkab. „Te tahate, et ma vastaksin ausalt." Noogutan. „Mulle meeldiks rahulik elu. Viimasel ajal on Vincentiga olnud… *keeruline.* Ta on väga kurnav ka minu pangakontole. Ma tahan naeru, arukat vestlust ja, kui olla täiesti siiras…" Noogutan, et ta jätkaks. „Kas aitaks, kui ma ütlen, et vajan eksootilisi seksuaalakte? Palju."

„Kuidas, palun?" Mu kulmud kerkivad nii kõrgele, et silmad ähvardavad peast välja tungida. Naeran sisimas. See on soov, mida ma ei oodanud. Mul pole aimugi, kas ta teeb nalja või mitte.

„Ma ei tahaks teile pettumust valmistada," ütlen.

„Siis ärge alahinnake mind. Aeg näitab, aga praegu tuletaksin meelde, et ... ma ei ole Stumpff."

Naeratan nii laialt, et põsed hakkavad valutama: „Mulle tundub, et ma näen teid täna õieti esimest korda. See on, mida minu hing..." Theo kulmud kerkivad ja ta naeratab. „Ei," ütlen kätt tõstes, „mitte armastus esimesest silmapilgust, vaid äratundmine. Kui me esimest korda Moulin de la Galette'is kohtusime, oli mul tunne, et me oleme juba tuttavad."

„Ma olen teid enda poole võitmas," ütleb Theo.

Mu näol püsib ikka veel lai naeratus. Jah, aga on veel midagi palju enamat: ta leevendab mu hirmutunnet.

Theo võtab uuesti mu käe. Näen silmanurgast ukselävel liikumist. Vari, tärgeldatud tanu. Clara kuulab.

„Tulge, lähme istume," ütlen üle salongi kõndides.

Juuli 1888

Ma mõtlen lakkamatult Charlotte Brontë õnnetule, armetule elule. Kuidas ta kannatas selles külmas ja lohutus Haworthi pastoraadis. Pikad piinarikkad aastad. Ma mõtlen võimalustele, mis on mulle siin Pariisis avanenud, kõigepealt venna ja nüüd Theoga. Ma ei peaks kunagi oma elu üle nurisema.

Mind vaevab, et kuigi paljud naised kannatavad samuti nagu Charlotte, puudub neil anne kirjutada romaan nagu „Jane Eyre". Selle asemel elavad ja surevad nad üksi ja maailm ei saa kunagi teada, et nad olid olemas.

Miks see mind nii meeletult hirmutab?

METSAALUNE

Nad on jätnud salongiukse lahti ja ma hiilin trepist alla. Theo tulekust ei ole mulle räägitud ja ma pean seega liikuma vargsi; on selge, et ta tahab Andriesega arutada midagi, mis ei ole mõeldud minu kõrvadele.

Lähen kikivarvul mööda eeskoda salongiuksele nii lähedale kui võimalik, aga hoidun hoolikalt, et mind ei märgataks. Salongi suurtest akendest tulvav valgusvihk ulatub üle ukse eeskoja põrandaplaatideni. Clarat pole näha. Ma pole teda mitu tundi näinud.

„Sara sõnul on sinu õel tunded minu venna vastu," ütleb Theo, „täna on veel kolm inimest minu juures käinud ja öelnud, milline lollpea ma olen."

Mida kuradit?

„Me teame mõlemad, kui armunud preili Voort on. Miks sa lased end sellest nii palju häirida? Jo talub Vincenti, sest ta on sinu vend ja ta hoolib sinust. Kui Vincent ei oleks sinu vend, oleks ta keeldunud temaga rääkimast juba nädalaid tagasi. Kindlasti olete..."

„Vincent vihjas, et nad olid intiimvahekorras. Põõsastes, sel päeval, kui nad Montmartre'il jalutasid, ja hiljem siin. Sellel vaibal."

Põõsastes?

„Ja sa usud teda? Kas ta tõesti ütles, et nad olid vahekorras?"

Theo ei vasta. Ta usub Vincenti.

„Ainus mees Jo elus on olnud Stumpff," ütleb Andries. Theo pomiseb vastuseks, aga ma ei kuule, mida. „Ja ta ei olnud isegi Stumpffiga vahekorras."

Surun sõrmed raevunult peopessa. Minu saladusi on arutatud minu selja taga ja ilma minu loata.

„Ma olen näinud, kui palju tema suhtumine on sinusse muutunud," ütleb Andries. „Sa oled sel nädalal iga päev siin käinud. Kindlasti oled ka ise muutust märganud?"

„Ja sa arvad, et see on siiras?"

„Kas sina ei arva?" Andriese hääl on ilmselgelt ärritunud.

Ma ei näe, kas Theo noogutab või kehitab õlgu. Minus keeb raev. Theo ei usu, et minu huvi on siiras, ta ei tunne minus tärkavat armastust, ta usub, et eelistan temale Vincenti.

„Kui jätta kõrvale vulgaarsed märkused Johanna kohta, on Vincent minust täielikult eemaldunud. Ta on langenud depressiooni ja ma olen kuulnud..."

„Mida? Kas Jo kohta? Kas sul on tõendeid, et nad on veel kohtunud?"

„Ei, Bonger, mitte midagi sellist. Sinu õde on pidanud sulle antud lubadust ja pole minu venna suureks pahameeleks nõustunud temaga kontakteeruma."

„Kas sa tahad öelda, et sa pole minu õest enam huvitatud?"

„Kaugel sellest," ütleb Theo kiirustades, „lihtsalt... Ma olen kuulnud, et naised, kellelt Vincent ostab raha eest intiimsust, on kõik Johanna nägu."

Mu kõhus keerab.

„Vincentil on hea maitse ja mu õde on kaunitar."

„On, aga mulle on öeldud..."

„Kes õhutab neid kahtlusi?" küsib vend. Ma kuulen, et ta hääl on murelik, ja mõtlen, kas ka Theo kuuleb seda.

„Sara."

Jälle see naine. Millal sai minust tema vaenlane?

„Ma ei suuda temast vabaneda," ütleb Theo ja ma kuulen, et ta on löödud. „Ta on igal pool, kuhu ma lähen, ja tal on alati mulle midagi öelda. Midagi pakilist, mis ei kannata edasilükkamist. Mingit mahlakat kuulujuttu, mida ma pean ilmtingimata kuulma. Vincenti käitumine, Johanna maine, mida Johanna võib Vincentiga teha, mida Sara võib endaga teha, kui ma teda ei kuula."

„Sa oled liiga viisakas," ütleb Andries, ja ma kuulen Theo pingutatud naeru.

Sara Voort on kaval nagu rebane. Tal on luulud, kui ta arvab, et Theo teda armastab, aga ta on nutikas. Ta teab täpselt, mida teeb. Kõik tema jutud teevad Theole haiget ja puudutavad asju, mida Theo ei saa kõige parema tahtmise juures ignoreerida.

„Ta ütles, et Vincent kutsub kõiki oma naisi Johannadeks."

„Kuidas on võimalik, et Sara teab nii intiimset üksikasja?" küsib vend.

„Kui ta just juures ei olnud..."

Kuulen venna naeru. Kõik see ajab vihale. Miks ma end siin peidan? Ma peaksin olema seal ja...

„Ja mis siis, kui see peaks isegi tõele vastama?" küsib vend.

„Mis siis?" kordab Theo. Ta mõtleb hetke küsimuse peale.

„Ma olen näinud Vincenti sel nädalal iga päev koos Agostinaga. Tundub, et ta paraneb hästi," ütleb Andries.

„Ma olen ka seda kuulnud," ütleb Theo ja ohkab sügavalt. „Aga miks peaks Vincent vihjama, et..."

„Sara on ärapõlatud naine, Vincent kõrvale lükatud mees," ütleb vend. „See on üsna huvitav kombinatsioon. Ma kujutan ette, et Sara on Vincenti mõjutanud."

Ma ei suuda aru saada, miks Theo Sarat kuulab. Miks ta vastu ei astu. Mis võim on sel naisel tema üle? Mind valdab tunne, mida ma pole varem kogenud. Kulub mõni hetk, enne kui ma saan aru, et olen armukade.

„Kas Vincenti praegune depressioonihoog ei või olla seotud preili Segatori abordiga? Ta meeldib Vincentile ja Vincent on sageli öelnud, et ta tahaks olla isa."

Vaikus. Ma tahaksin Theo nägu näha. Kummardun uksele lähemale, aga vale nurga all. Ma ei näe midagi uut, aga minu vari langeb eeskoja põrandaplaatidele. Hüppan tagasi.

„Kuidas ma saaksin abielluda, kui minu vend, minu kõige parem sõber maailmas, ihaldab mu naist?" ütleb Theo minu mõtteid katkestades. Hoian hinge kinni.

„Kui sa abiellud, kas ta jääks siis Pariisi elama? Ära palun ütle, et Vincent võiks sinu arvates elada koos teiega."

„Muidugi mitte." Theo lause lõpetuseks kõlab kerge naer.

„Vincent on rääkinud kunstnike koloonia rajamisest kuskil maakohas," ütleb Andries. „Mul on rahalisi vahendeid, et teda toetada." Misasja? Mida see tähendab? Ma tahaksin näha Theo reaktsiooni. „Mainiti Arles'i. See koht sobiks ideaalselt. On piisavalt kaugel, et Jo ei peaks kannatama soovimatut tähelepanu, samas ei saaks Vincent arugi, et ta on eemale toimetatud. See annaks talle ka distantsi Agostinast. Agostina on tema, nagu paljud teisedki, ära teinud. Samuti oleks hea, kui Sara ei oleks enam tema kuuldekaugusel. Kas sa teadsid, et..."

„Ma ei suuda kokku lugedagi kõiki neid kordi, kui Vincent on öelnud, et tunneb end kõige rohkem iseendana looduses. Et seal on ta kõige õnnelikum," katkestab Theo teda. „Ta ütles veel eilegi, kuidas ta igatseb rikkumatut maakohta. Asnieresi metsad ja aasad on kuulunud tema lemmikute hulka, ta tahaks seal tabada valguse ja varjude mängu puulehtedel, aga viimasel ajal ei ole ta seal jalutamas käinud. Kui praegune depressioon jätkub, siis ma ei tea, mis temast saab."

„Siis kaalu seda kunstnike koloonia mõtet, see võiks talle head teha," ütleb vend, „ta on tüdinud Pariisist ja Arles pakub päikeseküllust ja harmooniat. Vincenti kolimine maale võiks olla parimaks lahenduseks teie kõigi jaoks."

„Ma hakkaksin vennast puudust tundma." Theo sõnadest kostub kurbust. Tema suhtumine on minu omaga sarnane: meie vendade armastus meie ja meie armastus nende vastu on kõige olulisem.

Süütunne keerleb mu kõhus ja seguneb raevuga. Ma ei tea, kas peaksin tormama salongi või oksendama põrandale. Kui Andries armuks ja tema naine arvaks, et ma peaksin välja kolima, murraks see mu südame. Õed-vennad tunnevad teineteise vastu võrdselt nii armastust kui vihkamist, ikka ja jälle, uuesti ja uuesti. Aga lubada uuel suhtel seda sidet lõhkuda? Mida ütleks see minu kohta?

„Kui Johanna saab teada, et me saatsime Vincenti tema pärast ära..."

„Mida kaugemal on Vincent ja Sara minu õest, seda parem. Vincent hävitab..."

Nüüd aitab.

„Kas see ongi teie plaan?" Marsin salongi, viibutades sõrmega Theo poole. Ma räägin peaaegu karjudes: „Saata ära iga mees, kes juhtub minu poole vaatama? Kas te usute minu kiindumust nii vähe, et kardate minu armumist kellessegi teisesse?"

„Johanna," ütleb Theo. Ta nägu värvub ähmist punaseks.

„Ma kuulsin kõike," ütlen, käed puusas, „kas teie plaan on kuidagi seotud abieluettepanekuga?"

„Sa kuulasid meie omavahelist vestlust," ütleb Andries. Ta naeratab, nagu püüdes mind mitte tähele panna.

Suunan nimetissõrme temale: „Sa oled ennasttäis idioot."

„Mamma ei kiidaks sinu sündsusetut käitumist heaks," ütleb Andries ja ma urisen nagu koer.

„Millal iganes Sara Voort ilmub teie juurde järjekordse kuulujutuga, tuleb mind karistada. Kas selline ongi meie tulevik?

Mida te ütlesitegi tookord Vincentile? Et kuulujutt sureb, kui jõuab targa mehe kõrvu?"

„Sara töötleb mind iga viimane kui päev," ütleb Theo.

Pööritan liialdatult silmi ja raputan pead, ilmselt näen välja nagu hullumeelne: „Vaeseke. Kas te olete siis nii nõrk mees, et ei suuda ignoreerida meeleheitel naist?" Theo ei vasta. „Ja te usute, et mina ja Vincent magasime *põõsastes*?" Ütlen sõna „põõsastes" karjudes ja näen, kuidas Andries naeruga võitleb.

„Seda mitte, muidugi mitte," ütleb Theo ja ma vaatan talle otsa.

„Vincenti saatmine armastatud Pariisist ära ja seda minu pärast," vaatan ühelt teisele, Theo keerab pilgu kõrvale, „ongi siis teie geniaalne plaan? Teie lahutamine oma vennast, oma kõige paremast sõbrast, temast eemaldumine kogu eluks? Kuidas see *meie* tulevikku mõjutab? Kas ma pean olema tänulik iga kord, kui näen teie valu? Kas ma peaksin võtma enda peale süü, et olen purustanud vendade van Goghide südamed?"

„See poleks nii..." alustab Theo.

„Te olete koletised. Domineerivad, üleolevad... Ma räägin Vincentile ära." Olen hakanud uuesti karjuma, minu nägu on väändunud raevust: „Ja siis räägib ta teile tõtt – et meie vahel ei ole kunagi midagi juhtunud. Ammugi mitte *põõsastes*. Ja siis te lõpetate selle jama."

„Te arvate, et tunnete Vincenti, aga te eksite. Te olete kõigest täiesti valesti aru saanud, Johanna. Vincent ei salli Pariisi." Theo põsed lõõmavad ja ta ei suuda mulle silma vaadata. Ma ei tea, kas põhjuseks on minu raevupursked või tema piinlikkus selle pärast, et ma nende vestlust kuulsin. Aga see polegi oluline. Kõige rohkem teeb haiget see, et Theo ei usu ega tunnista, mida ma tema vastu tunnen. Ta on mänginud mõttega, et mul võivad olla tunded Vincenti vastu. Ta ei usalda mind.

„Ma armastan teid," ütlen. Näen tema šokki ja rõõmu. Aga ma ei saa lubada, et meie vestlus tänu minu ülestunnistusele teisele rajale läheks. „Kus on teie kaastunne?" küsin kõrgel ja katkeval häälel.

„Tantsib ilmselt mööda Clichy puiesteed minema koos sinu terve mõistusega," ütleb Andries ja itsitab.

Keeran ringi ja jooksen salongist välja.

„Kuhu sa lähed?" kuulen venna hüüdu.

„Vincenti otsima."

„Palju õnne, et oled armunud!" hüüab vend mulle järele.

Ma ei keera ringi.

VAIKELU ABSINDIKLAASI JA KARAHVINIGA

„Nad peavad plaani saata teid Arles'i," hüüan Le Tambourini tormates, „minu pärast, meie pärast. Aga meid pole ju olemas. Ja Theo süda murdub, kui te ei..." Peatun, et hinge tõmmata. Näen, et Agostina istub Vincentile väga lähedal, praktiliselt süles.

„Ma tulin, et teid hoiatada," ütlen, õlad längus ja enesekindlus kadunud, „peate lõpetama, mis iganes see on, mida te teete," vehin kätega. „Rääkige Theole tõtt meie kohta. Olgem kõik omavahel sõbrad."

Tunnen, et mu süda on paha: ma ei taha selle nilbe mehega isegi ühes ruumis viibida. Aga kui mul õnnestuks panna Vincent tõtt rääkima, päästaksin Theo südame ja lõpetaksin selle van Goghide hulluse. Kõik kohviku kliendid vahivad mind. Õhk on paks suitsust, see kleepub minu riietele ja juustele. Täna pole ei klaverimängu ega kättemaksule kutsuvat sentimentaalset laulukest. Olen paari sammu kaugusel nende lauast, võib-olla Agostina arvab, et ma tahan ta lahkumist. Ma ei taha ja ta on oma territooriumi märgistanud. Vincent kuulub talle, mõte, et ta võiks mulle kuuluda, paneb mul kõhus jälle keerama. Agostina tõstab sigareti aeglaselt huultele, tõmbab tikku ja süütab selle. Olen piisavalt lähedal, et näha tema riietuse üksikasju: tema jakk ja kleit on erineva mustriga, päevavari on toolil temast vasakul, moekat sinist kübarat hoiavad paigal kübaranõelad. Agostinast õhkub boheemlust. Mind valdavad kõige halvemad emotsioonid ja ebakindlus. Ma olen jälle hollandlane: igav ja üksluine, tema aga on kõike seda, mis minus puudub. Ma tean, et ta lihtsalt on selline, ja see teadmine tekitab minus lisaks iiveldusele enesepõlgust.

„Ma püüan enesekindluse poole, see teeb inimese rõõmsaks," ütleb Vincent. Tema hääl katkestab mu huvi kohvikuomaniku vastu. Iga sõna, mis ta suust tuleb, pilkab mind.

„See on absurdne." Ma kõlan ebaviisakalt, aga ta ei ole mu austust ära teeninud. „Kas te ei kuulnud, mis ma ütlesin? Minu vend ja Theo plaanivad teid ära saata. Hoida teid minust eemal, kuigi ma ütlesin neile, et mul ei ole teist sooja ega külma ja et me pole olnud põõsaste vahel intiimvahekorras. Issand, paljas mõte teist ja minust..."

Vincent naerab: „Aga ometigi olete siin."

Kortsutan kulmu: „Ma olen siin, et kaitsta Theod. Te olete tema vend ja ta armastab teid kogu südamest. Ja Theo on mulle oluline. Ma hakkan kuuluma tema ellu..."

Vincent puhkeb uuesti naerma: „Te olete tema uusim vallutus."

Surun käed selja taga kokku. „Teil pole aimugi..."

„Kui ma olen maal, tunnen kogu olemusega suurt vabadust ja rõõmu. Selles *põrgulikus* Pariisi ümbritsevad mind kuulujutud, hukkamõist ja kõigi nende inimeste lämmatavad pilgud, kes tahavad, et ma neile kuuluksin. Siin tunnen end hästi ainult nendega, keda moraalijüngrid hukka mõistavad." Vincent vehib rääkides kätega. Ta puterdab sõnadega ja tema toon on tõrjuv. Ta tahab, et ma lahkuksin, ta ei hooli karvavõrdki sellest, mida mina talle räägin.

„Lisa arusaamatusi. Kas teie ainus eesmärk elus on panna teised end idioodina tundma? Tulge minuga kaasa Andriese juurde. Teie vend on seal. Rääkigem kõik selgeks nagu täiskasvanud."

Agostina vaatab mind pealaest jalatallani, nagu oleksin kitkumist ootav hani. Panen käed puusa ja lükkan rinna ette. *Mis ta mind vaatab?* Tundub, et iga tugeva naise olemuses on soov teisi naisi heidutada. Püüan meeleheitlikult varjata, et värisen üle kogu keha. Higistan nagu siga. Tunnen end oma riietes äärmiselt ebamugavalt; võimalik, et Agostina naudib minu vingerdamist.

Vincent paneb suhkrutüki lusikale ja lusika veeklaasi kohale. Ta tilgutab karahvinist suhkrutükile absinti. Vaatan, kuidas selge vesi muutub klaasis ähmaselt rohekaks. Siis kordab ta sama teise laual oleva klaasiga. Laual on ka tema visandivihik. Ootan, et ta pakuks mulle juua. Ta ei tee seda. Nad löövad Agostinaga klaase kokku ja neelavad napsid ühe lonksuga alla. Agostina silmad räägivad Vincentiga keeles, mida ma ei taha õppida.

„Liiga paljud Pariisi kunstnikud on mulle inimestena eemaletõukavad. Theo tegeleb nende kõigiga, aga mulle ei paku nad huvi."

„Te ei hooli siis põrmugi, et teid tahetakse Arles'i saata? Et te peate Theost eemal olema?" küsin, püüdes olla enesekindel ja julge.

„Öelge mulle, preili Bonger. Kas ka teie tahate, et ma teile kuuluksin?"

Naeran. Õõnsalt. „Ma püüan teha kõik, mis minu võimuses, et teid välja kannatada. Ma ei taha tulla vendade van Goghide vahele. Ma ei taha olla põhjuseks, miks teid ära saadetakse."

Vincent itsitab: „Te juba tähtsustategi end üle. Varsti, kui mu vennal oma uusimast kinnisideest villand saab, antakse teid edasi minule."

Raputan pead: „Te eksite, Vincent."

Vincent muigab, siis noogutab: „Te otsite pääsu oma lämmatava perekonna eest. Te mängite minu tunnetega ja häbenete samas minuga suhtlemist." Vincent võtab uue suhkrutüki, valab mõlemasse klaasi absinti juurde ja jääb üksisilmi jooki vahtima. Tema rahulikkus häirib mind. Ta peab end ohvriks ja on minust teinud selle loo kurikaela. „Kas pole mitte tõsi, et te tahate sõlmida minu vennaga mugavusabielu?"

„Ma armastan teda," ütlen kimeda häälega.

Agostina naerab. Pöördun tema poole, ta laksutab keelt ja heidab pea kuklasse. Vincent vaatab ja lööb käsi heameelest kokku, ta naudib etendust.

Näitan näpuga Agostinale: „Te tegite abordi," ütlen ega ole just enda üle uhke, „ja te ei tea isegi, kes on lapse isa."

Mu sõnad on jõhkrad ja ma tahaksin maa alla vajuda. Vincent möirgab naerda. Ta topib tubakat oma piibukahasse.

„See ei ole tõesti teie asi," ütleb Agostina häirimatult. Ta paneb oma pea Vincenti õlale ja käe kaitsvalt oma kõhule: „Kes te selline olete, et mind hukka mõista? Muretsege enda pattude pärast, minu omad teisse ei puutu."

Mu põsed hakkavad kuumama, langetan korraks pilgu. Kelleks ma olen muutunud?

Vaatan uuesti Agostinat, ta on olukorrast kõrgelt üle. Tal on olemas nii enesekontroll kui enesekindlus, mis minul puuduvad. Isegi ilma sõbralikkuseta on ta ilus. Kuidas see võimalik on? Kui sult on Pariisis kõik ära võetud, kas siis on jäänud ainult kaks võimalust? Kahetsusse kägarduda või pea püsti heita? Ka Camille on oma olukorrast suurem, tema uuestisünnis on kaastunnet ja tema ilu sügavus võtab hinge kinni. Minul aga on õnnestunud oma esimeses suures vastasseisus kuidagimoodi käituda julmalt ja olla täpselt selline nagu mamma. Siin ma seisan, mõnitades seda, mida tähendab olla naine. Ma ei usu, et võiksin endale kunagi veel vähem meeldida kui praegu.

Mul on veel palju õppida sellest, kuidas naised oskavad oma olukorrast kõrgemale tõusta. Ma pean õppima, kuidas säilitada raskustega silmitsi seistes julgus ja lahkus. Hingan sügavalt sisse ja välja. Pöördun uuesti Vincenti poole: „Miks teile pakub nii suurt naudingut minu pilkamine?"

„Ma olen lükanud tagasi kolm abieluettepanekut naistelt, kes on kõik kõrgemad olendid kui teie." Vincent süütab tiku, laseb sel mõne sekundi põleda ja liigutab siis tubaka kohal.

„Ometigi pole te reageerinud mu kirjadele ega isegi sellele, et ma kinkisin teile kolm romaani. Te otsustasite, et ma pole teie aega väärt."

„Teie arusaam perekonnast on sarnane minu omaga. Meie vennad tähendavad meie jaoks kõike..." Ma nihelen kohapeal, kõigi silmad on minul. Tean, et kohvikutäis inimesi kuulab mind ja mõistab hukka. Andries kahtlemata kuuleb sellest kohtumisest. Igast viimasest kui kohutavast sõnast.

„Te arvate, et me oleme ühesugused?" Vincent naerab. „Me oleme täiesti erinevad, preili Bonger. Te olete ühiskonna külge aheldatud, mina mitte. Mina ei otsi armastust, stabiilsust või raha. Ma vajan kirge, põnevust, iha ja kaost. Ühel heal päeval ma abiellun ja minu lapsed sünnivad puhtast rõõmust. Mida teie taga ajate? Te peate end naiskunstnikuks, ometi pole te teinud ühtegi tööd, mis vääriks vaatamist." Vaikus.

Olen sõnatu. Ma pole kunagi väitnud, et ma olen kunstnik.

„Mis võiks üldse teie tühjale südamele rahuldust pakkuda?" Vincent naerab õelalt. „Te olete ebaküps ja kogenematu paharet."

„Teil pole aimugi, mida ma suudan, Vincent van Gogh. Kui oleks, siis te ei oleks nii julm." Nutan pettumusest, kurbusest, kaotusest. Hõõrun sõrmedega põskedel pisaraid laiali. „Ma teen Theo õnnelikuks."

„Miks te üldse siia tulite? Te jälitate mind." Vincent popsutab oma piipu ja Agostina noogutab nõustuvalt.

„Ma olen siin, et takistada neil teid ära saatmast. Et aidata Theod ja teid ka," ütlen käeseljaga nina pühkides, „vaatamata kõigele, mis te mulle teha tahtsite."

Vincent vehib kätega, nagu tahaks mu sõnad ära pühkida. „Te peate end minust paremaks, aga mida suudate teie üldse mehele pakkuda? Mida te võite enda arvates mu vennale anda?" Ta neelab rohelise napsu alla ja seejärel kohe teise. „Armumine on ta pimedaks teinud. Ta arvab, et te olete eriline, et teievaheline side on erakordne, aga te olete lihtsalt üks järjekordne turist Pariisis." Paus. Agostina muigab ja süütab uue sigareti. „Te ei tunne mind, preili Bonger. Kui tunneksite, siis teaksite, et ma hüppaksin rõõmust, kui mul tekiks võimalus Arles'i põgeneda."

„Kas teile Pariisist ei piisa? Kas teile *temast* ei piisa?" Osutan Agostina peale ja naine puhkeb südamest naerma. Naer nakatab Vincenti, kes lõbusalt kaasa naerab.

„Te tahate mind päästa," ütleb Vincent.

„Ma tahan säästa Theod südamevalust."

„Te arvate, et tahate elada nagu mina. Aga kas te pole siis aru saanud, et see on Theo, kes võimaldab mulle sellist luksust. Te arvate, et ma olen vaba? Te arvate, et Agostina on vaba?" Nad hakkavad uuesti naerma. „Te ei mõista, et meil pole midagi, et meil pole valikut teistmoodi käituda. Olete te kunagi endalt küsinud, miks ma tuimestan end joomise ja suitsetamisega? Teie olete see, keda me kadestame."

„Mina?" Ma ei pühi mööda põski voolavaid pisaraid.

„Jah, preili Bonger. Teil on valikud, jõukus, haridus ja võimalused. Te olete ainus, kes on tõeliselt vaba. Minul on elus pakkuda ainult vaesust ja *haige peenis*. Aga miks te ikkagi *tegelikult* tulite? Ega ometi mugavusabieluks minuga?" Ta naerab.

„Ma oleksin pigem vahekorras hiiglasliku sõnniga kui teiega," ütlen. „Ma palun, et te klaariksite selle segaduse, enne kui teist saab minu vend." Vaatan Vincenti, aga tema silmad on pööratud Agostinale. Naisel on tema üle mõju, millest ma hästi aru ei saa. Kuidas ma võisin mõelda, et ma suudan seda van Goghide hullust lõpetada?

„Mina tantsin oma venna suuremeelsuse taktis. Ta rahastab iga mu sammu kuni selleni välja, milliseid värve ma saan osta ja kas ma võin endale uut lõuendit lubada. Ma olen tema ori."

Vincent paneb käe ümber Agostina õlgade, tõmbab naise enda vastu ja suudleb suule. Mahlakalt, keelega ja matsuvalt. Tema käsi kobab naise vasakut rinda. Vaatan nende kiindumust: see on meeleheitlik, paheline ja kõige kurvem asi, mida ma kunagi näinud olen. Esimest korda saan ma Vincentist aru. Ta on eksinud ja üksi. Nii mehe kui kunstnikuna otsib ta heakskiitu ja omaksvõtmist, seisab aga silmitsi ühe tagasilükkamisega teise järel.

„Kas mõte sellest, et Theo võiks minuga õnnelik olla, on teie joaks tõesti nii talumatu?"

Vincent heidab mulle nii intensiivse pilgu, et see tekitab hirmu. „Minge ja jookske meie vendade juurde, Johanna." Ta suudleb Agostina kaela ja naine oigab mõnutundest: „Kas te üldse teate, mida Theo teeb Bongeri teenija heaks?"

„Clara?" Mu kõht tõmbub hirmust kokku. Mis on mulle märkamatuks jäänud?

„Sellepärast ta läkski täna Bongeriga kohtuma."

„Te olete naissoole häbiks," ütleb Agostina Segatori halvakspanevalt. „Te püüate meid matkida. Häbenete seda, kes olete, tahate meeleheitlikult meie moodi olla, aga värisete meie jalge ees. Jookske, plikatirts." Ta viipab sigaretiga avatud ukse poole. „Jookske oma meeste juurde. Te pole siin teretulnud."

Keeran end ringi, pea norgus. Torman Le Tambourinist välja, lükates teel ümber ühe kohviku ümmargustest laudadest. Klaasid ja pudelid kukuvad maha ja purunevad. Kõrgendatud hääled, „*Attention*!"*, põrandaplaadil krigisev toolijalg, naer, laulmine. Torman kätega vehkides edasi. Pisarad ja tatt voolavad mööda nägu, kogu mu väärikus on kadunud. Jään seisma alles siis, kui olen uksest väljas.

Inimesed noogutavad mulle, mõni vaatab küsivalt. „*Vous vous sentez bien, Mademoiselle*?"** küsib keegi.

Kahman oma seelikud ja torman mööda tänavat edasi. Jooksen paremale või vasakule vaatamata üle Clichy puiestee Andriese juurde.

Ma pean Clarat nägema. Ma pean teadma, kas temaga on kõik korras. Ma pean teadma, mida Theo on tema heaks teinud.

*

Ettevaatust! – pr k

**

Kas te tunnete end hästi, preili? – pr k

VALGE TANUGA TALUNAISE PORTREE

Andriese eestoas jään seisma. Kummardun, käed põlvedel ja üritan hinge tõmmata.

„Kus ta on? Kas ta on surnud?" kogelen hingeldades. Ei mingit vastust. Vaikus. Hingan sügavalt sisse. Keegi tuleb minu poole. Ajan end sirgu, see on üks tüdruk.

„Kes kurat sina veel oled?" karjun vaese tüdruku peale. Ta võpatab mu valju kisa ja raevu peale, üle tema näo libiseb paanika. Ta on teismeline, hirmus kõhn, pikkade kohmakate käte ja jalgadega, seljas teenijakleit, peas tanu, aga ta ei ole minu Clara. Ma ei anna talle võimalust vastata.

„Clara!" karjun. Tammun eestoas, vaatan tubadesse ja ootan, et ta mulle appi tormaks. „Clara!" karjun juba kõvemini. Iga hetkega teeb vaikus mulle üha rohkem haiget. *Palun ole elus.* Ma lähen köögi poole.

Kuulen selja taga piiksuvat häält. „Ta ei ole..." Peatun. Keeran ringi.

„Mida?!" karjun tüdrukule lähemale minnes. Ta väriseb ja on lubikahvatu. Ma kohutan teda. Ta ilmselt arvab, et ma olen valmis kakluseks, sest keen metsikus raevus: „*Waar is Clara?*" küsin hollandi keeles, aga ta ei saa aru. „Kus on Clara?" küsin uuesti prantsuse keeles.

„Saksamaal, preili Johanna. Täna hommikul saadeti," ütleb tüdruk sosinal. Tundub, nagu teeks ta iga sõna juures kniksu. Ta kõigub üles-alla, silmad põrandale naelutatud.

„Saksamaal?" kordan karjudes. Tüdruku õlad vajuvad longu, ta ei julge ikka veel mulle otsa vaadata. Võib-olla ta nutab. Ma tean, mida ta tunneb. „Kus mu vend on?"

„Siin, preili Johanna," tüdruk osutab salongi suletud uksele ja ma kiirustan selle poole.

Sisenen ust paugutades. Andries ootab. Ta seisab, käed puusas, oma kirjutuslaua ees ja paistab olevat segaduses, aga võitlusvalmis. Tal on olemas kõik vastused, minul mitte ühtegi.

„Jo, tule ja istu siia..."

„Sa lasid ta lahti?!" karjun, otsekui paigale naelutatud.

„Clara on haige," ütleb Andries. Tema sõnad on rahulikud ja kindlad.

„Nii et sa heitsid ta tänavale?" Mu käed tõmbuvad rusikasse.

Vend raputab pead. „Ei, ta on turvalises kohas, usu mind. Tule siia, hinga sügavalt sisse." Ta sirutab käed laiali, et mind kaissu võtta.

„Ta oli surmväsinud," ütlen põrandat põrnitsedes. Ma ei liiguta end. See on minu süü. Ma oleksin pidanud Clarale rohkem mõtlema, kandma hoolt, et Andries talle kedagi appi palkaks.

„Clara vajab seda tööd. Meie oleme tema ainus perekond. Ta ei ole peale meie kunagi kedagi teist tundnud," ütlen, suutmata silmist voolavaid pisaraid tagasi hoida.

„Theo on kõige eest hoolt kandnud. Sellepärast ta tuligi täna siia."

Vaatan vennale otsa. „Aga Vincent..."

„Sa kuulsid meie jutuajamise lõppu," ütleb ta ja naeratab, aga ma ei usu teda. Temast õhkub kurbust. „Ma oleksin pidanud märkama. Mina oleksin pidanud Clara eest vastutama, mitte Theo."

„Mida Theo tegi?"

„Ta palus oma arstil Clara sümptomeid hinnata ja siis tellis tema rindkere läbivaatuse. Mõõdeti pulssi, kraaditi ja kaaluti..."

„Ja?"

„*Mal du siècle*, sajandi haigus."

„Tuberkuloos," ütlen.

Vaikus. Mul hakkab halb. Põlved värisevad. Lähen diivani juurde ja otsin tuge selle nikerdatud seljatoest. Olen sellest haigusest liigagi palju kuulnud. Asjasse pühendatud räägivad, et see on nakkav. Haigust võib kuuldavasti levitada üksainus köhatus või aevastus. On vägagi tõenäoline, et olen ka ise selle saanud.

„Lugesin, et see on nakkav." Püüan meenutada sümptomeid, millest olen kuulnud räägitavat: „Kas sul on köha? Su hääl on kähe. Kas minu jume on kahvatum kui tavaliselt?" Räägin puterdades, olen paanikas.

„Arst vaatas mu läbi." Andries teeb pausi. Mind läbiv hirmusööst peegeldub mu ilmes. Ta märkab seda: „Olen terve nagu purikas," ütleb ta, aga tema hääles puudub igasugune rõõm.

Sajandi haigus on juba aastaid olnud seltskonnas kõneaineks. Sõnum on ühene – tuberkuloosi põdevatest inimestest tuleb kaugele hoida. Meie oleme aga vaese Claraga koos elanud. Ta on valmistanud meie toidud, pesnud riided, puudutanud taldrikuid, nuge-kahvleid, klaase. Siis tabab mind süütunne nagu noahoop kõhtu. Muretsen siin enda ja Andriese pärast, kui ometi kõige lojaalsem inimene, keda ma tean, on raskelt haige.

„Ta on nüüd välja tõugatud," ütlen. Sama juhtus meie naabrite teenijaga Amsterdamis. Perekond avastas, et ta on haige, ja viskas ta välja. Väidetavalt suri ta tänaval, üksi, kodutuna, kõigi poolt tõrjutuna, jäetud ilma igasugusest kaastundest.

„Theo ei lase sel juhtuda," ütleb Andries. Tema hääl paljastab, kui julgeks ta Theod peab. Ja et ta tahaks ka ise rohkem Theo sarnane olla.

„Kas Clara sõitis Saksamaale koos Theoga?" Olen ehmunud ja mures. „Theo võib saada surmava..."

„Clara on teel sanatooriumi."

„Sanatooriumid on nagu vanglad," ütlen diivani servale istudes, „vaesed jäetakse sinna surema. Miks sa lasid..."

„Kas sa tead Peter Dettweilerit?" Raputan pead, üle kere värisedes. Ma ei suuda ennast ega oma tundeid vaos hoida. Ma ei tea, kuidas reageerida.

„Theo tunneb teda. Tema raviasutus ei ole selline, kuhu tavaliselt Clara seisusest..." Andries jääb vait. Võib-olla märkab ta minu ilme muutumist. „Theo on korraldanud Clarale koha

Falkensteini sanatooriumis Taunuse mägedes Frankfurdi lähedal. Ta peab seal järgima ranget toitumis- ja liikumisrežiimi. Clara saab kolm korda päevas süüa ja iga nelja tunni tagant klaasi piima. Vaid vähesed saavad kunagi tema haigusest teada."

„Ja siis ootab ta kiiret surma?"

Vajadus olla kindel, et keegi Clara eest hoolitseb, et ta lahkumine ei oleks pikk ja üksildane, matab mu hinge. Ma oleksin pidanud teda sundima, et ta rohkem puhkaks. Mul oli kavatsus öelda Andriesele, et ta rohkem inimesi palkaks. Ma oleksin pidanud Clarale abi otsima. Ma oleksin pidanud tegema nii palju rohkem, kui ma tegin.

„Theo arst arvab, et ta saab täiesti terveks," ütleb Andries, aga tema õlad vajuvad longu.

„Mis on?"

Andries ohkab: „Theo noomis mind. Ütles, et Clara elas nagu ori ja mul peaks häbi olema."

„Kas Theo tõesti ütles seda?"

Andries tuleb diivani juurde ja vajub mu kõrvale istuma.

„Ei, Theo arst." Ma panen pea venna õlale.

„Clara saab täiesti terveks." Nende sõnade kaja ja tähendus jõuab minuni, aga olen ikka veel täis kurbust.

„Sanatooriumi eesmärk on pakkuda ka vaimset puhkust ja rahu külastajate ja jutuhimuliste naabrite eest."

„Nii et me ei saa talle külla minna," ütlen ja tunnen, kuidas vend pead raputab.

„See on nakkushaigus, Jo. Milline terve mõistusega inimene reisiks Saksamaale, et külastada nakkushaigust põdevat teenijat?" Kuulen naeru ja naeratan ka ise. Patsutan tema põlve. „Mamma ja papa ei võtaks teda enam kunagi tagasi oma koju."

„Kas sina võtaksid?" Nihutan end diivanil, et talle otsa vaadata.

„Mulle on antud asenduseks Anaïs."

„Nagu kariloomad," ütlen sosinal ja hammustan huulde.

„Muidugi võtaksin. Clara kuulub meie perekonda. Ta tuleb tagasi, kui terveks saab." Andries paneb käe mu õlgade ümber ja tõmbab mind lähemale. „Anaïs!" hüüab ta. Tüdruk kiirustab salongi. „Kas sa võiksid meile teed tuua?" Ma ei vaata tüdrukule otsa, ma ei suuda leppida, et ta ei ole Clara.

„Jah, härra. Tee, härra."

Theo, see lahke ja suuremeelne mees, hoolitseb minu venna teenija eest. Clara on terve mu elu hoolitsenud Bongerite eest ja nüüd on Theo kirjutanud ennast tema elu järgmisse peatükki.

„Mind paneb muretsema, et sa oled nii kahvatu," ütleb vend.

Juuli 1888

Dries seisis ukselävel, kui Theo arst mind läbi vaatas. Kui tõdeti, et mul ei ole tuberkuloosi, ei öelnud mu vend sõnagi. Ma nägin, et ta pühkis ruumist lahkudes silmi.

KELLELT: HERMINE BONGER
KELLELE: JOHANNA BONGER
TULE KOHE AMSTERDAMI. PAKILINE.
TULE TÄNA.

SUVI

1988

Amsterdam

August, 1888

Paar tundi tagasi, kui ma reisist väsinuna polnud jõudnud veel keepigi seljast võtta, kuulutas mamma, et ma riietun nagu Pariisi hoor ja et nii ei sobi riietuda esimesel kohtumisel oma peigmehega. Paksu vanamehega, keda ma juba praegu jälestan.

Siis tundis mamma vajadust teatada, et ma ei lähe enam kunagi Pariisi tagasi ja et minu kihlus selle kohutava mehega kuulutatakse välja nädala jooksul. Ma ei abiellu temaga kunagi. Kirjutasin Driesile ja palusin tal viivitamatult siia tulla. Vanemad kuulavad mu venda, mina aga ei suuda neile öelda midagi ilma raevu ja pisarateta.

Miks ma ei võtnud Theo ettepanekut kohe vastu? Miks tunduvad toonased põhjused praegu nii ebaküpsete ja tähtsusetutena? Abielluda mehega omal valikul, elada sellises abielus, nagu ma tahan, tähendab ometi rohkem, kui ma suudan sõnadesse panna.

Kui ma olin noorem, oleksin võinud vanduda, et mamma jääb igaveseks kõige kindlamaks asjaks minu elus, aga nüüd olen hakanud tahtma temast järjest kaugemale pääseda. Ma näen teda teisiti, võib-olla näen teda sellisena, nagu ta ongi tegelikult...Ta meeldib mulle järjest vähem ja ma põlgan teda järjest rohkem.

Meile räägitakse, et vanemad on meie jaoks kõik, unustatakse aga öelda, et me ei saa valida, millisesse perekonda me sünnime.

2. august 1888
Weteringschans 121,
Amsterdam

Kallis Theo

Dries lubas, et tuleb Teid vaatama ja räägib mamma käsust viivitamatult Amsterdami naasta. Kui ma tõttasin esimesele rongile, ei jõudnud ma järele mõelda, miks see käsk esitati minule ja mitte minu vennale.

Ma sooviksin, et ma ei teaks, mis toimub. Ometigi tuleb dr Janssen homme minu vanemate juurde ja õhus on ootust. Ma ei suuda sundida end kirjutama, milles asi on, aga ma loodan, et te mõistate.

Pariisist lahkumine on teinud mu hinge haigeks. Minust jäid maha lõuend ja värvid ja minust jäite maha Teie – mees, keda ma armastan. Andriese juures elatud aeg on mind muutnud. Ma arvan, et olen nende nädalate jooksul, mil olen tundnud vendi van Goghe, muutunud miljon aastat vanemaks ja samavõrra targemaks. Üks asi, milles ma olen täiesti kindel, on see, et ma mõtlen Teile liiga palju. Ei möödu tundigi, mil Te ei tungi minu mõtetesse. See on täielikult sobimatu olukorras, kus vanemad nõuavad, et ma kihluksin kellegi teisega, ometi ei saa ma sinna midagi parata ja olen taas end kaotanud.

Eile õhtul rongis mõtlesin, et kuidas me saame elada erinevates riikides, ent ometi sama taeva all. See taevas hõivas kogu mu tähelepanu, hõivab siiani. Selles on nii palju enamat, kui Bongerite majapidamises valitsev draama ja segadus. Loetlesin tähti ja märkasin nende erinevaid värvivarjundeid. Sidrunkollane, roosa, hõbedane ja lumivalge tumedas öömustas taevalaotuses. Kas Te vaatate vahel taevasse ja mõtlete, et me näeme samu tähti? Aeg ja reisimine jätavad ruumi mõtlemiseks.

Värvid kadusid ja jumala hommikutäht tõusis täies hiilguses maailma kõige sinisemasse taevasse.

Miski pole igavene, ma mõistan seda nüüd.

Teie Jo

TÄHISÖÖ

Ma ei suuda oma vanemaid taluda. Nende lõputu jutuvada doktor Jansseni arvukatest ihaldusväärsetest omadustest tekitab mul tahtmise oma saabastele oksendada. Mamma ütles just, et doktor viskab varsti sussid püsti, mis tähendab, et kui ma laman ja oma „kohust" täidan, kaasnevad sellega rahalised hüved.

„Ma keeldun!" karjun kõrgel kriiskaval toonil ja majas levivat kapsahaisu ignoreerides.

„Sa ei saa," ütleb mamma. Alumise korruse söögitoa küünalde leegid tantsivad tuuletõmbes. Mamma pikale näole langevad nende tontlikud varjud. Ta on sirge seljaga, religioossest paastust kurnatud ja pealaest jalatallani musta riietatud. Tema silmad on jääkülmad, suu pühalik ja karm, mamma ei lõõgastu ega puhka kunagi, naeratab harva ega jaga kallistusi. Ta on sünguse kehastus. Täna möllab temas torm.

„Me kuulutame sinu kihluse välja veel sel nädalal."

„Ma armastan kedagi teist." Tahaksin asju loopida, aga ei tee seda. Püüan käituda täiskasvanuna. See on minu viis julge olla.

Võtan hetkeks aega. Hingan sisse ja välja. „Millised koletised te olete," ütlen häält pisut madaldades.

„Kui dramaatiline," ütleb mamma, noogutades rõhutatult papa poole. „Häbematu närukael. Kuidas ta saab minu tütar olla?" Mamma ohkab ja tõstab siis klaasi, võttes paar lonksu vett. Ootan. „Sa oled doktor Jansseniga kohtunud. Palju kordi. Sa olid *armunud* Stumpffi. Me peaksime selle Theo van Goghiga alles kohtuma." Mamma paneb klaasi suurele puidust söögilauale korralikult kokku volditud salvräti kõrvale, vaadates papale raevunud näoga otsa ja andes märku, et ma olen väsitav ja meie lühike jutuajamine on teda juba ära tüüdanud. Ta ootab, et papa teda aitaks ja toetaks. Ma olen vähemuses. Siin pole mul kelleltki abi oodata.

„Ma olen kohtunud doktoriga teie tütrena, mitte..." Ma ei suuda lauset lõpetada. Kõhus keerab ja ajab iiveldama. Vanemad ootavad. „Ma olen haritud ja täiesti võimeline endale ise abikaasat leidma. Las ma lähen tagasi Pariisi ja jätkan Theoga kohtumist. Andries ütleb teile, et Theo tahab minuga abielluda."

„Utrechtis käitusid sa nagu hoor ja jälitasid seda vaest meest. Pariisis ajasid sa taga rahatut ja halva mainega kunstnikku," ütleb mamma kaalutletud ja kindlal toonil. Sul oli võimalus otsida endale sobiv abikaasa, aga see ülesanne osutus sinu jaoks liiga raskeks. Nüüd on siis mängu toodud kunstniku vend..."

„See pole nii. Theo on..."

„Kõik see välismaise vee joomine on sind muutnud. See on mürgitanud su meele ja täitnud su patuga. Ma ütlesin sinu isale, et me ei saa lubada..."

Taon rusikatega lauda: „Siduge doktor Janssen alasti selle laua külge ja lükake talle õun suhu. Ta on haisev siga." Klaasid ja taldrikud laual klirisevad mu sõnade taktis. Ma olen tohutult pettunud ja tean samas, et nii ei ole võimalik mu vanemaid võita. Ma peaksin suutma end valitseda. Ma peaksin hingama sügavamalt ja reageerima vähem, aga mind ajab hulluks, et nad mind ei kuula.

„Kogu austuse juures, Johanna," ütleb papa kõige rahulikuma tooniga. Ta eirab mu viha ja viivitab hetke, et klaasist õlut lonksata: „Sa teed ilmaasjata kõik nii keeruliseks. Te ei suutnud vennaga kumbki Pariisist sulle sobivat meest leida."

„Andries leidis Theo. Ma tahan abielluda Theoga."

„Sa tahad, siis sa ei taha, siis jälle tahad... ja siis veel see, et käid käsikäes tema vennaga. Sinu sobimatu käitumine on jätnud meile vähe valikuvõimalusi. Me ei saa lubada, et sa meie perekonda veel rohkem häbistad. Ja jutul lõpp." Papa võtab veel ühe lonksu ja paneb siis klaasi lauale. Tema vasak käsi sirutub pooltühja kannu poole: „Tule, tõstame koos toosti." Ta viipab klaasiga tühjale toolile enda paremal käel: minu jaoks on nõud juba valmis pandud.

„Kas see hakkab alati nii olema?" küsin ja papa kergitab kulmu. Ta on uudishimulik, aga samas valmis minu järgmiseks raevuhooks.

„Elu, mida valitsevad ootused ja julmus. Mind sunnitakse vaikima ja minu soove ignoreeritakse." Sõnad mõjuvad piitsaplaksuna. „Kõigepealt teie halastamatus Eduardiga toimunu suhtes ja nüüd doktor Janssen..."

„Ma keeldun Stumpffist rääkimast!" karjub papa.

„Frederik on hea mees ja sobilik valik. Sinu tahtmine siin ei loe," ütleb mamma.

„Ma tahan Theod."

Mamma naerab. „Frederikil on halb tervis ja ainus, mida ta tahab, on järglane. Ma ei saa aru, miks sa sellest nii suurt numbrit teed. Kui ta sureb, on sul elus kõik olemas."

„Aga see mees on ennasttäis orikas. Ma ei luba, et see loom mu peal ratsutaks. Ma keeldun."

„Aitab!" möirgab papa. Ta raputab oma klaasi. Lauale lendab õllepritsmeid. „See vestlus on väsitav ja ebaoluline. Sul ei ole valikut. Sinu kihlus kuulutatakse välja seitsme päeva jooksul."

Minu kõht uriseb protestiks. See vajab toitu, lohutust ja lahkust. Mamma surub käed risti rinnale, tema näol on korraga nii kurbus kui viha. Ta koosneb üleni kontidest ja negatiivsusest. Papa tühjendab oma klaasi. Ta haarab kannu järele, et kustutada oma janu ja pettumust.

„Tule, Johanna, sööme midagi," ütleb mamma. Tema ilme on endiselt range, aga hääl pisut pehmem. *Ei, mamma, ma ei lõpeta vastupanu ega lepi oma saatusega.*

„Ma ei suuda midagi süüa, teades, et..."

„Sinu tulevane *abikaasa* tuleb homme hommikul ja sa võtad ta vastu Bongerite elegantsuse ja väärikusega," ütleb mamma välja, mida ta minult ootab.

„Ma ei tee midagi sellist."

„Kao oma tuppa!" karjub papa. „Me äratame sind aegsasti, et saaksid end Frederikiga kohtumiseks korda seada." Vaatan emale otsa, ikka veel meeleheitlikult tuge otsides, aga tema huuled on nii kokku surutud, et lahked sõnad ei pääse nende vahelt välja.

Torman söögitoast minema. Tunnen pettumusest külmavärinaid ja tõmban salli tihedalt ümber õlgade. Igatsen Andriest. Igatsen Theod. Igatsen Clarat. Ma igatsen isegi Camille Claudeli. Igatsen liitlast, toetajat, keda iganes, kes aitaks mul põgeneda.

Kas nõustumine eluga, mis on tulvil kurbust, räägib julgusest?

Kuulen, kuidas söögitoa raske uks langeb pauguga kinni ja kõrgendatud hääli, aga ei suuda sõnu eristada. Toas vaieldakse. Ma ei suuda ette kujutada, kumb vanem võiks selle abielu vastu sõna võtta. Kardan, et mitte kumbki. Kahtlustan, et kõrgendatud toonil süüdistatakse teineteist minu kombetuses.

August, 1888

Olen hirmust kange.
See vana orikas tuleb täna külla.

VAAS KARIKAKARDE JA ANEMOONIDEGA

Tema surm oli täiesti ootamatu.

Saime sellest teada hilisel pärastlõunal. Veetsin terve päeva oma parimates riietes, aga keeldusin lahkumast magamistoast, kõht korisemas protestist ja kaeblemisest. Vanemad ootasid terve päeva külaskäiku, mis pidi „kohe-kohe" toimuma. Lõpuks saatis mamma, ilmselt tüdinud papa nurisemisest, teenija doktor Jansseni koju Herengrachtis, et küsida, miks külaskäik on edasi lükkunud.

Kui teenija naasis, jooksis ta hingetuna läbi maja ja karjus, et doktor on surnud. Mammat lõhestasid vastandlikud tunded: raev teenija sobimatu käitumise pärast, sest surmast oleks pidanud teatama kirikuõpetaja, ja meeleheide selle pärast, et doktor jõudis surra enne meie kihlumist. Andries oletas hiljem, et küllap ma palusin eelmisel õhtul tähistaevast vaadates, et midagi sellist juhtuks.

„Kui kirst hauda lasti, tundsin endal miljoneid silmi," ütleb Andries.

Küsin vennalt, kas see oli kohutav, ja ta noogutab. Minul ei lubatud matustele minna. Mamma kartis, et ma ei suuda nuttu tagasi hoida ja tekitan perekonnale jälle piinlikkust.

„Mamma deklareeris, et doktor Janssen oli hea mainega arst, kes päästis haiguste varajase avastamisega palju elusid. Ta isegi ütles, et doktor oli nii lahke, et laskis lootusetutel juhtumitel ära surra," ütlen.

Andries seisab minu kõrval, pikk, sale ja kindel. Värisen ja ta kummardub lähemale, tema õlg puudutab minu oma. Ta saabus Amsterdami kakskümmend minutit pärast seda, kui me doktor Jansseni surmast kuulsime, ja leidis eest hüsteeriliselt nuuksuva mamma. See, et ta kohe pärast minu kirja saamist Amsterdami tõttas, tõi mu silmi kergenduspisarad. Olen tõepoolest olnud talle terve selle suve tänulik meievahelise sideme ja toetuse eest. Ta saab minust nii palju paremini hakkama kõigi asjadega, mis puudutavad seltskonda ja kombeid. Seisame temaga doktor Jansseni kodu vastas teisel pool kanalit. Vaatame, kuidas inimesed majja sisenevad. Kuidas must eesuks üha uuesti sulgub. Matused on läbi, nüüd käiakse kaastunnet avaldamas.

„Mana sünnis nägu ette," ütleb Andries vaikselt, ja ma kohendan oma ilmet, kui me jalutame üle silla Herengracht 247 ette. Täna ei sobi välja näidata, milline kergendus on minu jaoks doktor Jansseni surm. Tänane päev nõuab, et mu silmi looritaks lein. Ma pean mängima tulevase kihlatu rolli, naist, kellelt on julmalt röövitud tema armastatu veel enne soovitud liidu sõlmimist. Mamma sõnul asendaks see minu ja Eduardi kohta visalt ringleva kõmu.

Ainus mure, mida ma tunnen, on mure ebakindla tuleviku pärast ja hirm, et vanemad müüvad mu järgmisele enampakkujale. Püüan majale lähenedes endas sobivaid emotsioone esile kutsuda. Mõtlen, mida tähendaks, kui ma kunagi enam Theod ei näeks.

„Ma oleksin peaaegu siin elanud, kõigil seitsmel korrusel."

„See on palju suurejoonelisem, kui meie pere maja," ütleb Andries. Ta võtab mul kaitsvalt õlgade ümbert kinni.

„Ma ei tahtnud temaga abielluda."

Vend pigistab mu käsivart: „Sellepärast ma siia tormasingi."

„Aga ma ei oodanud siiski tema..."

„Ma astume mammale ja papale koos vastu. Homme."

Hoian käes karikakarde ja anemoonide kimpu, mille ma mamma käsul kaasa võtsin. Kõigi silmad saavad olema minul. Inimesed tahavad näha minu reaktsiooni, otsivad märke soovist tormata haua juurde ja viskuda kirstule, et mind maetaks koos minu elu ainsa armastusega. Kuulen selja taga kellegi nuuksumist, aga ei keera end ringi. Minus on segunenud hirm, et ma ei suuda oma osa õigesti täita, ja kergendus, et pääsesin orika käest, ning ma kardan, et ei suuda oma tegelikke tundeid varjata.

„Lase pea longu. Väldi silmsidet," sosistab Andries ja võtab käe mu õla ümbert ära. Seisame majaesise väikese trepi mademel. Uksekoputi on kaetud musta lindiga kinnitatud musta krepiga.

„Amsterdam on masendavalt keskaegne," ütleb Andries.

„Kas kasutame seda?" küsin, viidates oma kimbuga koputile, ja Andries kehitab õlgu. Seisame mõned sekundid, kumbki meist ei taha segada leinamisega seotud formaalsusi, siis noogutan vennale, et ta teeks, mida meilt oodatakse. Andries tõstab messingkoputi ja laseb sel kukkuda. Kostab mürtsuv heli. Must krepp rebeneb pisut. Ootame, aga asjatult.

„Kas ma ei võiks kimpu siia trepile jätta? Võime mammale öelda, et me proovisime."

„Mamma on majas. Me peame oma osa täitma," ütleb vend peaaegu sosinal. Ta silmitseb uksekoputit. „Kui sa suudaksid oma rõõmustavatest silmadest paar pisarat välja pigistada..."

„Siis lubab mamma mul tulla tagasi Pariisi Theo juurde." Andries sirutab käe ja tõstab uuesti messingkoputi. Üha uuesti ja uuesti. Mütaki, mütaki. Ootame.

„Nii kahju," ütleb keegi meie selja taga.

„Lahkus oma parimas eas," vastab üks Hollandi naine.

Ma ei keera end ringi. Vaatan ainiti krepiga kaetud uksekoputit. Ma pean näitemängu mängima. Ma pean olema selline Johanna Bonger, nagu minult oodatakse: murest murtud, ahastuses, et julm surm on röövinud minu tuleviku, ja igatsedes oma lahkunud armastust; ning ma ei tohi lasta välja paista soovi hüpelda, tantsida, naerda ja rõõmustada jumala lõputu headuse pärast.

Uks hakkab kriiksudes ja kägisedes avanema. Ootame. Keegi ei tule meid tervitama.

„Koputit ei oleks tohtinud puudutada," ütleb keegi meie selja taga. „Te olete surnud ka üles äratanud. Kõigi majas viibijate närvid on püsti."

„Tulge sisse," ütleb keegi ja seda me teemegi. Astume sammukese sissepoole ja mõned leinajad mööduvad meist välisust paugutades.

„Kontrolli oma nägu," kordab Andries. Ta manab ette neutraalse ilme ja võtab mütsi peast. Kui ma astun doktor Jansseni eeskotta, tõmban sügavalt hinge. Tunnen niiskuse ja nelgi lõhna.

Ma olen selles majas esimest korda. Mamma on doktori suurejoonelisest kodust rääkinud, aga tema plaani kohaselt pidin siia esimest korda tulema oma pulmaööks. See oleks olnud järgmisel kuul, kui minu tulevane abikaasa poleks surnud meie pulmavoodil ihualasti ja selili südamerabandusse, kui prostituut tema peal teda rahuldas. Mamma mulle muidugi üksikasju ei rääkinud. Tema sõnul oli surma põhjuseks südamepuudulikkus. Õnneks arvas Andries, et suudan tõega toime tulla.

Vaatan lakke ja loen mõttes doktor Janssenile väikese tänupalve selle eest, et ta mind säästis. *Ma olen rõõmus, et ta suri õnnelikuna.*

„Mu vaene laps, te tunnete end kindlasti kohutavalt," ütleb üks naine, kes eeskojas minu poole tormab. Naise riietus näitab, et ta on sügavas leinas. Teda katab kaelast kandadeni mustast siidivillasest riidest kleit krepist ääristega. Käsi katavad mustad kindad ja näo ees on raske must loor. Mul ei õnnestu näha killukestki nahka. Naine on kuidagi vormitu ja täiesti ümmargune: meie poole sibab väikeste mustade saabaste kontsaklõbinal midagi munakujulist.

„Vaata vaid, milline te olete," ütleb ta, ilmselt mind oma loori tagant pealaest jalatallani puurides. Mulle tundub, et ta pea liigub pisut. „Minu vennal oli õigus, te oleksite võinud sünnitada palju ilusaid lapsi." Pöördun Andriese poole lootes, et ta tunneb naise ära või tutvustab meid, vend aga kergitab kulmu. „Ma olen olnud kadunukese juures surnuvalves, sest keegi lähedastest või sõpradest ei pidanud vajalikuks seda teha. Ma lootsin, et..."

„Minu õe valu ja lein sundisid ta voodisse," ütleb Andries. Vaatan sügava lootusetuse ja kurbuse märgiks põrandaplaate.

„Ma olen liigagi kursis kogu kurbuse ja üksindusega, mis surmaga kaasneb. See maja on tõesti olnud äärmiselt rõhuv koht, pärast seda kui..."

„Ma väga vabandan," ütlen ja teen kniksu, nagu kuuluks naine kuninglikku perekonda, mitte ei oleks minuga võrdne, „ma ei usu, et me oleme kohtunud."

„Minu vend rääkis teist sageli ja kiindumusega. Ta igatses pärijat." Naine tõstab loori all pitstaskurätiku. Oletan, et ta pühib silmist pisaraid. „Tunnen sügavalt kaasa, *kallis* preili Bonger. See on teie jaoks kindlasti raske aeg. Kogu teie tulevik on rikutud."

„Tunnen teile kaasa venna surma puhul," ütleb Andries. Ta ulatab preili Janssenile käe. „Mina olen Andries Bonger. Johanna vend." Doktor Jansseni õde ei tee kätt märkamagi. Andries hoiab seda mõne hetke väljasirutatuna, siis lükkan ma selle ära. Näen, kuidas ta kulmu kortsutab. Andries tõmbab peoga üle oma juuste, tasandades võimalikke turritavaid salke. Ta mõtleb, mida järgmiseks teha.

Ma oletan, et preili Janssen on mammaga ühevanune. Jääb mulje, et ta on enesekindel, järeleandmatu ja kohutavalt ennasttäis, nagu oli ta vendki.

„See on teile," ütlen ja ulatan talle mamma juhtnööre järgides lillekimbu.

„Oh, mu armas, minu *peaaegu* et õde," ütleb preili Janssen. Tema hääl kajab vaikses eesruumis. „Tulge, lubage et ma tutvustan teile oma venna kodu. Mõelda vaid, et Herengracht 247 oleks saanud teie omaks... aga nüüd kuulub see tervenisti mulle." Ta laiutab käsi: „Kui ainult armas jumal oleks säästnud mu venda veel mõned nädalad." Ta paneb oma käe ümber mu õlgade ja juhib mind mööda hämarat eeskoda.

„Kas teid maetakse kunagi riietuses, mida oleksite kandnud oma pulmaööl? Teie ema ütles, et see on juba ostetud." Ta vaikib, oodates jaatavat vastust. „Pulmaööl seljas olnud kleidis on kombeks lasta end matta..." Ta arvab, et minu reaktsiooni puudumine tähendab mu nõustumist. Ei tähenda. Ma ei suuda leida sobivat vastust. Püüan mitte välja öelda, mida ma tegelikult tema palavalt armastatud venna vastu tunnen.

Vaatan üle õla, paludes sõnatult, et Andries mind aitaks, aga ta ei tee väljagi ja seisab naeratades eesukse kõrval. Ukse avamise heli kõlab seintelt vastu, Andries on ukse juures ja lehvitab. Kui mind tuppa juhatatakse, näen veel vilksamisi, et mu vennal on müts peas ja ta sulgeb doktor Jansseni majast lahkudes ukse.

VAAS AEDKUUKRESSIDEGA

Kui ma jõuan tagasi vanematekoju, näen teda ootamas. Ta istub maja ees trepimademel, puitkast jalge juures ja müts põlvedel.

„Theo!" kiljatan ja jooksen tema juurde. „Te tulite."

Theo ei tõuse. Ta naeratab laialt, aga raputab pead, osutades hoiatavalt oma pea kohal olevale aknale. Vaatan vanemate maja – kõrge, kitsas, viis korrust, palju aknaid. Mamma kindlasti piilub kuskilt ja ma pean käituma sündsalt, nagu Bongeritele kohane.

Sirutan käe ja Theo tõstab selle trepilt tõustes oma huultele. Ma ei julge silmi pilgutada kartes, et ta kaob, mingi osa minust mõtleb, et äkki olen ta kuidagi siia nõidunud. Päike kuumab ja ma olen kindel, et ta sulab kõigi oma pealisriiete all ära.

„Ma sain teie kirja," ütleb ta, „mõtlesin tulla isiklikult vastama. Ja tuua ka need isiklikult kohale." Ta näitab käega kastile.

„Kas see on mulle?" Theo noogutab ja istub uuesti. Värisen üle kogu keha, ma ei suuda uskuda, et ta on siin. Kummardun, et kasti vaadata. Selles on erinevad värvituubid, meetrite kaupa lõuendit, pintslid, palett ja muidugi paletinuga. Toetan käe trepiastmele, et end koguda: on kuum, ma olen šokis ja tunnen äkitselt suurt õrnust.

„Kunstnik vajab oma töövahendeid."

Pean kokku võtma kogu oma jõu, et talle mitte kaela visata: „Tänan teid," pomisen rabatuna ja suutes vaevu oma tundeid kontrollida. Olen nutma või siis hüsteeriliselt naerma puhkemas.

„Teie ema on olnud äärmiselt kena." Theo naeratab. *Püha jumal.* Ma ei kiirustanud pärast doktor Jansseni õega kohtumist koju, sest tundsin, et pean viimaste päevade sündmuste seedimiseks veidi aega üksi olema.

„Kas lausa nii kena, et tema arvates eelistate te sellise kuumusega väljas olla?" küsin.

„Ma vajasin värsket õhku ja tahtsin nautida seda vaadet." Theo osutab käega uuele Rijksmuseumile: „Võib-olla panevad nad ühel päeval siin välja mõne Vincent van Goghi maali."

Meie viimasest kohtumisest pole kulunud nädalatki, aga olen jälle rabatud Theo silmatorkavast välimusest: alabasternahk, tedretähtede parv pikal ninal, täiuslikud huuled. Jõllitan. Theo köhatab, et minu tähelepanu püüda, ja mu põsed hakkavad õhetama.

„Kas te kuulsite, et doktor Janssen on surnud?" küsin, liigutades oma Hollandi turnüüri, et istuda ja jätta meie vahele sünnis vahe.

„Üksikasjalikult, tänu mamma Bongerile," ütleb Theo ennast kallutades ja mind mänglevalt küünarnukiga nügides.

„Ma kavatsesin teile täna kirjutada." Räägin sosistades, olles kindel, et mamma üritab mõne avatud akna taga meid pealt kuulata.

„Ta on raevunud, et tema plaanid on segi paisatud. Ja üsna nõutu, mida ette võtta sellise *koleda lapsega*."

Raputan pead. „Kas ta nuttis?"

Theo noogutab. „Kontrollimatult." Theo huuled võbelevad, püüdes naeratust varjata. „Tema tütar on *lootusetu juhtum* ja ta on veendunud, et mitte ükski mees ei suuda kunagi sellist *võimatut tüüpi* taluda."

„Vabandust," ütlen, soovides, et maa lõheneks ja mu neelaks.

„Ja ta küsis, kas ma olen kunagi näinud, et sa jood Pariisi vett."

Theo ootab selgitust, aga suudan vaid õlgu kehitada. Olen kuulnud hullematki. Eile õhtul süüdistas mamma kaeveldes üheainsa hingetõmbega minu kohutavas iseloomus kuradit, isa halba verd ja võõramaist haigust. Minu eesmärk on pääseda temast nii kaugele kui võimalik.

„Teie ju ei eelda, et ma peaksin olema täiuslik?" küsin.

„Eelistaksin pigem, et olete aus."

Theo näol püsib ilme, mida ma ei suuda hästi lugeda, mind tabab hirmusööst ja ma tõusen pisut liiga järsult püsti.

„Kas te olete siin sellepärast, et teil on halbu uudiseid Clara kohta?" küsin turnüüri raskuse all kõikudes.

Theo raputab pead ja sirutab käe, et saaksin sellele toetada. „Ei, sugugi mitte. Palavik on juba kadunud ja arst on tema kiire paranemisega rahul."

Kergendus. Täna on olnud üks veidramaid päevi minu elus.

„Ma tormasin siia, et takistada naist, keda ma armastan, abiellumast vale mehega."

„Oh, teie päästemissioon on pisut hiljaks jäänud..."

Theo naerab. Hääl on ootamatu, ajastus ja koht sobimatud. Aga see on nakkav, hakkan ka ise itsitama. Theo sirutab käe, et minu oma haarata.

Raputan pead: „Mamma vaatab." Uurin igat akent, et näha, millise taga tema hukkamõistev nägu peitub.

„Ma olen rääkinud Andriesega. Me viime teid tagasi Pariisi."

August 1888

Selle asemel et magada, lõpetasin „Anna Karenina" ja see on äratanud kõik minu tunded. Mul on vaese Anna vastu nii suur kaastunne, et ei kritiseeri teda üldse. Arvan hoopis, et see väärtuslik raamat on mind valgustanud. Kui sügav on selles peituv tõde!

Ma arvan, et raamatu lugemine on aidanud mul paremini oma tunnetest aru saada ja võtta vastutus kõigi otsuste eest, mida ma pean langetama. Võtan aja maha ja püüan hinnata oma tundeid, et mõista, mis tekitab minus kurbust, mis kuumaverelisust ning mis teeb mind õnnelikuks. Võib-olla aitab see teadmine mul haarata kinni neist põgusatest rõõmuhetkedest, mis mööduvad nii kiiresti.

Nagu praegu, just praegu, kui ma olen liiga erutatud, et magama jääda. Naeratan nii laialt, et põsed valutavad. Millest see suur rõõm? Lõpuks ometi on mul lootust vabadusele ja õnnele.

Uinumine ei tule kõne allagi. Ma mõtlen kogu aeg sellele, kuidas Theo sõitis siia, et takistada minu abielu selle põrsaga. Kas Camille või Agostina mõistaksid mu tänulikkust? Theo tulek sundis mammat ütlema veel enne, kui asi üldse kõne alla tuli, et pärast dr Jansseni ootamatut surma oleks sobimatu enne talve uut kihlust välja kuulutada.

Mamma muretseb liiga palju selle pärast, mida teised arvavad, aga mul on hea meel, et Andries suutis kokku leppida, et ma naasen järgmisel nädalal Pariisi, ja ka selle, et uusi kosilasi ei otsita.

Kuidagi, ja mul on endalgi raske seda uskuda, olen saanud kingituseks aega, et õppida Theod paremini tundma, enne kui me oma elud teineteisele pühendame. Tema suur kirg muudab naeruväärseks minu kunagise armumise sellesse Stumpffi-nimelisse mehesse.

SÜGIS

1888

Pariis

14. oktoober 1888
Arles

Kallis Johanna

Tänu venna kinnitusele, et Te nõustute seda kirja vastu võtma, kirjutan lõpuks, et vabandada. Ma kahetsen kogu südamest. Oma kirjades räägib Theo teist sageli ja ma olen juba terve kuu tahtnud Teile kirjutada. Ma tahaksin väga kuulda, et suudate mulle minu käitumise andestada. Kui õnnelikuks teeks see Theo! Kui ta saab teada, et oleme jälle sõbrad, tõuseb tema jaoks uus päike.

Arles'is on täna hommikul ilm muutunud soojemaks. Taevas on olnud pärast minu saabumist säravsinine ja päikeseküllane. Täna puhus külm kuiv tuul ja mind katab kananahk. Siin on palju ilusat, mis inspireerib mind looma: kloostrivaremed mäe otsas, taevast puudutavad männid ja nii hõbedased oliivipuud, milliseid ma pole kunagi varem näinud. Ootan väga oma igapäevaseid jalutuskäike ja võimalust avastada uusi asju.

Kas Te teate, et minuga koos elab siin Gauguin? Muidugi on Theo sellest Teile rääkinud, mäletan, et Teile meeldis tema kunst. Vaene mees väidab, et ta on haige, ja püsib voodis. Ta on iga päev surmväsinud ja tal pole energiat isegi kõige lihtsamate asjade tegemiseks. Gauguin on rahast lage ja ootab meeleheitlikult, et Theol õnnestuks mõni ta maalidest maha müüa. Haigus ja kurnatus muudavad vajaduse elamiseks raha teenida veel suuremaks. Ta on otsustanud oma maalide hinda veelgi alla lasta ja see võiks Teile huvi pakkuda, kui tema stiil peaks Teile ikka veel meeldima.

Mis puudutab kunsti, siis minu suureks ja meeldivaks üllatuseks saan siin kõik vajalikud tarbed enam-vähem Pariisi hindadega. Olen viimasel ajal hakanud kasutama perspektiivijoonestikku. Te muidugi teate, et see oli saksa ja itaalia meistrite töövõte, aga kaasaegsed kunstnikud kasutavad seda erinevalt. On ainult aja küsimus, millal suurem osa kunstnikke perspektiivi oma loomingus kasutusele võtab. Aga võib-olla on asi pigem selles, et pean seda kasutama ümberpööratuna, sest maalin õlivärvidega. Uued perspektiivijoonestikku puudutavad uuringud on minu jaoks põnevad. Juhendaksin Teid selles küsimuses hea meelega, kui see peaks Teile huvi pakkuma.

Siin, Arles'is näen nii palju täiesti uusi asju. Õpin nii mõndagi enda ja teiste kohta ja olen endisega võrreldes märksa lahkem ning ka mind koheldakse ootamatu lahkusega. Tunnen end tervema ja tugevamana, kui kunagi Pariisis. Kainus sobib mulle. Oma uues arusaamises muretsen praeguse Pariisi kunstnike põlvkonna ja nende räsitud kehade pärast.

Kui saaksin neid rohkem Pariisist siia Kollasesse majja kutsuda, võiksin võib-olla inspireerida tervemat ja õnneliku-

mat põlvkonda kunstnikke. Mõnel päeval unistan isegi väikese majutuskoha avamisest, kuhu kurnatud ja jalge alla tambitud kunstnikud võiksid põgeneda end toibutama. Maakoht, kus võiksid puhata minu hooletusse jäetud sõbrad.

Teistel päevadel olen enda peale maruvihane, sest arvasin, et ei ole sobilik olla teistest kunstnikest vähem haige või vähem joobes. Siin saab mu keha hingata ja elada, kannatades vaid kahetsuse all, mis mind nii sageli vaevab. See, kuidas ma Teiega käitusin, on andestamatu ja ometigi loodan Teie kaastundlikkusele.

Ma ei kirjuta pikemalt, sest pole kindel, kas minu kiri on teretulnud. Võib-olla võiksite vastata Theo kaudu.

Tout à toi,
Vincent

KOLLANE MAJA

Istun Theo kõrval diivanil, meie õlad puutuvad kokku ja see erutab mind. Paari viimase kuu jooksul on Theole meeldinud minuga mängida. Ta on äratanud minus iha, soovi maitsta seni veel mittekogetud naudinguid, ja tundub, et ta tunneb rõõmu piinast, mida see põhjustab. Õhk on tiine meie esimese suudluse ja intiimsete puudutuste ootusest. Tulin Amsterdamist tagasi kahe kuu eest ja Theo vaoshoitus on olnud tähelepanuväärne. Ta naerab minu pettumusohete peale ja sosistab oma soovidest nii vaikselt, et ma pole kindel, kas kuulen iga võrgutavalt kohatut sõna ikka õigesti. Ma igatsen meie pulmaööd.

„Ja nüüd, kus ta on sinult andeks palunud?" küsib Theo.

Nihutan ennast, meie õlad ei puutu enam kokku. „Minu suhtumine Vincenti ei ole muutnud."

„Aga ta vabandas." Kuulen tema sõnades vihjet sellele, et nüüd on millegipärast minu süü, et ma Vincenti pilli järgi ei tantsi.

„Ma olen koolis õpetanud väikesi lapsi vabandama. Et nad võivad teha midagi tõeliselt ebaviisakat ja vastuvõetamatut, aga lihtne *vabandus* kustutab kõik."

„Minu vend on siiras," ütleb Theo, käed kokkusurutult süles, „ta on kaine ja tahab sind tundma õppida."

„Võib-olla, aga kirja teel vabandamine... Kuidas see peaks meie suhteid parandama? Kas ta arvab, et „vabandan" on maagiline sõna, mis pühib kogu tekitatud valu ja hirmu minema?"

„Sa poleks tohtinud teda nii..."

„Ei," tõstan käe, et ta vaikiks, „ära pane sellepärast, et ta vabandas, mind tema tegude eest vastutama. Tõeline *vabandus* peaks minema sellest kirjast kaugemale." Ma panen oma käed Theo kätele ja meie sõrmed põimuvad. „Isegi pärast kõike seda, mida ta mulle tegi, jooksin ma tema juurde, lootes säästa teda väljasaatmisest ja teda kaitsta, et teda minu pärast ei karistataks."

„Ja ta naeris su välja."

Noogutan. „Võib-olla suudame omavahelise usalduse taastada, aga see võtab aega. Ja ta ei ole hetkel minu jaoks kõige olulisem."

Theo ohkab. „Mida ma peaksin talle ütlema?" Kuulen tema hääles ärritust, aga ma ei tagane ega saa muuta seda, kes ma olen. Selles on minu tugevus: mind ei hirmuta, et ma ei nõustu mehega, keda ma armastan.

„Täna teda vabandamise eest ja ütle, et ma kirjutan talle, kui see peaks mulle kunagi sobiv tunduma."

Theo kortsutab kulmu. See ei ole vastus, mida ta minult ootab. „Mõnes mõttes on mul hea meel, et ma pole pidanud sulle oma venna olemust selgitama. Tema teod räägivad selgemat keelt, kui see oleks kunagi sõnadega võimalik."

Ma panen oma pea Theo õlale, tõstan meie käed oma huultele ja suudlen õrnalt. Pärast seda, kui Vincent lahkus Pariisist, valitseb selles salongis ja minu elus rahu. Vincenti uusimad Kollasest majast saadetud visandid ja maalid lebavad tumbal. Need on täiuslikud pildid väikesest kahekorruselisest nelja toaga võikollasest majast, millel on imelised rohelised luugid. Seestpoolt on seinad lubjatud ja tubadel on punastest tellistest põrandad. Vincent ei pruugi mulle meeldida mehena, aga tema oskus reaalsust tabada võtab mul sageli hinge kinni. Oma tänases kirjas Theole mainis Vincent, et vabandas minu ees, ja saatis visandeid roosast restoranist, kus ta saab kõik oma eined. Ta kirjutas, et seda peab lesknaine Venissac, ja ma elan lootuses, et Vincent leiab kellegi, kes toob välja tema parimad küljed.

Tundub, et Vincenti elu on idülliline ja koht on täiuslik kunstnike koloonia rajamiseks. Ta kirjutas Theole oma uusimast kavatsusest panna Kollases majas välja sõprade maale, mis meelitaks kohale kunstiostjaid ja toetajaid, kunstnikud aga tahaksid hiljem jääda ja maalida juba väljakujunenud publikule. Nii kujutab ta ette oma kunstnike koloonia kasvu ja arengut, see haakub tema sooviga panna alus uuele, tervemale kunstnike põlvkonnale, kellest ta mulle kirjutas. Kas ma julgen loota, et see uus Vincent jääb püsima? Tema enda, Theo ja minu pärast. Kas see, kui ma kaotan valvsuse, toob kaose mu ellu tagasi?

„Me oleme juba praegu koos tugevamad kui eraldi," ütleb Theo, katkestades mu mõtisklused ja andes mu otsaesisele musi.

„Me lubasime leppida teineteise vigade, arvamuste ja puudustega," ütlen.

Theo naerab: „Ma vajan sinu tarkust ja ausust. Eriti elu suuremate õppetundide puhul," ta hingab sügavalt sisse, „on sinu reaktsioon Vincenti vabandusele mõistetav."

„Ma tahan, et ma teda tunneksin ja mõistaksin, mitte lihtsalt ei taluks. Ta jääb alati osaks meie elust."

„Need vestlused on rasked, aga vajalikud," ütleb Theo.

„Ja kuna ta on sinu vend, siis olen kindel, et tal oleks hea meel, kui sa teataksid talle meie kihlusest näost näkku, mitte kirja teel." Nihutan end diivanil ja keeran pisut, et Theole otsa vaadata. „Nüüd, kus mamma on otsustanud, et kalli doktori surmast on möödunud piisavalt aega, ei luba ta enam kihluse väljakuulutamist kuigi kaua edasi lükata."

„Ma olen üsna hea saak," ütleb Theo. Ta naeratab ja suudleb mind põsele.

Theo on muutunud minu juuresolekul söakamaks. Ta tunneb end kindlalt ja teab, et see, mida me jagame, on vastastikune. Ta silitab sõrmega mu rannet ja ma sulgen silmad. Veel üks pikk suudlus põsele, aga tema huuled on minu omadest liiga kaugel. Tema hapukas hingeõhk on meeldiv. Minu kleidi varrukad tunduvad korraga liiga kitsad, kõrge kaelus pitsitab mind. Tahan need endalt rebida ja lasta Theol siinsamas Andriese diivanil oma keha uurida. Ma loomulikult ei tee seda. Theo enesekindlus räägib kogemusest, aga ma ei taha teada, kust ta selle saanud on. Mina olen meie pulmaööl neitsi, Theo on esimene mees, kes saab mu täielikult. Mu kael ja nägu lõõmavad, kui mõtlen sellele, mis mind ees ootab.

Ma tänan iga päev taevaseid vägesid selle uue võimaluse eest oma elus. Me käime Theoga kõikjal avalikult koos, aga meie kihlus kuulutatakse välja alles jaanuaris. Ma tahan, et Theo räägiks sellest Vincentile ise, enne kui kuulujutud kellegi teise kaudu tema kõrvu jõuavad.

„Sara saab varsti meie kihlusest teada," ütlen. Me oleme siiani suutnud vältida igasugust kontakti preili Voortiga; ta käis reisimas, aga naasis mõned päevad tagasi Pariisi.

„Ta on hollandlanna," ütleb Theo. Rohkem pole vajagi selgitada. Kui mamma on kord juba oma otsuse teinud, levivad uudised välgukiirusel üle Hollandi.

„Sara saab kiiresti teada Vincenti aadressi. Ma olen kindel, et ta räägib Vincentile ise. Ta vihkas mind kirglikult juba siis, kui meie vahel alles hakkas midagi tekkima. Ma usun, et minu eest on juba pearaha välja pandud."

„Gauguinil on raske," ütleb Theo ja teema järsk muutus annab millegipärast tema sõnadele eriti suure kaalu.

„Kas asi on tema haiguses?"

„Ta ei ole haige. Vincentiga on lihtsalt raske koos elada." Ta teeb pausi. „Gauguin kirjutas, et ei ole kindel, kas ta enam kuudki vastu peab." Theo vasak jalg võbiseb, saates väikseid värinaid läbi tema ja minu keha.

„Ta on olnud seal ainult kuus nädalat," ütlen.

Loomulikult pole Vincentil aimugi, et Theo veenis Gauguini kuus nädalat tagasi tema juurde elama kolima. Tundus, et

Gauguin on Vincentile ideaalne partner, ja nüüd toetab Theo rahaliselt neid mõlemat.

„Ta juba kirjutab mulle, kui võimatu Vincent on."

Panen oma käe Theo vasakule põlvele, et peatada selle võdisemine. On tekkimas kindel muster: Vincent või Gauguin kirjutab üksikasjalikult nende viimasest probleemist – pole värve, pole midagi süüa, nad on haiged – ja Theo saadab viivitamatult raha. Mõtlen paratamatult, kas Theo annab raha selleks, et Vincent Arles'is püsiks.

„Mulle avaldab siiani suurt muljet Gauguini oskus mälu järgi maalida," ütlen.

Theo keha mu kõrval jäigastub.

„Mis on?" küsin, kuid ta raputab pead.

„Vincent kirjutas, et kuna Gauguin on lähedal, maalib ta ise mälu järgi ainult halbadel päevadel."

„Tal on raske üksi olla," ütlen kurvalt ja Theo noogutab. Mind tabab juba tuttav süütunne: vennad on minu pärast lahus. „Kas sa tahad tema juurde minna? Saaksid rääkida talle meie kihlusest, ja..." peatun poolelt sõnalt.

„Enne sinuga kohtumist pühendusin täielikult oma vennale." Müksan ta õlga, et ta jätkaks.

„See on viimastel aastatel minult palju nõudnud, aga asjad on muutunud... Minu koht on siin, sinu juures." Theo paneb oma õla minu oma vastu ja ma naeratan.

„Miks ta kirjutab oma maalidele alla lihtsalt Vincent? Mitte kunagi Vincent van Gogh?"

„Vincenti sõnul on põhjuseks see, et ükski prantslane ei suuda meie nime hääldada."

„Aga?"

„Ta tunneb, et tal puudub side meie vanematega, ja nüüd vist isegi minuga." Theo ei peida minu eest oma kurbust. Ma tahan, et teaksin, kuidas reageerida, ma tahan, et Vincent mulle rohkem meeldiks.

„Ma olen sinu venda tundnud ainult tema turbulentsel ajal. Mul on raske ette kujutada, milline ta on siis, kui ta on rahus."

„Mul hakkab see ka endal ununema. Aga loe, mida minu vend on maalinud." Ta kummardub, võtab tumbal olevast ümbrikust kirja ja ulatab mulle. Loen kiiresti. Theo nõjatub diivani seljatoele ja näitab kätte lõigu, mida lugeda. „Pärast eelmist kirja on ta teinud kaks maali langenud lehtedest ja ühe veiniistandusest. Arles inspireerib teda."

„Ta tundub viimasel ajal eelistavat puhast Preisi sinist," ütlen, „ja kas ta joonistab bordelli?" Osutan reale kirja lõpuosas. „Erksad kontrastsed värvilaigud, paksult peale kantud värv ja veidrad perspektiivid. Ta stiil on muutumas."

Theo noogutab: „Jah, aga loe siit." Ta näitab kirja viimastele ridadele. Loen. Vincent kardab, et Gauguin on pettunud Arles'is, Kollases majas ja temas. Positiivsus, mis avaldus minule saadetud vabanduskirjas, on kadunud. Vincent kardab, et tema koloonia ainus kunstnik võib lahkuda.

„Minu vend on läbinägelik."

„Mida sa mõtled teha?"

„Ta ei tule Pariisi tagasi," Theo ei ütle välja, et kavatseb Vincenti minust eemal hoida. „Ma kirjutan uuesti Gauguinile ja küsin, mis tal vaja on, et Vincenti juurde jääda."

Oktoober 1888

Ma olen rahutu. See ei tähenda, et oleksin õnnetu või tunneksin millestki puudust, pigem olen lihtsalt ärevil. Ootan oma uue elu algust, aga ei tea üldse, milliseks see kujuneb.

Theo on rääkinud vabadusest, mille meie abielu mulle kingib – meid ees ootavatest seiklustest, reisidest, mis sobivad tema tööülesannetega, ja sellest, kuidas ta aitab mul saavutada kunstimaailmas seisundi, mis sobib minu oskustega kõige paremini. Ta toetab Vincenti. Ta toetab ka minu armastust kunsti vastu, mis iganes vormis see ka ei oleks. Ma olen püsinud õlimaali juures, aga kõik minu katsed on küündimatud ja ma ilmselgelt ei oska õlivärve käsitseda.

Theo oli äsja väga põnevil, kui rääkis, et Camille lubas mulle näidata, kuidas savist voolida.

Aga mida rohkem ma kuulen vaestest kunstnikest ja nende lakkamatust piinast elu kujutamisel, seda enam muutub mu vaade kunstile: iga teos räägib oma autori lühikestest rõõmuhetkedest selle loomisel, enne kui ta langeb tagasi igavesse piina.

Võib-olla hakkan ma lõpuks tunnistama, et mul puudub kunstianne? Olgu siis asi iseloomus või võimetes.

Aga kõigele vaatamata on minu suureks sooviks leida kunstimaailmas oma koht. Rääkisin Theole, kuidas mulle meeldib vaadelda kunsti ja kunstnikke: kuidas ma jumaldan kunsti kommenteerimist ja hinnangute andmist.

„Võib-olla sobiks sulle tegelda kunstiga kauplemisega," pakkus ta.

VANGIDE JALUTUSKÄIK

„Paljud skulptorid kasutavad skulptuuri tegemisel modellide järgi tehtud jooniseid. Vaata." Camille ulatab mulle paberi, millele on visandatud alasti mees. Keeran paberi ümber, nii et pealepoole jääb tagumine külg. Tunnen ebamugavust nii oma kohmetuse kui ka tahtmise pärast seda Camille'i eest varjata. Paberit ja nüüd ka minu sõrmi katab õhuke valge tolmu kiht.

„Rodinile meeldib vaadelda oma modelle paljude erinevate nurkade alt ja isegi visandada neid erinevatelt kõrgustelt."

Seisame kahe puidust skulptuurialuse ees, mõlema peal on kaltsuga kaetud märg savikamakas, tööriistad ja klaasanum häguse vedelikuga. Camille näeb oma maani ulatuvas liiga suures kunstnikukitlis hea välja, tema lahtised lokid on juuksenõelaga kinnitatud. Ja mina veel arvasin, et olen julge, kui kannan kahvaturoosat teekleiti, mille korsett ja turnüür on vaevumärgatavad ning annavad vabaduse liigutada ja midagi luua. Erinevalt minust on Camille valmis alustama.

„Kas te olete ikka kindel, et aeg on teie jaoks sobiv?" küsin, sest olen veendunud, et ei ole. Tänasest õppetunnist teatas Rodin Theole ja tema omakorda minule. Ja siin ma nüüd olen. Camille'i emotsioonideta hääl, külm käitumine ja minu pilgu vältimine näitavad, et miski minus häirib teda, aga ma ei saa aru, mis või kuidas.

Ta tõmbab kaltsu ühelt savikamakalt ja viskab põrandale. Teen sama.

„Kuju poosi tabamiseks tuleb alustada vormi mõtestamisest. Ärge arvake, et see sarnaneb kuidagigi valmistööle, algfaasis on tegemist pigem algeliste vormidega." Ta näitab kiiresti ette, vormides savikamatest kera, kaks silindrit, kaks kolmnurka ja ristkülikukujulise plaadi. „See on keha." Camille võtab kätte ristküliku. „Kas panen ka jäsemed külge?"

Noogutan, visandades kiiruga vorme oma vihikusse. Püüan meeleheitlikult meelde jätta kõik, mida ta räägib.

„Jagage kuju väiksemateks osadeks," viitab ta vormidele, „algajal on nii kõige lihtsam alustada."

Mul on palju küsimusi, aga millegipärast ei söanda ma neid esitada. Camille tegeleb küll juhendamisega, aga selles puudub igasugune innukus ja tema käitumine on täiesti erinev sellest, mida ma mäletan meie eelmistelt kohtumistelt. Minu siinolek ei paku talle vähimatki rõõmu – tunnen, et tema meeldib mulle rohkem, kui mina temale.

„Kui te panete lihtsalt kaks erinevat tükki kokku, siis nad ei jää kinni, eriti kui savi kuivab." Ta näitab seda ristküliku ja kolmnurgaga. „Seega on vaja sideainet. Seda siin." Camille torkab sõrmed klaasanumasse, siis sirutab käe minu poole ja tilgutab vedelikku mu ninale. Seisan liikumatult. „Ristimine savi ja veega." Tema sõnades ega tegudes pole huumoriraasugi, pigem on see melanhoolne tervitus tema maailma.

„Aga mille jaoks te seda kasutate?" Näitan häguse vedelikuga täidetud anumale.

„Vedel savi on sideaine. See toimib nagu liim." Ta haigutab. On see väsimus või tüdimus?

Kritseldan oma vihikusse sõnu, lausekatkeid, joonistan väikesi skeeme, et mitte midagi unustada, minu ninaotsast pudeneb paberile tilk savivett.

„Kui te tahate erinevaid detaile omavahel ühendada, siis tehke neile kõigile väikesed märgid, nagu need siin." Ta tõstab silindri ja lõikab selle põhjale väikseid täpikesi ja sooni. „Pange sõrmega savivett peale ja *voila*." Ta mätsib silindri ristküliku külge ja ma näen, et need jäävad kokku.

„Mis tunde see tekitab?" küsin.

Ta vaatab mulle korraks otsa, siis suunab pilgu uuesti savile ja raputab pead: „Mulle tundub mõnikord, et savi on kõige õnnelikum, kui ta uuesti känkraks saab. Et ainult siis tunneb see end jälle tervikuna."

Kirjutan tema öeldu sõna-sõnalt üles.

„Siis te panete kõik kokku, viimistlete ja keskendute kõigepealt ühenduskohtadele ja seejärel väikestele detailidele nagu kontuurid ja tekstuurid. Silute ära keha pehmed osad."

Rääkides ühendab ja modelleerib Camille savitükke kergusega, mis jätab mulje, nagu oleks see skulptuur alati olemas olnud ja tema lihtsalt paneb selle jälle kokku. Ta osutab puidust voolimisvahenditele ja ma visandan neid, aga ei julge nimesid küsida. „Nendega saab teha peenemaid detaile." Ta räägib kiiresti, modelleerib kiirustades ja võpatab iga kauge heli peale, heites kiire pilgu ateljee suletud uksele.

„Enne põletamist tuleb kuju seest õõnsaks teha."

Raputan pead. Kõik toimub liiga kiiresti. Kogu protsess on mulle arusaamatu – mis mõte on kuju täiustada, et see siis hävitada?

„Proovige nüüd ise."

Ma vaatan savihunnikut, siis oma visandivihikut ja siis uuesti märga savi. Meeleheitlikus katses pidada sammu Camille'i kiirustades läbi viidud juhendamisega on vihikulehed täidetud märkuste ja jooniste sigrimigriga. Vaatan Camille'ile otsa ja ta põrnitseb, isegi lahkab mind, nagu juureldes, kas ma suudan saada hakkama murega, mis teda vaevab.

„Camille, rääkige mulle, mis on lahti."

„Pole midagi." Tema silmad peidavad tuhandet saladust. Ma tahaksin, et ta usaldaks mind.

Savi lõhn ühendab meid: see on maalähedane, värske, küllusIik. Savi lõhnab nagu vihm, kuigi ma pole kunagi varem mõelnud, kuidas võiks vihm lõhnata. Surun oma käe märga savisse. See on raske, mu sõrmed nagu upuksid. Tõmban käe kiiresti ära, raskuse asendumine kergusega tundub ebameeldiv. Vaatan Camille'i sõrmi. Savi kleepub. Camille'i kätel on savi, nagu oleks see osa temast. Pühin sõrmed oma teekleidi vastu, aga Camille lükkab mu käe siidilt.

„Tulge, otsime teile kitli."

Camille läheb ees ja ma püüan selles hiiglaslikus banketisaalis tema kannul püsida. Möödun erineva suuruse, kuju ja valmidusastmega kujudest kartes, et mu jalg jääb kinni mõnda kuju katvasse valgesse linasse ja paneb need kõik doominokividena ümber kukkuma.

„Kas teiega on täna kõik korras?" küsin.

Camille jääb seisma, keerab ringi ja vaatab mind sõnatult, siis võtab enda kõrval olevalt laualt sigareti. Ta süütab selle ja ma ootan.

„Camille?"

„Hommikune iiveldus," ütleb ta sigaretti imedes, oskamatus seda teha reedab ta. „Ja just enne teie saabumist rääkis Rodin, et üks kunstikriitik peab mind neetud kunstnikuks, *artiste maudit*."

„Mul ei ole aimugi, mida see tähendab."

Camille kehitab õlgu, keerab ringi ja läheb edasi: „Et minu töö peegeldab seda draamat, milles ma elan. Ilmselgelt on see märkus minu ja mu tuhkru suhte kohta."

„Kas teid määratletakse alati tema kaudu?" Näen Camille'i kuklast, et ta noogutab.

„Kriitik vihjas, et see on tekitanud hulluse, mis mõjutab mu loovust."

„Nagu Vincenti puhul," sosistan. Ma olen pärast Pariisi naasmist üritanud Camille'iga kohtuda, lootsin talle rääkida, mis juhtus Vincentiga Andriese korteris. Camille ei ole minu kirjadele vastanud ja nüüd korraldas Theo koos Rodiniga selle päeva. Ma ei usu, et Camille'i arvamust sealjuures küsiti.

Camille jääb seisma laua juures, millel on kaks lõpetatud skulptuuri, sigaret tema näppude vahel põleb, aga ta ei tõsta seda huultele. „Ma olen olnud savist ja voolimisest huvitatud nii kaua, kui end mäletan. Aga teie?"

„Ausalt öeldes pole ma kunagi sellele mõelnud. Kuni selle hetkeni, kui Andries teie tööst rääkis."

Camille raputab pead, minu vastus ei sobi. „Ma olin kaheksa-aastane, kui ma esimest korda oma kangelasi voolisin. Bismarcki, Napoleoni."

„Tugevaid mehi."

„Nad inspireerisid võimsaid mõtteid. Aitasid mul välja murda koorest, mida kasutasin enda kaitsmiseks ja põgenemiseks ema eest."

„Camille," ütlen, lähen tema juurde ja panen käe ta käsivarrele, aga ta lükkab selle ära.

„Mitte täna, Johanna. Palun, ei mingit lahkust. Pühendugem täna kunstile."

Noogutan, püüdes nõustuda meie vahel valitseva füüsilise ja vaimse distantsiga.

„Ma tegin selle skulptuuri kaks aastat tagasi. Selle nimi on „*Jeune Fille à la Gerbe*"."

„Noor tüdruk viljavihuga," ütlen. Tõmban sõrmega üle terrakotakuju. Istuv noor naine nõjatub vastu nisuvihku. Kauni melanhoolia kehastus.

„Pöörake tähelepanu, kuidas tüdruku prink ja voolujooneline keha nõjatub vastu tausta, mis on modelleeritud üsna jämedalt."

„Nagu poleks tema asukohal tähtsust?" Camille noogutab. Naise pea on pööratud paremale, jalad põlvedest koos. „Tema poosis on korraga nii tagasihoidlikkust kui kohmakust. Oma seksuaalsuse eitamine," ütlen, keerates kuju laual ja vaadeldes selle erakordsust erinevate nurkade alt. „Tüdruku poos on igast vaatenurgast veenev. Te olete tõetruult tabanud seda pinget, mida tema hoiak peegeldab."

Camille vaatab mulle otsa, naeratab ja noogutab. Tänab sõnatult. Ta kustutab sigareti vastu laua äärt ja viskab selle põrandale.

„Mõned arvavad, et naised pole piisavalt tugevad, et skulptuure marmorisse raiuda." Ta raputab pead, ma tahaksin, et oskaksin leida sõnu oma nördimuse väljendamiseks. „Seega olen erinevalt Rodinist sunnitud spetsialiseeruma väiksemõõdulistele skulptuuridele, millest on peamiselt huvitatud erakollektsionäärid. Mul on sellest tüdrukust mitu erinevat versiooni." Ta silitab tüdruku nägu, jättes sellele väikesed savitükikesed. „Varsti tuleb pronksi valatud sari."

„See on vapustav." Camille naeratab uuesti, aga naeratuses puudub tema tavaline rõõm ja õnnelikkus. Ta pole täna pooltki seda, mis tavaliselt. Tahaksin, et ta usaldaks mind ja räägiks, mis lahti on.

„Vaadake nüüd seda „Galateaks" nimetatud skulptuuri, mille Rodin möödunud nädalal valmis sai." Teen vaikides ringi ümber teise kuju, et seda iga nurga alt vaadelda. See kujutab sama tüdrukut ja samas poosis, aga on raiutud marmorisse. „Ma arvan, et mul on õigus öelda, et see kuju on *sarnane*."

„Ta kopeeris teid?" Camille noogutab. „Ja teie anne omistatakse Rodinile?"

„Ja mitte kunagi vastupidi."

„Aga te saaksite kindlasti neid kujusid kõrvuti näidata?" osutan käega kaksikskulptuuridele.

„Ma jään alati tema õpilaseks või hooraks. Ma eksisteerin tema varjus." Camille võtab laualt sinna visatud kaltsu ja nühib jõuliselt oma sõrmi. Savi on maha tulnud, aga ta jätkab pühkimist, vaadates ainiti „Galatead". „Mõnel päeval on mul tahtmine kõik oma tööd hävitada."

„Ei, Camille," ütlen tema juurde minnes. Sirutan käed välja, aga ta põrkab tagasi, nagu mu puudutus põletaks.

„Ma muutun, saan kellekski, olen olukorrast üle, pean vastu. Aga tema lihtsalt varastab minu ideed."

November 1888

Enne Pariisi oli mul raamatut lugedes alati piisavalt aega, et süveneda kõigesse, mille kallal autor oli töötanud, mille üle mõelnud, mis oli teda piinanud. Lugemine oli privileeg. Aga minu ja autori vahele jäi alati distants. Pilguheit Shelley hinge sügavaimatesse soppidesse või Byroni armastava südame keerdkäikudesse, pikad jalutuskäigud Wordsworthiga küngastel ja looklevate ojade ääres. Ma põgenesin raamatutesse, sest minu enda elus puudusid inspiratsioon ja kogemused. Ma tahtsin olla keegi teine või kuskil mujal.

Nüüd on Pariis õpetanud mulle enda kohta nii palju ja vajadus oma mõtete eest põgeneda on kadunud. Minu armastus kirjanduse vastu on muutunud. Ma ei eksle enam teiste inimeste unistustes ja fantaasiates, vaid kasutan võimalust mõista, milline on minus tärkav uus Johanna Bonger.

Tundub, et see, mida ma ilukirjandusest laenasin ja pidasin vajalikuks, et osata olla tugev naine, on osaliselt vale. Tugevus ei tähenda üksiolemist, metsikut iseseisvust ja armastusest loobu-

mist. See ei tähenda tormakat tegutsemist ja valjuhäälset kisa, enne kui kaalud, mis oleks konkreetses olukorras või kriisis kõige parem. Olen mõistnud, et pigem on tugevuseks oskus armastada hirmule vaatamata. Tugevus elab pausides ja vaikuses. Tugevus võtab aega järelemõtlemiseks. Räägib ausameelselt ja tõtt. Saab aru vigadest. Muutub vigadest veel tugevamaks. Aitab kõrgemale tõusta ja kõigega hakkama saada.

Olen aktsepteerinud, et mul on palju vigu, need aga aitavad mul tugevamaks muutuda.

Kuidas minus küll kripeldavad kõik need vead, mida tegin eelmine kord Pariisis! Kõik need tormakad teod! Kui ma tormasin Vincenti juurde ja karjusin, ise nii kindel, et suudan teda oma venna juurde vedada. Uskudes naiivselt, et kui on võimalus valida, eelistavad kõik sündsust või et Vincent käitub vastavalt minu arusaamisele kombekusest.

Pariis murdis Vincenti, aga parandab minu. Veelgi enam, siin ma kasvan vaatamata oma puudustele ja minu soovid on muutumas. Ma ei ole ei maalikunstnik ega skulptor. Minu ambitsioon saada naiskunstnikuks on kadunud.

Mida rohkem ma olen koos Theoga, seda rohkem soovin õppida kunsti tundma ja seda müüma.

HABEMEGA VANAMEHE PORTREE

Jalutame liivasel Marsi väljakul. Hoian ühe käega kinni oma õlgkübarast, jäine tuul piitsutamas nägu ja mantel laperdamas keha ümber. Võtan Theol käe alt kinni ja nõjatun tema vastu, otsides meeleheitlikult kaitset külmade tuuleiilide eest. Vend on teisel pool minu kõrval, aga ta kõnnib meist pisut eespool.

„Clara tervis muutub iga päevaga paremaks," ütleb Theo. „Tal soovitatakse rohkem väljas olla ja istuda sanatooriumi avatud verandal."

„Ma tunnen temast palju suuremat puudust, kui võiksin kunagi mammast või papast tunda," ütlen ja jään siis seisma, et torni vaadata. „Ma ei saa ikka veel aru, mis on selle otstarve."

„See saab mõnda aega olema maailma kõrgeim ehitis. Just siin. Pariisis," ütleb Andries. Torn on ta ära teinud. Alates vundamendi rajamisest pole ta kordagi vahele jätnud oma iganädalast käiku torni juurde.

„Aga see on kasutu... ja, noh, ma arvan ikka veel, et kole." Theo puhkeb mu kõrval naerma. „Kas sina pead siis seda kunstiks, härra van Gogh? Ma kardan, et ma ei saa üldse aru, mis mõte sel on?"

„Miks peab kõigel mõte olema?" küsib Theo. Kehitan õlgu, tõmmates ta käe endale lähemale. Kahetsen, et ma kindaid kätte ei pannud. „Kaugeltki kõik pole alguses vaimustunud," ütleb Theo, „aga Eiffeli torn kasvab nii kõrgusesse kui inimeste südametesse. Vaata, nad on jõudnud juba rohkem kui poolele kõrgusele."

Vaatan üles tornile, haarates veel tugevamini oma kübarast, et tuul seda minema ei viiks. Minu sõrmed on külmast kohmetud. Pilved on paksud ja tumedad, pärastlõunaks on lubatud lumesadu. Torni neli metalljalga on jätkanud oma pürgimist taeva poole. Raskus on vajutanud nad üksteisele lähemale. Hall skelett on hakanud tõusma oma tipu poole. See on juba praegu liiga kõrge ja määratud on jätkata kasvamist, aga torn ei ole muutunud mulle põrmugi sümpaatsemaks.

„Vaadake töömehi!" hüüatan, osutades kõrgeimast punktist väljaulatuvale eendile. Tuul piitsutab musti figuure, kes istuvad, ripuvad ja kõlguvad vaid mõne sentimeetri laiusel serval. Kui nad raudkonstruktsiooni taovad, kolksuvad nende haamrid rütmis.

„Kuidas nad ometi ei karda? Vaadake, kuidas see tuules kõigub."

Andries seab oma fotoaparaadi valmis ja pildistab torni.

„Sa teed ikka veel iga nädal vaid ühe pildi?" küsib Theo. Vend noogutab, kui ta keerab fotoaparaadi peal olevast nupust ette järgmise kaadri. „Tee õige igaks juhuks selle tuule pärast veel üks pilt," ütleb Theo, kuid enne kui Andries jõuab vastata, kuuleme, et keegi hüüab tema nime. Vaatame ringi.

„Bonger," kuuleme uuesti. Hääl tuleb lähemale. „Bonger!" Pöördume hääle suunas, otsides hüüdjat kõrgele tõstetud vihmavarjude meres, millega naised püüavad kaitsta oma kübaraid tuuleiilide ja külma eest. Täna eelistavad inimesed kiiresti liikuda ega seisa kobaratena vestlemas.

„Rodin, vanapoiss," ütleb Andries, „*bonjour*."

Ta läheb ja embab Rodini. Ma ei näinud skulptorit kaks nädalat tagasi ateljees ja suudan teda hädavaevu ära tunda. Ta on suvel kohatud mehe hale vari, tundub jässakam, kuidagi vormitu. Vuntsid on kergelt pulstunud, näojooned teravamad. Ta on hooletusse jäetuse kehastus. Tahaksin küsida, mis on temaga viimase nelja kuu jooksul juhtunud, aga mul ei ole selleks julgust. Ta haarab oma ümmargused prillid nimetissõrme ja pöidla vahele ning nühib keskendunult prilliklaase. Võtan oma käe Theo käevangust ja vaatan ringi, Camille'i pole kuskil.

„*Bonjour*, Rodin, kas Camille ei olegi täna teiega?" Rodin vaatab mulle volksamisi otsa. Näen viha, aga ta ilme leebub, kui ta mu ära tunneb. Ma ei tea, kuidas peaksin käituma kunstnikuga, kes teiselt varastab.

„*Mademoiselle* Bonger," ütleb Rodin, kummardub lähemale ja annab mu kummalegi põsele kerge musi. Tema vuntsid kraabivad mu nahka.

„Tundmatu prantslane," ütleb Theo, Rodin puhkeb naerma ja nad kallistavad.

„Ma kuulsin üht juttu," ütleb Rodin. Ta vaatab minu poole ja noogutab siis Theole. Ma mõlemad naeratame, võimetud oma rõõmu varjama.

„Suurepärased uudised," ütleb Rodin ja lööb käsi kokku. „Ja kuidas teil kunstiga läheb?"

„Ei lähegi. Iga teine inimene, kellega ma siin kohtun, unistab, et temast saab kunstnik. Mina kahjuks tunnistan, et mul pole piisavalt annet. Camille'iga koos veedetud aeg näitas..."

„Sa oled iseenda kõige karmim kriitik," katkestab Theo.

Vaatan talle uudishimulikult otsa ja siis jätkan: „Mul on olnud kavatsus Camille'ile kirjutada, et tänada teda õpetamise eest ja kommenteerida veel kord tema imelist *„Jeune Fille à la Gerbe'i"*..."

Vaikus. Kõik vaatavad mulle otsa.

„Aga ma olin mures, sest ta tundus..."

„Ma ei ole selle tüdruku lapsehoidja," ütleb Rodin. Tema sõnad on teravad ja karmid. Siis keerab ta ringi ja kõnnib hüvasti jätmata minema. Skulptori õlad on längus, samm aeglane, aga on selge, et ta ei taha enam minu seltskonnas olla. Andries jookseb Rodinile järele ja paneb käe ümber tema õlgade.

„Kas sa teadsid, et ta varastab Camille'i ideid?"

„Asi ongi Camille'is," ütleb Theo. Tunnen hirmu pitsitust. Noogutan, et ta jätkaks. „Ta ei ole enam rase."

„Misasja? Mida see üldse tähendab? Ma olin tema juures. Ta ei rääkinud mulle, et ta on rase. Tal oli hommikul halb olnud ja see on kõik."

„Ma ei levita kuulujutte," ütleb Theo. „Ta oleks sulle ise rääkinud, kui oleks tahtnud, et teised seda teavad." Mul võtab hetke mõistmaks, et olen pahane. Olen vihane Theo peale, et ta on nii korrektne, ja enda peale, et ma ei saanud aru, mida Camille püüdis öelda.

„Kas Rodin jätab Rose'i ja..."

„Camille lasi mõned päevad tagasi teha abordi. Rodin ei teadnud rasedusest midagi."

„Aga..."

„Nende armusuhe on liiga intensiivne, see hävitab neid nii professionaalsel kui isiklikul tasandil. Ja..."

„Ja?"

„Camille sõltub Rodinist rahaliselt. Tal on raske toetajaid leida. Mõned peavad tema kunsti liiga julgeks ja seetõttu vajab ta Rodini ja nende koostööd."

Külm tuuleiil ähvardab mu õlgkübara minema lennutada. Võtan selle peast ja haaran tugevamini Theo käsivarrest. Ma ei taha enam Marsi väljakul olla. Keeran ringi ja Theo tuleb minuga, kui me hakkame tuldud teed tagasi minema. Kõnnime vaikides, noogutades tuttavatele.

„Kas Camille'i perekond aitab teda?" küsin, ehkki tean vastust juba ette. Camille ei suutnud mõista, miks ma oma perekonda kuradile ei saatnud, kui nad nõudsid, et ma abielluksin selle hirmsa mehega. Ta pidas mind nõrgaks. Tema loobus oma perekonnast kunsti ja oma skandaalse armastuse pärast Rodini vastu. Mina olen pidanud teda vapraks.

„Nende poolest võiks ta kasvõi tänaval kerjata."

„Ja ühiskond näeb teda läbi Rodini hiilguse prisma. Kas sina saaksid teda aidata?"

„Rodin jätkab tema rahalist toetamist, aga nende suhe on määratud hukule." Theo hõõrub oma meelekohti. „Camille ütles, et see oli tema ohver armastusele. Et see oli hetk, mil Rodin pidi otsustama tulla Rose'i juurest ära ja valida tema."

„Ja nüüd teab Camille, et Rodin ei tee seda kunagi." Theo noogutab. Võtan Theol uuesti käe alt kinni ja nõjatun tema vastu. „Ma lähen teda vaatama."

„Ta ei võta kedagi vastu," ütleb Theo.

„Ta pole ilmselt mu sõber, ega ju?"

„Ta on kunstnik, kes vajab teisi omasuguseid, et ühist lahingut pidada," ütleb Theo.

„Ja see ei ole enam minu lahing," sosistan.

Camille Claudel sarnaneb rohkem Agostina Segatorile kui minule.

November 1888

Kui ma ärkasin, mattis mind kurbus. Mõtlesin Camille'ile ja liiga paljudele äraneetud kunstnikele Pariisis, siis aga saabus ootamatult Theo. Ta tõi mulle kimbu roose ja tal olid tehtud plaanid terveks päevaks.

Veetsime kogu pärastlõuna jalutades ja naerdes, lonkides noorte kastanipuude all ja istudes looklevate radade ääres pargipinkidel. Kuna meie kihluse väljakuulutamine lähenes kiiresti, küsisin, kui realistlikud on meie ootused. Arutasime, et arvestame teineteise vajadustega. Ma rääkisin oma soovist elada tähelepanuväärset elu ja vajadusest olla sotsiaalselt aktsepteeritud, midagi, millest Vincent, Camille ja Agostina on loobunud. Theo mainis isegi oma muret selle pärast, et ta ei ole piisavalt hea, mina omakorda ütlesin, et pole kindel, kas minus on piisavalt koduarmastavat naist.

Ma küsisin, kas loomingulise geniaalsusega peab alati kaasnema kannatamine. Kas millegi suure saavutamine eeldab samuti kannatamist. Meil polnud vaja langetada otsuseid või teha järeldusi ja me ei jõudnudki nendeni, aga meie vestluse ausus ja otsekohesus täitis mind lootusega.

Hiljem jalutasime tagasi Andriese korteri juurde. Oli väga vaikne ja väga pime ning me jäime seisma Courbevoie sillal. Vaatasime valguse peegeldust vees ja meie käed puutusid kokku. See oli tõeliselt lummav; jõepeeglil särasid meile linna tuled. Vaikne igatsus ühendas meid.

Kui mult kunagi küsitaks, mis tunne on olla õnnelik, siis kirjeldaksin seda päeva ja ööd.

TALV

1888

Pariis

22. detsember 1888
Paris

THEODORUS VAN GOGHI
JA
JOHANNA GEZINA BONGERI
KIHLUMISE TEADE

Jaanuar 1889
Pariis
Amsterdam

Kallis Vincent

Ma saan aru, et oleks parem olnud Sulle uudisest isiklikult teatada, aga ma loodan, et Sinuga on kõik hästi ja et Sa jagad meie rõõmu.

Mamma juba teab ja Sina oled teine inimene meie perekonnas, kellele me oma kihlumisest teatame. Ma kihlun Johanna Bongeriga järgmisel kuul. Me tahame korraldada perekonnale 9. jaanuaril Amsterdamis vastuvõtu ja ma panen ümbrikusse kutse, et Sa võiksid selle üle mõelda.

Nii Johanna kui ka minu poolt Sulle tugev käepigistus.

Alati Sinu,
Theo

POSTIMEES ROULINI PORTREE

Seisan venna kõrval tema eeskojas. Ruumi täidab kannikeste lõhn, kuskil laulab Anaïs „Jõulukelli". Ma olen hingetu ja kahtlemata ka kahvatu ja löödud. Andries hüüdis minu nime mitu korda nii tungivalt, et tormasin viivitamatult oma magamistoast tema juurde. Theo on siin. Ta on läbimärg, vihmapiisad voolavad tema mantlilt põrandaplaatidele. Ta seisab liikumatult, vaikides ja tema silmades on anuv pilk. Ta tundub kuidagi väiksem ja on justkui eksinud. Theo hoiab värisevas käes paberilehte. Mul kisub kõht krampi.

„Kas Claraga juhtus midagi?"

Ei mingit vastust.

„Milles asi on?" küsib Andries ja astub Theo juurde, võttes tema käest paberilehe. Vaatan, kuidas ta loeb, tuleb siis minu juurde ja annab kirja mulle. Keegi ei ütle midagi. Theo silmad on ainiti minule pööratud.

Vaatan paberit. See on telegramm tänase kuupäevaga: 24. detsember.

KELLELT: PAUL GAUGUIN
KELLELE: MONSIEUR THEO VAN GOGH
TULGE KOHE.
VINCENT VIIDUD TÄNA KIIRKORRAS
HAIGLASSE.

„Kas ta on haige?" küsin.

„Kas juhtus õnnetus?" küsib Andries.

„Te teate sama palju nagu minagi." Theo niisutab oma huuli ja hõõrub kõri: „Ma lähen täna öise rongiga Arles'i."

„Kas ma toon sulle klaasi vett?" küsin, kuid ta raputab pead. „Pole aega, ma pean kohe minema. Galerii töötajad ajavad minu palvel reisi korraldamisega seotud asjad joonde ja ma pean väikese kohvri kaasa pakkima. Kas me võime oma esimese jõulupüha lõunasöögi edasi lükata?"

„Ära isegi mõtle sellele. *Sinterklaas** käis juba mitu nädalat tagasi. Mine oma venna juurde ja saada sõna, kui asjast juba rohkem tead."

„Gauguin saadaks telegrammi ainult siis, kui on midagi tõsist juhtunud," ütleb Andries. Puudutan ta kätt. „Mis on?" küsib Andries, kulmud kõrgel ja silmad suured.

Vaatan talle otsa: „See on iseenesest mõistetav, kallis vend." Pöördun uuesti Theo poole: „Kas sa tahad kihlust edasi lükata?"

„Ärme parem spekuleeri," vastab Theo. Ta tuleb minu juurde ja võtab telegrammi uuesti enda kätte. Theo suudleb

* Püha Nikolai, jõuluvana – hollandi k

mind põsele, paneb mütsi pähe ja keerab end ringi, et lahkuda.

„Kas sa tahad, et ma tuleksin kaasa?" küsin ja Theo pöördub minu poole.

Ta raputab pead ega vaata mulle otsa: „Ma arvan, et on kõige parem, kui sa siia jääd."

„Et sulle toeks olla," selgitan. Panen käed risti rinnale.

„Mul ei ole aimugi, mis mind seal ees ootab," ütleb Theo, „ja ma ei tea, millal ma tagasi tulen. See kõik oleneb... olukorrast."

„Ta pidi eile saama sinu kirja ja teate meie kihluse kohta," ütlen. Mu hääl on vaikne, vaevu sosistav. Hoolimata sellest on värin selles selgesti kuulda. Theo kuuleb. Ta noogutab.

Esimene jõulupüha, 1888
Pariis

Kallis Theo

Saadan Sulle väikse kirja, et Sind tervitada, häid jõule soovida ja öelda, et minu mõtted olid kogu Sinu reisi ajal Sinuga. Nüüd mõtlen ainult sellele, mis Sind kohale jõudes võis ees oodata. Ma kardan väga, et seisid silmitsi millegi hirmsaga, et Sinu vend ei pruugi enam meiega olla.

Palun usu, et me aitame teineteist kõigis raskustes, mida saatus meie teele paiskab. Koos oleme tugevamad. Anna mulle teada, mida Sa vajad, ja luba, et ma toetan Sind, kuidas iganes oskan.

Palun tervita minu poolt Vincenti. Ma loodan siiralt, et Sa tead, et ma ei sooviks talle kunagi haigusi või meeleheidet.

Rahu ja kõike head.

Palun kirjuta ruttu,
Sinu Jo

28. detsember 1888
Arles

Kallis Johanna

Ma loodan, et on ütlematagi selge, et olen viimastel päevadel kogu aeg Sinule mõelnud. See on heitnud valgust pimedusele, mille Arles'ist eest leidsin. Olen viimastel päevadel väga lähedalt tunnistanud oma venna võitlust elu eest ja kartnud, et ta kaotab selle lahingu.

On nii palju, millest ma tahan rääkida, nii palju, mida pean ja tahan Sinuga jagada, aga ma ei saa panna paberile seda õudust, mis mind siin ees ootas. Tunnen sügavat meeleheidet.

Mind on rabanud arusaam, kui sügavalt ma olen Vincentiga seotud. Kui teda enam ei oleks, tekiks tühjus, mida mitte keegi teine ei saa täita. Ma loodan, et see ei solva Sind, mu kõige kallim Johanna, aga sama kindel, nagu ma olen selles, et Sa ei kujuta ette oma elu ilma Andrieseta, ei suuda ma näha enda tulevikku ilma oma vennata.

Nüüd, kus Vincent on hullumeelsuse sümptomite ja kõrge palavikuga haiglas, olen mõelnud, mida ma Sinult vajan. Minu soov on, kui julgeda see välja öelda, et ka Vincent kuuluks meie tulevikku. Et Sa suudaksid temaga uuesti sõbraks saada. Minu vennal on selgeid hetki – ta kannatab ja võitleb. Ahastus temas on väga sügav. Ma ei suuda kirjeldada, kuidas ta on end sandistanud. Kui tal oleks vaid olnud kedagi, kellega rääkida, kedagi, kellele usaldada oma mustad mõtted ja meeleheide.

See, kuidas Sa mind toetad, meie vastastikune lubadus tuua teineteises välja parim, täita teineteise sügavaimad vajadused, annab mulle lootust ja usku käia valitud teel. Kui me poleks seda usku Vincentiga jaganud, kui me poleks teda oma rõõmu kaasanud, kas ta oleks siis teinud seda, mida tegi?

Ma tunnen, et olen teda alt vedanud.

Mõne päeva jooksul tehakse otsus tema üleviimise kohta, võib-olla mõnda eriasutusse. Sinu armastus on minu majakas selles lohutus tormis.

Sind armastav Theo

29. detsember 1888
Pariis

Mu kallis Theo

Sain just hetk tagasi Sinu kirja. Sinu lahkumisest peale olen palvetanud, et Vincent oleks elus – jumal tänatud, et on.

Ma olen püüdnud lugeda ridade vahelt, aga ei suuda mõista, kuidas Vincent võis end vigastada. Ma olen tänulik, et Sa oled maininud tema selgusehetki, me mõlemad Andriesega loodame, et Vincent tuleb meie juurde täielikult tagasi. Muidugi aitan teda taastumisel igati, ma tahan ja pean teid mõlemaid toetama.

Ma tahaksin, et saaksin olla Sinu juures. Et pakkuda Sulle lohutust ja ka selleks, et Vincentiga rääkida. Ma oleksin pidanud temaga paremini käituma.

Kuidas me saame kunagi päriselt teada, mida teine inimene läbi elab? Kui palju võib meie ühiskonna tumedates soppides peituda teisigi vaikima sunnitud ja piinatud hingi?

Palun kirjuta kõigest, et saaksin Sind siit kaugelt toetada. Täna otsustasin õppida majapidamist, et saaksin hakkama, kui me kord koos elame, aga isegi sellest kirjutamine mõjub liiga triviaalsena, kui mul on vaja veel nii palju õppida, et Vincentist aru saada.

Loodan, et kirjutad varsti jälle. Tervita oma venda.

Sind armastav
Jo

31. detsember 1888
Pariis

Kallis Johanna

Kirjutan kiiruga paar rida, et tänada Sind kirja ja jätkuva toetuse eest ning öelda, et oled lakkamatult minu mõtetes.

Siin on olukord endiselt hirmus.

Arutatakse ikka veel, millal ja millisesse asutusse Vincent viiakse, ja igal hommikul kardan uudist, et ta on öösel meie seast lahkunud. Mind lõhestab kaotusevalu ja kergendustunne, et ta pääseks kannatustest, aga tean, et igal juhul murraks tema kaotus minu südame. Kuigi oleks aus tunnistada, et elu, mida ma meile pakun, ei pruugi olla probleemideta, jään igavesti püüdlema meie jaoks valgust ka keset kõiki neid torme.

Hetkel hakkab kiire, sest saan varsti uuesti kokku Vincenti arstiga, aga ma ootan uut aastat – aastat, mil Sinust saab proua van Gogh.

Sind armastav
Theo

PÄEVALILLED

Pärast viimast, kaks päeva tagasi tulnud kirja pole Theolt sõnagi. Vincent on hetkel hõivanud kogu tema tähelepanu ja sõnumite puudumine võib olla tingitud sellest, et tema seisund on muutunud. Siiski on mul väga raske taluda mõtet, et võib kuluda päevi, enne kui Theo leiab hetke, et mulle kirjutada.

Jõulude ja uue aasta esimese päeva vaheline nädal möödus vaikses ärevuses. Nüüd on veel päevake kulunud ja Andries püüab ahvatleda mind tuju üleval hoidmiseks salongimänge mängima, aga ma olen iga tema ettepaneku tagasi lükanud. Mul ei ole mingit tahtmist tema ja Anaïsiga pimepeitust mängida ja ka šaraad tundub tüütu. Mul ei ole vähimatki jõudu innustust teeselda. Olen juba kaks päeva kandnud oma õlgadel kogu maailma raskust: olen proovinud lugeda, mõelnud joonistamise peale, õppinud hõbedat poleerima, ei suuda süüa ja mul on väga raske püsi leida. Aga just nüüd, kui ma tammun järjekordselt mööda salongi ringi, heidan pilgu pimedusse. Aknaluugid pole veel suletud ja näen, kuidas Victori tänava ainsast gaasilambist möödub kaks kuju.

Ma tunnen Theo silmapilkselt ära. Ta rühib läbi vihma, pea longus. Tema kõrval kõnnib veel keegi. Ma ei tea, kes see mees on.

„Kas see mees koos Theoga on Vincent?" küsin sosistades, aga Andries kuuleb.

„Kus?" Ta hüppab kirjutuslaua tagant püsti ja tormab minu kõrvale akna juurde: „Võib-olla pole asjad nii halvasti, nagu Theo kirjutas," alustab ta, aga jääb vait, kui näeb kaht kuju lähenemas. Kell on palju ja on liiga pime, et korralikult näha. Mehed rühivad kummargil edasi, mütsid pähe surutud ja külm talvevihm mööda kuubi alla voolamas.

Üks on kindlasti Theo. „Ma ei saa aru, kes see koos temaga on," ütlen, püüdes võõrast kõnnaku järgi ära tunda. „Ma ei usu, et see on Vincent, ta tundub liiga lühike."

Andries keerab ringi ja jookseb korteri eesukse juurde. Jään paigale. Näen, et mehed jäävad sissepääsu juures seisma. Nad ootavad, et uksehoidja tuleks ja ukse avaks, kumbki neist ei tõsta pilku üles salongiakna poole. Uks avaneb ja nad astuvad sisse.

„See on tõesti ootamatu ja samas nii teretulnud," kuulen eeskotta kiirustades Andriest ütlevat.

„Vabandust, et tuleme nii hilisel kellaajal," ütleb Theo, „ma arvasin, et te tahate mõlemad kuulda uudiseid mu venna kohta."

Theoga kaasas olev mees ei ole Vincent. Ta on lühikest kasvu, minustki lühem, tugeva lõua ja kitsa otsaesisega. Tema puusad on liiga kitsad ja silmad pisut liiga punnis. Vaatan, kuidas Theo mütsi peast võtab. Ta paneb selle eeskoja laua-le, põrandaplaatidele niriseb vihmavett, siis tõstab ta pilgu ja märkab mind. Theo nägu on nii paistes, et see on muutunud peaaegu vormituks. Silmad on punased: pisaratest pundunud ja Vincenti pärast kurnatud. Ma näen, et ta tunneb kergendust. Näen tema rõõmu. Ja tema valu samuti. Jooksen tema juurde ja viskun ta käte vahele. Ta embab mind nii tugevalt, et pigistab minust õhu välja. Kuulen, kuidas minu vend ja võõras mees naeravad.

„Mul on hea meel, et sa minu järele igatsesid," ütleb Theo, laseb mu lahti ja suudleb õrnalt otsaesisele. Ta naeratab, aga ta silmades on lootusetus.

„Kuidas Vincentiga on?"

„Ta on elus. Ta on teise kohta viidud... sest tema käitumises on hullumeelsuse märke." Meie pilgud kohtuvad. Väljendame vaikselt teineteisele toetust, siis pöördub Theo Andriese ja võõra poole: „Minu vabandused. Paul Gauguin, kas ma võiksin tutvustada oma pruuti Johannat ja tema venda Andries Bongerit." Theo hääl on monotoonne, rõõmutu ja tavapärasest täiesti erinev. *Talle ei meeldi Gauguin.*

„*Enchanté de vous rencontrer*,"* ütleb Andries pisut liiga entusiastlikult, „mul on tohutult hea meel." Ta sirutab käe ja surub tormiliselt Paul Gauguini oma: „Jo on teie kunsti suur austaja. Astuge edasi, ma lasen pakkuda süüa ja teed. Kaminas on tuli." Andries tõttab teenijat otsima ja Gauguin võtab mantli seljast. Ta paneb selle üle oma käsivarre, vihmavett tilgub põrandale.

„Johanna on kunstnik," ütleb Theo.

* Meeldiv teiega tutvuda – pr k

„Naiskunstnik?" Gauguin kortsutab kulmu. Minu kunstiline võimekus on korrapealt nulliks hinnatud. „Te olete minu tööde austaja?" küsib Gauguin nii kähiseva häälega, nagu oleks talle leivatükk kurku kinni jäänud. Ta kallutab pead ja vaatab mind pisut liiga kaua.

„Kunstnikud loovad kunsti ja kirjanikud kirjutavad raamatuid soole vaatamata," ütlen, kaheldes samas, kas minu julge väide on üldse loogiline. Sirutan käe välja.

„*Enchanté*," ütleb Gauguin ja puhkeb naerma. Ta eirab mu kätt ja vehib enda omaga. Ma ei tea, mis teda lõbustas, aga tema ainitine jõllitamine tekitab minus ebamugavust.

Vaatan Theole otsa ja ta raputab pead, kulmud kortsus.

„Gauguin peab naiste järele jooksmist võistluseks," ütleb Theo. Ta suudleb mind põsele ja paneb oma käe mu õlgade ümber. Mind läbib soojus, kael ja põsed hakkavad lõõmama. Tunnen endal ikka veel Gauguini pilku. Pöördun oma näokrimpsutuse varjamiseks Theo poole.

„Kuidas on ometi võimalik, et ma igatsesin sind nii palju, kuigi sa oled ära olnud ainult kaheksa päeva? Ma olen muutunud üheks nendest naistest." Theo huuled värisevad. „Mis on?"

„Kahjuks meeldib mulle, et minu naised on nooremad kui teie," ütleb Gauguin, sundides meid mõlemat ümber pöörama ja talle otsa vaatama. On selge, et ta tahab olla tähelepanu keskpunktis ja tema veider lause tabab mind ootamatult. Hammustan huulde, et mitte öelda midagi, mis võiks Theole piinlikkust valmistada.

„Kuigi tal on naine ja viis last," ütleb Theo. Ta tõmbab mu endale lähemale. „Tule, Johanna. Lähme soojendame oma konte. Meil on vaja palju asju arutada." Theo hääles puuduvad ikka veel emotsioonid. Ta paneb käe mu pihale ja juhib mind.

Kui me siseneme Andriese salongi, ohkab Gauguin liialdatud dramaatilisusega. Ta tammub ringi ja vaatab võõrastetoa luksuslikku sisustust.

„Tsivilisatsiooni maitsetud sünnitised tavaliselt tüütavad mind, aga Bongeril on õnnestunud..." Gauguini otsaesine tõmbub kipra ja kulmud jooksevad ninajuurele kokku. Ta kissitab silmi ja jõllitab. „Kuidas on võimalik, et ma olen olnud siin vaevalt viis minutit ja tunnen end juba metslasena?"

Vaatan kulme kergitades Theole otsa näidates, et ma ei saa aru. Theo kehitab õlgu, ka tema on segaduses ja läheb akna juurde seisma. Gauguin ajab Theod ilmselgelt närvi ja see ainult süvendab minu armastust oma kihlatu vastu.

„Kas sa ei soovi istuda?" küsin, kuid Theo raputab pead.

„Minu vennal oli äge psühhoos." Kuulen, kuidas tema hääl väriseb: „Vincent lõikas ära tüki oma kõrvast ja saatis selle kohaliku bordelli teenijatüdrukule. Gauguin teatas politseisse ja nad viisid ta haiglasse."

„Püha müristus, oma kõrva?" küsib Andries. Ma ei pannud tähele, millal ta salongiuksele ilmus. Ta tuleb minu juurde ja ma istun diivanile.

„Mida ta tegi?" küsin lootes, et sain millestki valesti aru.

„Ta on haigusest hullunud," ütleb Gauguin Andriese kirjutuslaua juures seistes ja sellel olevaid eradokumente sõrmitsedes.

„Ta on kaotanud kontrolli oma vaimu ja tegude üle. Ta valib rikutud naisi."

„Rikutud," kordan kajana.

„Haigusest kahjustatud," ütleb Gauguin minu poole vaadates. Ta huuled on kergelt paokil, pea kallutatud paremale, ja ma vaatan, kuidas ta keele suust pisut välja torkab.

Ma ei suuda maha suruda oma ninasõõrmete võbelemist. Olen kindel, et mu nägu väändub põlglikule muigele. Vaatan küsivalt Andriese poole ja ta noogutab: ta räägib mulle kõigest hiljem. Pöördun Theo poole, ta vaatab mulle otsa. Ma ei tea, kuidas peaksin reageerima. Tunnen õudust, et keegi võib ennast nii jõhkralt vigastada, mind häirib Gauguini jõllitamine, paneb muretsema, milline uus haigus Vincenti raputab, aga eelkõige tunnen ma piiritut armastust Theo vastu. Ta on murtud ja ma pean tema valu leevendama.

„Kas ta kuulmine on alles?" küsib Andries. Keegi ei vasta. Noogutan Theole, et ta jätkaks.

„Kui ma Arles'i jõudsin, oli Vincent juba haiglas ja..."

„Tema tegu ei tulnud nagu välk selgest taevast," segab Gauguin vahele. Vaatame kõik talle otsa. „Tal oli hullumeelsuse märke juba eelnenud päevadel. Siis sai ta teate teie kihlumise kohta ja samal päeval ta..." Gauguini hääles puudub igasugune emotsioon. Tema sõnad kõlavad, nagu oleks ta neid harjutanud, nagu oleks igaüks neist hoolikalt valitud, et sobida looga, mida ta rääkida tahab.

„Aga kuidas..?" küsib Andries. Ta osutab oma kõrvale.

„Habemenoaga," ütleb Gauguin, „ta ründas sellega kõigepealt mind ja siis läks enda kallale."

„Kas ta on jäädavalt hull?" küsin, oma tähelepanu Gauguinilt eemale pöörates.

„Ükski arst ei tahtnud sellele vastata. On väga tõenäoline, et ta..." Theo jääb vait, suutmata mulle otsa vaadata. Ta on kokku vajunud, pilk ainiti märgadel kingadel. Vaatan, kuidas vihmapisar mööda ta nina alla veereb ja põrandale kukub. „Ma pean mõne päeva ootama. Kui tema olukord on stabiliseerunud, oskavad nad seda paremini hinnata."

„Kas sa nägid Vincenti, enne kui ta teise kohta viidi?" küsib Andries ja Theo noogutab. „Oli ta oli terve mõistuse juures?" Theo noogutab uuesti. Ta ei tõsta pilku ega vaata Andriesele otsa.

„Vincent oli mõnel hetkel selge. Ta küsis meie kihluse kohta..." Theo jääb vait. Siis tõstab ta pilgu minule, võimetu varjama oma huulte värisemist.

„Räägi mulle," ütlen.

„See oli südantlõhestavalt kurb." Theo surub käed enda ees tugevalt kokku, et takistada sõrmede tõmblemist. Ta püüab oma tundeid maha suruda, ennast kontrollida ja pisaraid tagasi hoida. „Ühel hetkel rääkis ta mulle kunstist ja oma viimasest maalist, järgmisel oli täis valu... Teda matab ahastus, millest ma ei saanud päris hästi aru."

Mind tabab meeletu kurbusehoog. Pisarad voolavad. Püüan need ära pühkida, enne kui teised märkavad. See ei õnnestu. Gauguin vahib mind, aga ma ei vaata tema poole.

„Mis on selle põhjuseks?" küsin, suutmata varjata hääle värisemist. „Kas meie kihlus?"

„Tema seisund oli juba mitme päeva jooksul halvenenud," ütleb Theo eitamata, et meie kihlus tegi olukorra hullemaks, mina aga tunnen imepisikest kergendust, et meie ei ole Vincenti kokkuvarisemise ainus põhjus. „Kui tal ainult oleks olnud kedagi, kellega rääkida, siis..."

„Ta on olnud üsna talumatu," katkestab Gauguin, lüües rusika vastu kirjutuslauda. Ta näeb kõvasti vaeva, et oma süütust tõestada: „Ta vajab ravi."

„Just seda ta praegu saab," ütleb Theo rahulikul toonil. Ta hammustab oma alumist huult. Ma arvan, et selle kombe on ta minult saanud. „Ma lükkan oma plaanid edasi." Ta vaatab mind ja ma noogutan uuesti, püüdes naeratada, aga teades samas, et minu langetatud pilk näitab mu kurbust. Theo püüab oma tundeid talitseda. Minu reaktsioonid on täiesti ebaadekvaatsed, ma ei suuda sõnu leida. Olen sattunud maailma, kus kunst ja hullumeelsus tunduvad tantsivat käsikäes. Ma ei ole kindel, et ma tean, kuidas selles maailmas toime tulla.

Jaanuar 1889

Kõrv!

Vincent lõikas ära oma kõrva? Kuidas ta võib välja näha? Kui kole ta võib nüüd olla? Ta tuntakse kõikjal silmapilkselt ära, ja mitte maalide järgi. Kas ta jääb igavesti kunstnikuks, kellel on vaid üks kõrv?

Oh, Vincent, mida sa oled ometi teinud?

Pärast nelja kuud rahulikku elu olen jälle tõmmatud Vincenti hullumeelsusse.

Kuidas me suudaksime teda päästa?

LAHTISTE JUUSTEGA NAISE PEA

Taevas on olnud täna terve päeva vihane, peegeldades mu meeleolu. Ilm on pime ja äikeseline. Vihm piitsutab mässumeelselt munakive. Esimest korda mitme nädala jooksul võtsin välja uue lõuendi ja katsetasin söejoonist, aga minu süda ja mõtted olid mujal ja mul oli algusest peale raskusi perspektiiviga. Theo saabus mõni minut tagasi, võib-olla ma isegi kutsusin ta enda juurde. Palusin tal istuda salongis diivanil, kuni ma sõrmed söetolmust puhtaks pühin.

Pärast tagasitulekut Vincenti juurest neli päeva tagasi on ta käinud siin väga vähe. Me pole praktiliselt vestelnudki. See on tekitanud minus ärevust ja kahtlusi. Nüüd seisan ta ees, rusikas käed puusas, ja püüan välja näha vapramana, kui olen.

„Räägi mulle," ütlen pead noogutades.

„Vincenti seisundis on toimunud muutus," ütleb ta, aga ei naerata. Kardan halvimat. „On võimalik, et ta täiesti taastub."

„Ja see teeb sulle muret?"

„Ma pean endale võtma vastutuse Vincenti..." Theo vaikib, võimetu lauset lõpetama ja oma mõtet valjult välja ütlema. Tema hääl on tundetu ja keha vajub diivanil kössi, otsekui püüaks ta patjade vahele kaduda.

Viibutan tema poole sõrmega: „Kas sina ründasid teda habemenoaga?" küsin võib-olla pisut liiga järsult. Theo vaikib, aga raputab hetke pärast pead. „Siis ma ei saa aru, miks sa ennast vastutavaks pead." Uus vaikus. „Sa näed täna rohkem välja Vincenti kui enda moodi."

„Kas see on kompliment?" küsib ta, hääles varjatud viha.

„Väga kaugel sellest," ütlen. Mu hääl on madal ja tõre. Theo suunurgad vuntside all tõmblevad. Naeran, aga see ei veena meid kumbagi, et selles toas on ruumi mingisuguselegi rõõmule.

„Sa ütlesid, et oleks olnud õigem talle külla minna ja kihlusest isiklikult teatada." Theo ei vaata mulle otsa.

„Ütlesin jah. Ja sina ei kuulanud mind. Tee endale etteheiteid selle pärast, et sa valisid uudiste teatamiseks vale viisi, mitte selle pärast, mis juhtus. Sa ei saa võtta endale vastutust Vincenti reaktsiooni eest."

Theo vaikib. Õhkkond on ebamugav. Kohmetus, mis on ähmaselt tuttav ja tulvil väljaütlemata sõnu. Theo vaatab mu lõuendit, kallutades pead paremale ja vasakule.

„Ma kirjutasin Vincentile kirja," ütlen ja Theo ei suuda oma üllatust varjata. „Mõtlesin, et äkki sa võiksid selle enne läbi lugeda." Ulatan talle kirja.

Kallis Vincent

Ma loodan, et Sa ei pahanda mu lühikese kirja pärast, aga ma mõistsin, et meie kõik – Theo, Sina ja mina – seisame silmitsi samade lahingutega, mis olid olemas ammu enne meid ja on olemas ka sada aastat hiljem. Need lahingud ei muutu, aga hetkel tundub, et mingil teadmata põhjusel oleme igaüks otsustanud neid üksi pidada.

Kas pole aga ilmne, et koos oleksime sada korda tugevamad? Kas Sa noogutad nõustuvalt? Kas ei oleks mõistlik, kui me selles võitluses üksteist omaks võtaksime, armastaksime ja toetaksime?

Sest just sellepärast pöördungi Sinu poole, kallis Vincent. Lootuses, et alates tänasest lubad Theol ja minul pidada seda lahingut enda kõrval ja Sinuga koos.

Me oleme üks perekond.

Usu mind.

Sind armastav Jo

Vaatan, kuidas Theo mu kirja loeb. „Tänan," on ainus, mida ta ütleb põselt pisarat pühkides.

„Meie kohus on teda aidata," ütlen, „ma tean, et mind varem hirmutas mõte, et Vincent kuulub meie ellu, aga ma ei arva enam nii. Ma saan nüüd aru, kui haige ta oli. Et ta vajab meie abi."

Theo noogutab. „Me toetame teineteist."

Ootan, aga siis pahvatan välja, mis mul öelda on: „Mamma küsis, kas me korraldame sel nädalavahetusel vastuvõtu. Ta arvab, et kihlus on katkestatud ja ta on paanikas." Jään vait. Vaatan oma tulevase peigmehe poole, Theo on kahvatu ja põrnitseb Andriese vaipa. „Kas sa soovid selle ära jätta?" küsin teeseldud reipusega ja vastust kartes.

Theo tõstab pilgu põrandalt. Tema huuled naeratavad ja silmanurkadesse tekivad kortsukesed. Näen tema silmis pisaraid.

„Sest kui sa tahad edasi lükata..." kõhklen hetke, „kui sa kahetsed oma otsust ja tahad tühistada..."

„Teadmine, et sa minuga abiellud, on teinud mind õnnelikumaks, kui ma oleksin kunagi võinud uskuda. Ma ei kahetse seda kunagi."

„Aga?"

„Ma ei tea, mida edasi teha," ütleb ta, „Vincent ütles mulle kunagi, et abielu ei tohiks olla elu peamine eesmärk."

„Ja sa arvad, et meie kihlusest loobumine võiks olla lahendus?"

„Ei," ta raputab pead, „muidugi mitte. Me peaksime vastuvõtul teatama oma pulmapäeva."

„Aga..."

„Aga mitte midagi, Jo. Ma armastan oma venda kogu südamest, sa tead, kuidas ma kardan tulevikku ilma Vincentita. Aga ma olen liiga kaua elanud tema tujude varjus. Elu tundub viimasel ajal liiga lühikesena. Ma kardan, et sa pead mind karmiks ja südametuks, aga tema pidev vajadus minu täieliku tähelepanu järele on kurnav."

„Aga sinu kurbus..."

„Ma olen oma venna tõttu kaotanud liiga palju õnne. Ma elan pidevas hirmus, et saan teate tema surmast. Ja mõte sellest, et võin su kaotada..." Theo vaikib. Ta pühib särgivarrukaga silmi. „Ma ei uskunud enne sinuga kohtumist, et suudan kogu südamest armastada... ma ei olnud isegi veendunud, et ma olen terviklik inimene."

Astun mõne sammu tema poole.

„Sa teed mind õnnelikumaks, kui ma olen kunagi osanud tahta," ütlen. Võtan varrukast oma pitstaskurätiku ja ulatan selle talle.

„Mida sa küll minust arvad?" ütleb Theo nina nuusates.

„Ainult seda, et ma teen kõik, mis on minu võimuses, et armastada sind kuni surmani."

„Kas sa võiksid praegu minu heaks midagi teha?" küsib Theo ja ma noogutan. „Lase oma juuksed lahti."

Ma ei kõhkle. Võtan ära juuksenõelad ja paelad, siis raputan pead ja lasen juustel õlgadele langeda. Minu pruune kiharas juukseid on alati olnud raske taltsutada. Mamma süüdistas selles kuradit. Tema sõnul olevat kurat juuksejuuri puudutades ajanud need ebaloomulikult krussi. Theo vaatab mind pilgul, mida ma pole varem näinud. Selles on midagi metsikut.

Istun tema kõrvale diivanile, kohendades seelikuid, et mugavamat asendit leida. Theo jälgib mind vaikides, märgates nagu alati minu kohmakust, aga seda mitte kommenteerides. Ta nõjatub lähemale ja sõrmitseb mu kameeprossi, mis annab naiseliku ilme mu kleidi sõjaväelaslikult rangele kraele. Tema puudutusest tundub, et krae hakkab mu kaela ümber pigistama. Liigutan end ja panen oma pea ta õlale. Vaatan talle otsa, mu silmad jälgivad ta suud.

„Johanna," sosistab ta mu nime.

Tõstan oma käe tema kuklale. Mu sõrmed mängivad tema juustega. Need on märjad ja kleepuvad. Salongis on korraga liiga palav. Theo kummardub minu pole, vaadates mulle silma. Ta huuled puudutavad mu põske ja on korraga liiga lähedal. Tema vuntsid kõditavad mu nahka.

„Palun," sosistan.

Theo huuled leiavad minu omad. Suudlus on alguses pehme ja ettevaatlik, ta ei tea, mida ma tahan. Sikutan sõrmedega juukseid tema kuklal. Tahan rohkemat. Theo oigab vastuseks. Madalalt, peaaegu hääletult. Panen silmad kinni. Mu südamelöögid vasardavad sõnumit – ma tahan, et sa tuleksid lähemale. Mu selg kaardub, kui ta surub oma keele mu huulte vahele. Oigan. See võis olla ka niutsatus. Või nurrumine. Theo tõmbub eemale. Hingan katkendlikult ja avan silmad. Tunnen tema hapukat ja kibedat hingeõhku. Üks suudlus on liiga vähe. Ma tahan rohkem. Ma vajan rohkem.

Mu kõhus lendavad liblikad ja ma itsitan.

„Mis on?" küsib Theo. Ka tema hakkab naerma. See on imeline heli. Nakkav ja tobe. Ja kahtlemata liiga vali.

„Mida sa küll minuga teed," ütleb Theo. Ta liigub lähemale, et mu kaela nuhutada. Vigisen ja vingerdan. Theo käsi pigistab mu pihta, liigub siis ülespoole ja silitab mu rindu, ainult õhuke riie kaitseb minu kombekust. Naer kustub, meie pilgud lukustuvad. Theo pupillid laienevad.

„Oih, preili!" hüüatab Anaïs, pillates teekandiku klirisedes põrandale.

Hüppame Theoga teineteisest eemale, kohendades samal ajal oma riideid. Istume tikksirgelt, seljad kanged. Kumbki meist ei pöördu, et teenija poole vaadata. Kumbki meist ei suuda oma rõõmu maha suruda.

Jaanuar 1889

Gauguin saatis enda maalitud Vincenti portree, millel Vincent on kujutatud viimaste Kollases majas koos veedetud päevade jooksul päevalilli maalimas. Gauguin tegi selle mälu järgi ja saatis Theole kihluskingitusena. Kas ma eksin, kui oletan, et ta sai selle eest siiski raha?

Meie kihlus jätkub. Oleme juba laiali saatnud sada kakskümmend teadet. Perekondlik vastuvõtt toimub homme. Paljud sõbrad ja pereliikmed on kirjutanud ja soovinud meile kõike head. Olen saanud juba palju kingitusi meie tulevase kodu jaoks: kalakujulise majoolikavaasi, kaksteist hõbeteelusikat, koleda Jaapani vaasi ja suhkrutangid.

Elu kulgeb suurelt jaolt nagu unenäos, homme saan oma sõrme sõrmuse.

KEVAD
1889

Pariis

Märts 1889

Mõelda, et alles eile ma küsisin Theolt Vincenti kõrva kohta. Ta ei teadnud suurt midagi peale selle, et koht, kus kunagi oli terve kõrv, on ikka veel kaetud valge sidemega. Meil on siiski rõõmustamiseks parem uudis – Vincent on hakanud uuesti maalima!

Täna saabus kiri lesknaine Venissacilt, kelle roosas restoranis Vincent iga päev süüa saab. Naine kirjutas Theole, et Vincenti hüüdnimeks Arles'is on saanud „fou-roux" ehk punapäine hullumeelne. Punapäine hullumeelne! Linnarahvas on Vincentist ja temaga kaasnevast draamast ja kaosest tüdinud. Juba praegu räägitakse liiga palju sellest, milline ta oli Pariisis enne Arles'i: sõbrad vältisid teda, sest pidasid liiga raskeks, modellid keeldusid poseerimast, purjus peaga tabasid teda märatsemishood, naised kartsid temaga omavahele jääda, Vincent oli liiga heitlik, et tänavatel maalida.

Mida me peaksime tegema?

VAIKELU JOONISTUSLAUA, PIIBU, SIBULATE JA PITSEERIMISVAHAGA

Avan korteri eesukse ja Theo üritab lõuendit ja kirju uksest sisse manööverdada, samal ajal käsi mantli käistest välja tirides.

„Kas uksehoidja ei pakkunud sulle abi?" küsin ja Theo raputab pead. Aitan, tõmmates mantlivarruka üle ta käe ja ulatades kuue Anaïs'le.

„Ma saan liiga palju kirju ja teateid Vincenti ja tema hullumeelsete tegude kohta. Ma isegi ei tea enam, millest alustada," ütleb Theo. Võtan ta peast kõvakübara ja panen lauale.

„Kas ta on ikka veel Kollases majas?" Theo raputab uuesti pead. „Lähme salongi ja istume. Anaïs toob meile teed." Noogutan venna teenijatüdrukule ja ta ruttab naeratades kööki.

Theo ootab, kuni me diivanile istume. Pruuni paberisse mähitud lõuend on diivani kõrval. Sellest hoovab õlivärvi lõhna, nagu oleks Vincent siin koos meiega ja tammuks mööda salongi ringi.

„Ta on uuesti haiglasse võetud. Doktor Urpar teatas täna hommikul." Theo voldib paberilehe lahti ja ulatab mulle.

„Tõend tema seisundi kohta?" Theo noogutab.

„See saadeti ka Arles'i linnapeale. Tundub, et Kollase maja naabrid pole just õnnelikud hullu üle, kes nende kõrval elab. Vincenti käitumine on olnud ettearvamatu ja kontrollimatu." Noogutan, et ta jätkaks. „Mõned inimesed väidavad, et nad kardavad oma elu pärast."

„Aga kindlasti võib ta olla ohtlik ainult iseendale?" Ma ei suuda varjata hääle värisemist. Otsin Theo näost kinnitust.

„Nad taotlesid, et ta viidaks erivarjupaika või toodaks Pariisi tagasi."

„Kas sa...?"

„Ma ei tea, mida teha. Kas ta peaks siin koos meiega elama?" küsib Theo ja ma kehitan õlgu. Tunnen hirmusähvatust. „Tal lubati kirjutada." Theo ulatab mulle kirja ja ma libistan silmad sellest üle.

„Ta peab veel mõned päevad haiglas olema ja palub, et sa ei muretseks," ütlen iseendale, sest Theo on kirja juba lugenud. „Ta muretseb Gauguini pärast?" Osutan Vincenti sõnadele.

„Gauguin ei vasta ühelegi meie kirjale."

„Ta on ennasttäis idioot, kes on huvitatud ainult rahast," ütlen. Sõnad mattuvad ohkesse. Minu kihlatu noogutab. „Aga see koht." Näitan näpuga kohale, kus Vincent kirjutab, et kui mina koos Theoga elan, muutub kõik ja Theo ei ole enam üksi. „Ma ei saa aru, kas ta peab seda heaks või halvaks."

„Ma loodan, et heaks," ütleb Theo, aga tema hääl reedab kahtlust.

„Aga kas ta võib pidada mind takistuseks? Arvata, et ei saa meie abielu tõttu tagasi tulla?" Ohkan: „Ta võib isegi arvata, et siin pole ruumi ei tema ega tema maalide jaoks."

Theo kehitab õlgu: „Kas me peaksime talle ütlema, et miski pole muutunud?"

Noogutan innukalt: „Me peaksime kandma hoolt, et Vincent teaks, et ta on teretulnud. Et kõik võib olla nagu enne..." Aga Vincentil on õigus – elu muutub ja tundub, et kõik toimub väljaspool minu kontrolli. Ulatan kirja tagasi: „Miks küll tekitavad tema sõnad minus vastupandamatut soovi teha kellelegi midagi head?"

„Viimasel ajal tekitab minu vend kurbust kõigis, kellega ta kokku puutub. Ja Clara..."

„Kas temaga on kõik korras?" Saatsin Clarale teate meie kihlumise kohta lootes, et arst selle talle ette loeb, aga pole vastust saanud.

„Clara on imeline. Arstid on tema paranemisest vaimustatud. Ta kõnnib ilmale vaatamata iga päev kaheksa kuni kümme tundi väljas."

Naeratan. „Kas on teada, millal ta saab tagasi tulla?" Theo raputab pead.

Võtan diivanilt külalisteraamatu *Le Livre d'Or* oma eksemplari. Theo tõi selle täna hommikul. Avan selle ja naeratan, sest ta on kirjutanud raamatusse: veebruar, 1889. Selles on küsimused ja vastused elu ja armastuse kohta, olulised mõtted ja mõtisklused meie teel abielusadamasse.

„Tänan sind." Theol on suu kõrvuni. Ma avan ühe lehekülgedest, mille ülemise nurga olen ära voltinud. „Siin küsitakse: mida te arvate abielust?"

Theo kergitab vastust oodates kulme.

„Krahvinna Diane ütleb, et kui te otsite koos õnne, siis abielus leiate selle. See meeldib mulle väga."

Theo noogutab. „Võib-olla meeldib sulle ka see." Ta võtab püsti tõustes paki ja läheb sellega Andriese laua juurde. Tõttan tema kannul. „Vincent on saatnud meile kihluskingi." Lükkan venna paberid korratusse hunnikusse kokku, Theo võtab lõuendi ümbert paberi.

„Vaikelu. Vincenti esimene maal pärast enese sandistamist." Ta paneb lõuendi lauale ja me mõlemad astume sammukese tagasi, et maali paremini näha.

„Neli sibulat, meditsiiniline eneseabiraamat, küünal," loetleb Theo maalil kujutatud esemeid neile osutades, „tema piip ja tubakas, teekann, suur absindipudel."

„Tühjaks joodud," ütlen ja Theo naerab.

„Värvid on vaoshoitumad kui Vincenti teistel maalidel. Mitte nii teravad," ütleb Theo.

Seisame vaikides, imetledes lõuendit ja Vincenti annet. „Siin on kujutatud esemed, mis pakuvad sinu vennale tuge," ütlen.

„Ta klammerdub selles esimeses töös pärast vaimset kokkuvarisemist kõige külge, mis viitab normaalsusele. Ta vaigistab oma sisemist..."

„Mis see on?" Näitan maali paremale alumisele nurgale.

„Kiri."

„Ümbrik? Miks?" Astun lähemale. Kummardun, et lähemalt uurida. See on Vincenti esimene ja ainus maal mitme kuu jooksul. Igal kujutatud üksikasjal on tähendus. Pintslitöö on keevaline, paksult peale kantud värvid on segamini lõuendi palja pinnaga.

„Minu vend paljastab igas maalis oma hinge," ütleb Theo ja vaikib: „Ma arvan, et see on tema vabandus meie ees. Meie kihluse rikkumise eest."

Ma ei kuula teda õieti. Olen täielikult keskendunud ümbrikule. „Vaata postkontori numbrit. See on 67."

„See on postkontor, mida mina kasutan." Theo kummardub lähemale ja uurib ümbrikku.

„Mark näitab, et kiri on saadetud jõulude paiku," ütlen, „ja me teame, et Vincent lõikas oma kõrva samal päeval, kui ta sai kirja meie kihlumisteatega... ja see on tema esimene maal pärast vaimset kokkuvarisemist."

„Mida sa tahad öelda, Jo?" Theo ajab end sirgu. Ta on korraga jäik nagu sammas, ta teab täpselt, mida ma tahan öelda.

„Et võib-olla tahab sinu vend vabandamise asemel meile hoopis midagi öelda." Kummardun ikka veel maali kohale. Vincent van Goghi lõhn tungib mulle ninna ja kogu olemusse. „Ma arvan, et need keevalised pintslitõmbed räägivad Vincenti jätkuvast vaimsest allakäigust."

„Ja on veel üks asi," ütleb Theo, „Vincent veel ei tea seda, aga kakskümmend naabrit nõuavad, et ta lahkuks Arles'ist." Theo paneb kirjutuslauale paberilehe. Dokumendi pealkirjaks on „*La Pétition*".

Märts 1889

Theo on olnud ametis Monet' näituse ettevalmistamisega. Tema ülesandeks on korraldada müüki ja kuna Monet' maale hetkel Pariisis keegi teine ei müü, siis loodab ta edule. Ma räägin sellest kui Monet' näitusest, aga välja on pandud ka mõned Degas' pastellid ja Rodini marmorskulptuur „Ristija Johannese pea taldrikul".
Theo ütles, et kui ta esimest korda Rodini skulptuuri nägi, oli ta veendunud, et talle vaatab vastu Vincenti nägu.

Täna käisin lumetormi trotsides näitust vaatamas. Galeriist on kõik teised maalid ära viidud ja Theo kujundatud väljapanek seega tähelepanu keskmes. Theo oli mind nähes väga rõõmus: halva ilma tõttu oli osavõtt oodatust väiksem ning kohale tulid vaid mõned ajakirjanikud ja Theo tuttavad.

Veetsin suurema osa õhtust üksi ringi uidates, kuulates jutukatkeid ja surudes vapralt kätt mõnel inimesel, kellele Theol oli võimalik mind esitleda.

Aga siis nägin ma Rodini pead, mis mind hingepõhjani vapustas. Selles näos oli nii palju kannatust, kortsus kulmudes nii palju ahastust ja enesesalgamist. Ma vaatasin ainiti ja nägin skulptuuris oma kallist Theod. Täpne koopia mehest, keda ma armastan, suu kergelt avatud, täpselt samasuguse kujuga nina ja isegi sama peakuju.

Theo sõnul vastandus Rodini skulptuur Monet' maalidele ja täiendas neid, sest Monet' elu ja valgust pühitsevate rikkalike värvide ja elegantsete pintslitõmmetega maalitud tööde kõrval, mis kujutasid sädelevaid puulehti, tuule kohinat ja vee sillerdust, tuletas Rodini skulptuur talle meelde surma. Ma seisin skulptuuri ees, pisarad voolamas mööda põski. Mõtlesin Theo kannatustele, tema surmale, oma leinale. Alles pool elu elatud, abielugi veel sõlmimata, aga juba ma kardan oma abikaasa surma pärast.

Monet' „Antibes, Vue de Salis" müüdi härra Taconet'le kolme tuhande frangi eest.

Theo pidi mängima kassapidajat, sest tema raamatupidaja oli haige, hommikul aga avaldatakse Figaros artikkel minu kihlatu eduka näituse kohta.

Homme tormavad inimesed galeriisse, Monet on saanud üleöö kuulsaks, nagu oleks ta alles äsja kuskilt välja ilmunud.

AUTOPORTREE SIDEMES KÕRVAGA

Me saime kokku tema töö juures ja oleme juba ligi tund aega jalutanud Montmartre'i väikestel bulvaritel. Oleme peamiselt rääkinud mamma plaanidest, oma reisist Hollandisse järgmisel kuul pulmade pidamiseks ja suvel korraldatavatest tantsuõhtutest. Jalutame aeglases tempos, see sobib meile mõlemale. Võtan Theo käe alt kinni ja me naerame. Ta on täna minu arvates pisut hajameelne, võib-olla ka närviline.

Jääme seisma Houdoni tänaval. „Siruta käsi välja ja pane silmad kinni," ütleb Theo. Tundub, et mul oli õigus – miski vaevab teda.

„Kas siin? Otse keset tänavat?"

„*Hé, la-bas!*" kuulen voorimehe hoiatavat hüüdu.

Keerame mõlemad ringi ja näeme enda poole kihutavat vooritõlda. Theo hüppab ja tõmbab mind kättpidi viimasel hetkel hobuse kapjade eest ära. Mu vihmavari kukub maha ja ma vangun seinale lähemale.

Meist paremal lükatakse uks lahti. Pikakasvuline, korratu välimusega, ainult alusriiete väel naine astub paljajalu kitsale tänavale. Tema kastanpruunid juuksed on lahti ja sassis, hambad lagunenud ja nahk kollaka varjundiga.

Sigaretti imedes vaatab ta vasakule ja siis paremale. Ta märkab Theod, kelle silmad on minul.

„*Bonjour, Monsieur Van Gogh. Comment vas-tu*?"* Kui ta neid sõnu puterdab, balansseerib sigaret tema alumisel huulel. Theo tõstab pilgu ja naine pilgutab talle silma. Ta tirib oma kombinee väljaveninud kaelust koomale. „Kas teil on mulle täna mõni töö? Või tahate mind hoopis endale?"

Ma ei suuda oma üllatust varjata: „Kas sa tunned teda?"

„See on üks Manet' modellidest," vastab Theo. „*Non, pas aujourd'hui, Victorine.*"**

„Ta näeb halb välja. Kas me ei peaks teda aitama?" Theo raputab pead ja me jälgime, kuidas Victorine koperdab inimeste vahel mööda tänavat omavahel vestlevate meeste rühma juurde. Pööran end uuesti oma kihlatu poole. „Sa tahtsid mulle midagi rääkida?"

„Siruta käsi välja ja pane silmad kinni," kordab Theo.

Teen seda. Hetke pärast tunnen oma peapesal metalli külmust. Avan silmad ja näen võtit.

„On aeg, et sa hakkaksid pesa ehitama," ütleb Theo, „ma leidsin meile uue kodu."

* Tere, härra van Gogh. Kuidas teil läheb? – pr k

** Ei, mitte täna, Victorine. – pr k

„Linnas?"

„Loomulikult! Maal elavate erakute roll ei sobi meile üldse." Theo naerab. „Cité Pigalle 8, kolmandal korrusel vasakul."

„Uus korter?" Theo noogutab. Viskan talle käed kaela ümber ja emban, hoolimata põrmugi möödujate kurjadest kommentaaridest ja pilkudest. Pulmade eelõhtul on vähetõenäoline, et keelepeks võiks minu mainele kahju teha.

Me olime arutanud, kus me hakkame pärast pulmi elama, sest arvasime mõlemad, et Theo korter Lepici tänaval on liiga väike, ja pidasime oluliseks leida midagi uut, mis oleks täiesti meie oma.

„Ma olen pidanud käima lugematutes korterites lugematutes sobimatutes kohtades."

„Ilma minuta? Miks sa midagi ei rääkinud? Ma oleksin võinud..."

„Ja kus siin siis üllatus oleks olnud? Korter tehakse valmis selleks ajaks, kui pulmad on peetud ja me tagasi tuleme."

Märkan, et Theo kulmud kerkivad pisut ja silmad lähevad suureks, vaatan talle silma ja naeratan. Selle mängu mängimiseks on vaja kaht inimest. Minu soovid pole tema omadest vähem tähtsad.

„Bonger käis koos minuga seda korterit vaatamas ja tõi kärmelt välja rohked puudused: inetu sissekäik, pime köök," ütleb Theo, matkides minu venna häält ja tema vajadust täiuslikkuse järele.

„Me ei hakka elama trepikojas või köögis," ütlen naerdes. „Kas me saame seda endale lubada?"

„Kaheksasada kakskümmend franki kuus ja me peame maksma kõigi erakorraliste remonditööde eest. Ma võin hakata kohe sinna asju viima."

„Kohe?"

Theo noogutab innukalt. „Lisaks kinkis minu tädi Cornelie meile oma klaveri."

Vangutan uskumatult pead. Minu kihlatu ja tema suur kirg. „Kuidas sul on õnnestunud korraldada seda kõike nii, et mul polnud vähimatki aimu?"

Theo koputab sõrmega oma nina, siis silub vuntse ja naeratab. Tõusen kikivarvule, et talle põsele musi anda, ja teen seda pisut liiga pikalt.

„Ma joonistasin sulle korteri plaani." Ta kobab oma taskutes. „Olen käinud seda kaks korda üksi vaatamas ja ühe korra koos sinu vennaga." Ta ulatab mulle joonise. Mul ei ole õrna aimugi, miks me räägime sellest teeserval seistes. Theo ei suutnud ilmselt uudist kauem enda teada hoida.

„Vaata siia, söögitoal on kaks akent."

„See on pigem pikk kui lai?" Theo noogutab. „Aga rõdu? Räägi mulle, milline vaade sealt avaneb."

„Rõdu on magamistoa ees ja vaatega teiste hoonete tagakülgedele. Ühes neist on palju kunstnike ateljeesid. Me võime rõdul istudes vaadata, kuidas teised inimesed elavad."

„Väga hollandipärane," ütlen ja Theo puhkeb naerma.

„Ma hakkan sel nädalal korterit sisustama," ütleb ta.

„Kas minul polegi sõnaõigust?" küsin pahameelt teeseldes.

Näen, kuidas Theo ilme muutub, ta püüab aru saada, kas ma räägin tõsiselt. Naeratan ja võtan tal käest kinni: tema üllatus on suurepärane.

„Muidugi on ja ma hindan sinu arvamust. Aga luba, et ma teen selle kõik oma kingitusena sulle." Theo astub sammukese lähemale ja silitab sõrmedega minu põske. Ta kummardub ja ma sulen silmad, hingates tema hingeõhku, vuntsid kõditavad mu nahka. Theo huuled on minu omadele väga lähedal. Tema sosin silitab mu huuli.

„Mamma on kindlasti rahul asjade sellise arenguga. Oma viimastes kirjades on ta järjekindlalt nõudnud üksikasju selle kohta, mida me kavatseme pärast pulmi teha."

„Kas kõnnime edasi?" küsib Theo. Võtan talt käe alt kinni. „Korter on jalutuskäigu kaugusel Montmartre'ist ja ühtlasi ka galerii „Boussod, Valadon & Cie" lähedal.

„Sa võid iga päev tulla töölt koju lõunat sööma," ütlen.

„On veel midagi, millest ma tahtsin sinuga rääkida. Vincent teab tema kohta tehtud petitsioonist."

Tunnen, kuidas külm tuul keerutab meie ümber. Värisen ja lähen Theole pisut lähemale. Meie vestluse suuna järsk muutus võtab mul hinge kinni.

„Räägi," hakkan tahtmatult pisut kiiremini kõndima.

„Tänaseks on sellele alla kirjutanud ligi kolmkümmend Kollase maja lähedal elavat inimest. Linnapea kirjutas mulle, politsei on alustanud juurdlust. Neil on viis inimest, kes annavad tunnistusi."

„Ja tema ainsateks valikuteks on kas naasta sinu juurde Pariisi või olla määratud hullumajja? Kas sa hankisid meile selle-pärast uue kodu? Kas see on piisavalt suur ka Vincenti jaoks?"

„Sellest saab meie kodu." Theo vehib edasi kõndides õhus korteri plaaniga. „Joseph d'Ornano nimeline politseikomissar soovitas paigutada Vincenti kohalikku haiglasse. Sul oli õigus."

„Selle kohta, et tema seisund jätkuvalt halveneb?"

Theo noogutab: „Side, mida ta kannab, peidab selle all olevat õudust."

„Kas hullumeelsus ja loovus peavad alati käsikäes käima?"

„Aristoteles on öelnud, et teatud loomingulised tüübid on depressiivsed. See peab paika ka tänapäeval. Vincent, Camille..."

„Camille Claudel?"

„Ta lõpetas suhte Rodiniga ja räägitakse, et ta kaldub hullumeelsusse."

„Ma pean..."

„Ei, Johanna, kohe kindlasti mitte."

Noogutan vastumeelselt.

Märts 1889

François Lafon kutsus meid enda ja oma naise juurde lõunasöögile. Theo kirjeldas teda kui keskpärast ajaloomaalijat ja tema naist kui innukat pianisti, aga lisas, et François' vend on tähelepanuväärne dominikaani munk. Theole meeldis François' vend tohutult, ta pidas teda heaks inimeseks.

Kahjuks vend ei tulnud ja lõunasöögilauas toimuv vestlus tegi mind kurvaks. François' naine küsis, mitu teenijat me endale pärast abiellumist majja võtame. Enne kui Theo jõudis suu avada, vastasin, et mitte ühtegi, ja lisasin, et vajan vaid üht teenijat mõneks tunniks päevas. Nad rääkisid kirjandusest: kuidas neile meeldiks, kui nende tütred hakkaksid ühel päeval lugema Paul de Kocki raamatuid, ja kiitsid, kui suurepärane on Zola. Hoolimata sellest, et olen alati valmis innukalt kirjandusest rääkima, ja võib-olla sellepärast, et mulle tuli äkki meelde Vincenti saadetud Zola romaan (miks ma pole seda veel lugenud?), püsisin vait. Theo ütles, et ta hindab kõigist kirjanikest just Zolad kõige rohkem, et talle meeldivad Zola romaanid sama palju nagu Degas' maalid. Miks ma sellest midagi ei teadnud?

Pärast Zolad arutati graafikute näitust. Seda, kuidas head ja keskpärased kunstnikud olid eksponeeritud läbisegi ja et ainus Hollandi kunstnik näitusel oli Thijs Maris, kelle kolm oforti kuulusid näituse parimate tööde hulka. Püsisin jälle vait, sest ei suutnud sekkuda, arvestades nende entusiasmi ja teadmisi. Mõtlesin rääkida Amsterdamis näitusel nähtud ofordist, mis mulle meeldis, aga ei teinud seda. Tundub, et mõnes seltskonnas on iga teema kohta olemas „õige arvamus", ja need, kes seda ei jaga, peaksid pigem suu kinni hoidma.

Hiljem mõtlesin, et ainus asi, millega Theo saaks mind õnnelikuks teha, oleks armastada mind just täpselt sellisena, nagu ma olen, kõigi minu vigade, puuduste, vaikimiste ja ebakindlusega. Mõnikord meeldib mulle inimesi jälgida ja kollektsioneerida, selle asemel et vestlusse sekkuda ja teeselda... Loodan, et Theo ei taha kunagi mind muuta.

Pealegi olen juba ise mõelnud, kui palju ma pean endas enne abiellumist muutma. Täna sain taas kord aru, kui vähe ma sarnanen teistele abielunaistele. Võib-olla ma isegi tahaksin rohkem François' naise moodi olla – sama rõõmsameelne, täis energiat, teades alati täpselt, mida teha või öelda.

ROMAANILUGEJA

Theo tormas nagu möödunud detsembriski siia, värisevas käes kaks kirja. Lugesin Vincenti oma: see oli maniakaalne, hoolimatult kritseldatud ja kohati loetamatu ning sisaldas kiiruga visandatud pudeli pilti. Vincent uskus, et keegi tahab teda vangi panna. Ta kirjutas raevunult, et järjest rohkem on inimesi, kes tahavad üheskoos teda hävitada, et tal on alati enesekaitseks kaasas habemenuga ja et tal on võimatu töötada või üldse midagi teha. Tema paranoiat süvendas see, et ta ei teadnud, kes tema naabritest oli petitsioonile alla kirjutanud. Mõned poisid olid isegi loopinud teda kapsajuurikatega, mõned täiskasvanud aga kogunevad iga päev, et piiluda tema aknasse. Vincent kartis provokatsiooni ja muretses, et ei suuda end kontrollida.

„Kas ta näeb jälle hallutsinatsioone?" küsin.

„Nad ütlevad, et ta on peast segi." Theo näitab mulle teist kirja, see on Vincenti arstilt. „Tal on iga päev üha vähem selgeid hetki. Nad ütlevad, et ta on haige. Arst kirjutab ka lööbest ja suu kahjustustest ja..."

Võtan enda kõrvalt diivanilt Edmond Huot de Goncourti romaani „Neiu Elisa" ja keerutan seda närviliselt käes, vältides Theo pilku. „Ja mis?"

„Tal on ebameeldiva lõhnaga eritis."

Mõtlen hetke, et mis eritis ja kust? Krimpsutan vastikustundest nägu. Theo on olnud siin kõigest kümme minutit, ta on ringi tammunud ja ilmselgelt vältinud tegelemist paberitega, mis olid doktori kirja vahel. Anaïs siseneb teekandikuga ja paneb selle minu kõrvale lauale. Annan märku, et ta lahkuks, ja valan Theole, kui ta minu kõrvale diivanile istub, tassikese.

„Kas me võiksime rääkida millestki muust?" Ulatan talle tassi. See tundub pisut liiga väike ja habras, Theo peopesa on liiga suur, sõrmed liiga pikad.

„Johanna Bonger," ütleb Theo. Naeratan, kui ta teed lonksab. Mulle meeldib, kuidas ta ütleb minu täisnime, nagu oleks see mesimagus, eriti kuna tean, et saan varsti kellekski teiseks. *Proua van Goghiks*. Theo ilme on rahulik. Nii tema vuntsid kui ka põskhabe on pisut vähem hoolitsetud kui tavaliselt, aga vaid vähesed märkaksid seda. Mure Vincenti pärast kurnab teda, ta ei tunnistaks seda kellelegi peale minu.

„Vincenti naabrid on oma sõnul hirmunud, nad väidavad, et Vincenti sidemetes pea tuletab neile pidevalt meelde tema detsembrikuist hullumeelsushoogu." Theo paneb tassi ja alustassi teelauale. „Mul on vaja kirju kirjutada, raha saata..." Ta noogutab Andriese kirjutuslaua poole, nagu tahaks ta seda seal teha. Vaikus. „Ometigi oli ta paar päeva tagasi saadetud kirjas just selline rahulik ja võluv vend, keda kunagi tundsin. Ta polnud hullumeelne, ta ei ole hullumeelne." Vaikus.

„Aga kui kõigil tunnistajatel on õigus?"

Theo surub huuled kokku, vuntside all on näha vaid õhuke triip. Ta noogutab, silmad maas. Panen oma käe ta reiele ja ta katab selle oma peopesaga.

„Mul ei ole võimalik midagi teha. Politsei on Kollase maja juba kinni pannud."

„Kas nad on Vincenti luku taha pannud?" Theo noogutab. „Nagu vangi."

„Nad pidid uskuma, et see on parim lahendus," ütlen.

„Nad on toppinud *fou-roux** hullumajja, aga ta vajab oma kunsti, ta vajab võimalust luua. Ilma selleta vajub ta järjest sügavamale."

„Kas sa saad saata talle värve ja lõuendit?"

Theo kehitab õlgu. „Vincent on üks kõige progressiivsemaid kunstnikke maailmas. Ta peab maalimist jätkama. Tema kunsti vaatamine sunnib meid loobuma oma konventsionaalsetest arusaamadest. Aga Jo... Kas ma võin loota, et tuleb päev, mil teda mõistetakse?"

„Kindlasti tuleb. Ma luban sulle." Minu suurim soov on leevendada Theo piina. Ta kannab oma õlul Vincenti koormat. Theo võtab oma käe minu omalt ja sirutab välja, et võtta laualt teetass. Ta sõrmed värisevad pisut. „Vincenti peas valitsevad hallutsinatsioonid ja õudusunenäod."

* Punapäine hull – pr k

„Mida me saaksime teha, et teda aidata?" Viitan kirjas olnud paberitele.

„Sara Voort on tal külas käinud," ütleb Theo, sosistades oma teetassi.

„Misasja? Kas ta on ikka veel sinu vennast huvitatud?" See on esimene kord, kui Theo on Sarat mitme nädala, võib-olla isegi kuu jooksul maininud. Ma küsisin Andrieselt eelmisel nädalal Sara kohta, aga tal polnud mingeid uudiseid. Arvasime mõlemad, et ta on vendadest van Goghidest loobunud.

Theo lonksab teed. „Ta peab Vincenti oma sõbraks."

„Nad olid palju rohkem kui sõbrad." Minu märkus ajab Theo naerma. Aga tema naerus on midagi, mis ei tundu päris siirana, sest see kõlab teistmoodi. „Ka sa oled temaga kohtunud?"

„Ta astus täna mu töö juurest läbi, just enne, kui ma ära tulin."

„Ja sa ei arvanud, et peaksid mulle sellest rääkima?" küsin käsi rinnal ristates. „Kas see oli viimaste kuude jooksul tema esimene külaskäik?"

„Sara ei ole tähtis," ütleb Theo, vastamata mu küsimusele ja samas justkui Sarat kõrvale heites. „Samas Vincent..." Theo ootab ja ma annan märku, et ta jätkaks, jättes oma ebakindlustunde kõrvale, „kirjutas, et ma keskenduksin sinule ja meie abielule. Ta küsis üksikasju ja kuupäevi."

Niisutan keelega huuli. Mu suu on korraga väga kuiv.

„Ta isegi küsis, kas ta võiks olla minu isamees. Et siis tal oleks midagi, mida oodata."

„Loodan, et sa nõustusid."

Theo noogutab. Ta väldib mu pilku, sest ei taha, et ma näeksin tema kurbust. „Vincent on sügavalt raputatud, kuid ta on kaine, tal ei lubata isegi piipu suitsetada. Ta vajab lootust."

Aprill 1889

Täna olin oma esimeses kokandustunnis, mille Andries tellis proua Sethelt. Ta tuleb täna uuesti ja me veedame jälle terve päeva köögis. Andries on õnnelik, et saab maitsta toite, mida me oleme valmistanud. Mina tema vaimustust ei jaga, sest olen hakanud kirglikult vihkama kõike, mis on seotud köögis toimetamisega.

Kui ma rääkisin oma päevast Theole, siis ta ütles, et hindab pingutusi, mida ma teen, ja see pani mind millegipärast veel rohkem muretsema. Eeldatakse, et ma õpin hästi süüa tegema, aga tänane päev on tõestanud otse vastupidist.

Kardan juba praegu, et ei saa hakkama kõige lihtsamate asjadega, mida abielunaiselt oodatakse. Ma ei saa isegi tunnistada oma tulevasele abikaasale, et mind tüütab vestlus teemal, kas ma eelistan saada kingiks hõbelusikat või veekannu.

Lisaks sellele räägib proua Sethe vahetpidamata oma õnnetust abielust, sellest, kuidas tema abikaasa püüdis alguses igati oma naise meele järele olla ja kui kiiresti see muutus. Rääkisin ka sellest Theole ja ta vastas, et abielu tuleb vaadata nii, nagu ketraks kumbi abikaasa oma lõnga, kui aga sellesse tekib sõlm, siis ei eeldata, et see tuleb üksi lahti harutada.

Mulle meeldis tema püüe minu muresid hajutada, aga praegu, ilmselt tänu väsimusele, on see pigem tekitanud uusi. Kuidas ta oskab alati leida õige vastuse? Kuidas tal on juba tekkinud nii väljakujunenud arusaam abielust?

Kuidas ma võiksin loota, et minust saab naine, keda Theo väärib ja vajab?

PARIISI VAADE

Liftid ei ole veel valmis, aga Gustave Eiffel ja mõned tema südikad kaaslased ronivad just praegu mööda 1710 astet üles torni. Härra Eiffel alustas rahva hõisete saatel tõusu, kandes hiiglaslikku Prantsuse trikoloori, et tõmmata see torni tipus vardasse. Kui lipp heisatakse, kõlab kakskümmend üks suurtükipauku ja ajalugu ongi loodud. Praegu aga ootame kõik, kaelad õieli, torni jalamil, jälgides mustade kujude ronimist. Marsi väljaku alatised tuuled pillutavad meie kuuehõlmasid ja viivad peast mütse, aga keegi ei kurda selle üle.

„Püha jumal, ma ei suuda uskuda, et Theo ei tahtnud seda kutset ise kasutada," ütleb Andries. Tema pärani silmad vahivad kogunenud külalisi ja sadu ehitustöölisi, kes ootavad torni jalamil.

Minu tulevane abikaasa sai tõepoolest kaks piletit Eiffeli torni ametlikule avamistseremooniale. Pileteid jagati peamiselt kuulsustele, aga Edgar Degas, kes ei tahtnud näidata toetust sellele monstrumile, kinkis oma piletid Theole. Andries on erutusest endast väljas. Ta praktiliselt hüpleb ühe koha peal. Ma arvan, et ta on viimase kümne minuti jooksul klõpsutanud rohkem pilte, kui kogu torni ehitamise kahe aasta, kahe kuu ja viie päeva jooksul kokku.

„Vaata siia," ütleb Andries. Ta liigutab oma fotoaparaati paremale. Mõned sekundid hiljem keerab ta ette uue kaadri: „Kas sa nägid? See on peaminister Pierre Tirard." Raputan pead. „Kolmesaja meetri kõrgune. Metallraamistik, mida toetavad neli kivijalga. Liftid, mis hakkavad tõusma jalgadelt kaares." Andries puistab uhkuse ja aukartusega fakte ja numbreid ning suunab oma fotoaparaadi uuesti tornile: „Vaateplatvormid on kolmel tasandil. Tugikonstruktsioon on kaetud vasest plaatidega. Imeline." Sõna „imeline" juures toob ta oma parema käe sõrmed huulte juurde, suudleb neid kergelt ja saadab tornile õhumusi. Minu vend pakatab rõõmust.

„Ja mõelda vaid, et seda ei avata publikule enne maikuud, aga sina saad üles ronida enne kõiki teisi," ütlen.

„Ma ei suuda kunagi Theod piisavalt tänada." Andries tõmbab mind kaissu, lükates kogemata mul kübara peast.

„Ma ei saa öelda, et mõte 1710 trepiastmest mind vaimustaks," ütlen torni vaadates ja oma kübarat maast üles võttes. „Eriti veel nende seelikutega."

Andries naerab: „See on meie viimane ühine seiklus enne sinu abielu ja pealegi tehakse siin ajalugu." Ta keerab ringi ja pildistab rahvahulka.

„Vaadake tippu!" hüüab keegi prantsuse keeles. Näen, kuidas trikoloor hakkab lehvima ja kuulen suurtükipauke.

Seisame kõik sirgelt ja uhkelt. Sama sirgelt ja uhkelt, nagu see falliline ehitis.

„Mitte ükski naine ei oleks midagi sellist loonud," ütlen, kuid mu sõnad kaovad rõõmuhõisetesse.

Pariis on täna majesteetlik, see torn on aukartustäratav, kuid aus, ja ma näen, kuidas see kõiki ühendab. Pariisi kõige inetum ehitis kehastab korraga nii kunsti kui maskuliinsust. See on sõnum. Torn tähistab Prantsuse revolutsiooni sajandat aastapäeva ja räägib maailmale Prantsusmaa tööstuslikust võimekusest ja inimeste asjatundlikkusest. Prantsusmaa naised on ebaolulised ja Eiffeli torn rõhutab seda mõtet.

Teiselt platvormilt lahvatab ilutulestik ja privilegeeritud külalised plaksutavad ja hõiskavad. Andries hüpleb rõõmust: ta on nagu väike poiss, tulvil rõõmu ja imetlust.

Aprill 1889

Täna hommikul kinkisid härra ja proua Hove meile teeserviisi.

Hakkasin kohe mõtlema, kuhu võiksime selle oma uues korteris panna.

Ma ei tunne ennast enam viimasel ajal ära.

Mind vaimustavad arutelud tubade mööblist ja muust sisustusest: kas söögitoas peaks olema kapp või moodne puhvet, kas esialgu oleks väike lisatuba kõige targem täita kappidega või tuleks see ette valmistada külaliste jaoks, jne, jne. Me oleme arutanud kardinate materjale, tapeete, värve, parkettpõrandat, ja ma olen nautinud viimast kui üht meie pesa ehitamisega seotud jutuajamist. See, et mind pole veel korterisse viidud, et ma ei näe seda enne, kui me oleme abielus, et Theo on oma kingitusest nii põnevil, paneb mind mõtlema, kuidas mind küll on nii õnnistatud.

Ja kust on tekkinud minu arvamused koduse elu kohta? Kas proua Sethe arvukad tunnid viimastel nädalatel on muutnud nii põhjalikult minu olemust? Äkki pakuks abikaasaks olemine mulle isegi põnevust?

Räägime palju Vincentist – tema tervisest, teistest piinatud hingega kunstnikest –, aga tegelen üha rohkem koduste asjadega ja endalegi ootamatult annavad need mulle jõudu. Võib-olla tahan juhtida oma tähelepanu kõrvale kõigest halvast, mis meid painab, püsida praeguses hetkes, olla õnnelik just praegu, ometigi on minu tulevase mehe vend kogu aeg mu mõtetes. Me ei räägi sellest, et ta on liiga haige ega saa meie pulma tulla.

Homme sõidan Amsterdami ja seal saab minust proua van Gogh. Johanna Bonger kaob, on kustutatud ja asendatakse. Preili Bongerit ei ole enam.

Ma olen tundnud Theod ja Vincenti vaid kümme kuud, aga saan juba proua van Goghiks.

Aga veel üks üllatus minu kihlatult – Clara on terve. Ta tuleb tagasi Pariisi.

ABIELLUNUD.
PREILI JOHANNA GEZINA BONGER
AMSTERDAMIST
JA HÄRRA THEODORUS VAN GOGH PARIISIST
SÕLMISID ABIELU 17. APRILLIL 1889.
KOHAL VIIBISID MÕLEMA OSAPOOLE
PERELIIKMED JA MITMED TUTTAVAD,
KES SOOVISID ÄSJA ABIELLUNUD PAARILE
PALJU ÕNNE JA RÕÕMU.

2.

PEATÜKK

Muutumine

SUVI

1889

Pariis

Juuni, 1889

Vincent on ikka veel Saint-Rémys. Tänases kirjas rääkis ta lähemalt oma elust varjupaigas ja püüdis igati Theo meelt rahustada. Ta kirjutab tõesti iga päev, täites leheküljed kulude ja nõudmistega, ega kahtle kunagi, et vend kõige eest maksab. Theo aga peab teretulnuks iga võimalust oma vennaga ühenduses olla.

Kui Vincentiga seotud kaos kõrvale jätta, siis on meil Theoga tekkinud igapäevaelu rutiin, mis sobib mõlemale.

Tõuseme kell kaheksa ja Theo lülitab kiiresti sisse gaasi, et vett keeta. Selleks ajaks, kui tee on tõmmanud, oleme riietunud. Theo läheb tööle kella üheksa paiku ja madam Joseph tuleb kell kümme. Me oleme palganud ta ainult viieks tunniks päevas ja ta on väga suureks abiks; õpin temalt palju. Madam Joseph teeb voodi üles, koristab, valmistab lõuna ja siis lahkub. Mõnel päeval tuleb ta pärastlõunal tagasi, et mind toiduvalmistamisel aidata, või võtab selle ülesande üldse enda peale. Tundub, et viimasel ajal üha sagedamini, võib-olla sellepärast, et Theo eelistab söödavat toitu! Me lükkame peaaegu alati taldrikute ja pottide pesemise järgmisele päevale.

Sest tõesti, kuigi madam Joseph on suureks toeks, on teha ikkagi nii palju. Meie korter on hubane, aga see on täis igasuguseid kaunistusi ja vidinaid, mis vajavad poleerimist ja tolmust puhtaks pühkimist. Ma saan nüüd aru, miks meie tuttavad meid pilkasid, kui ütlesime, et ei võta teenijat enda juurde elama, aga siiski tundub see otsus õige ja lisaks aitab mind nõu ja jõuga Clara. Mul on siiani raske uskuda, et ta on tagasi Pariisis. Clara jumaldab korterit, mille Theo talle hankis, ja näeb parem välja kui kunagi varem. Ta käib mul iga päev külas.

Võib-olla tunneb ta vajadust aidata mind majapidamistöödes tänuks kõige eest, mis Theo on tema heaks teinud.

Siiski meeldib mulle käia sisseoste tegemas üksi, vaiksena kogu selle sagimise ja askeldamise, vooritõldade ja omnibusside keskel. Mulle meeldib, et siinkandis kaarduvad tänavad allamäge, et ma tunnen juba kõige otsemat ja lihtsamat teed koju, et inimesed on hakanud mind teretama, kui ma kodust väljun või sinna tagasi lähen. Kas on veider tunnistada, et mulle meeldib isegi see, et leib ja piim jäetakse ukse taha ja mina olen inimene, kes need hommikul tuppa toob?

Aga peamiselt... kas on isekas, et ma tahan lihtsalt aega peatada ja õppida abielunaiseks olemist pisut kauem? Ma pole isegi veel harjunud olema proua van Gogh.

Ma ei suuda taluda mõtet, et iga vestlus algab ja lõpeb sellega, mis minu sees kasvab.

Kuidas kuradi moodi suudan ma kunagi õppida emaks olemist?

8. juuni 1889
Pariis

Mu kallis vend

Ma olen ammu tahtnud Sulle kirjutada, sest pärast meie pulmi olen Sind ainult Theo kaudu tervitanud. Nüüd, kus ma olen Sinu väike õde, on minu jaoks oluline, et Sa tunneksid mind pisut paremini. Ma tõesti loodan, et Sa hakkad mind armastama samuti, nagu Sa armastad oma venda.

Me kurvastasime Theoga mõlemad, et Sa ei olnud meiega meie pulmapäeval. Oleme tänaseks elanud oma uues korteris juba seitse nädalat ja siin on nii palju asju, mis Sind meenutavad. Ma olen iga Theo kena vaasi või kannu puhul kindel, et Sina olid see, kelle nõuandel ta selle ostis. Ei möödu päevagi, kui me Sinust ei mõtleks ega räägiks.

Tänu sellele, et minu ema nõustus, et pulmi ei peeta kirikus, ja ma ei pidanud seega ütlema, milline farss see oleks, sujus kõik probleemideta. Päev ise oli päikseline ja kena, nagu me Theoga olime soovinudki, ja teel tagasi Pariisi jäime omamoodi pulmareisiks üheks ööks Brüsselisse. Vaid üheks peamiselt sellepärast, et kibelesin tagasi Pariisi, et meie uut korterit näha, saabumisel ootas meid suur üllatus, sest Andries oli teinud korteri veelgi kodusemaks: täitnud toad lilledega, lasknud voodi üles teha, jne.

See, et Andries on olnud meie korteris, tekitab kahtlemata sinus kurbust ja seega tahan saata Sulle väikese kirjelduse, et võiksid ette kujutada, nagu oleksid meil juba külas.

Meie majade blokki eraldab tänavast tara. Meie maja on teiste vahel ja selle ees on väike aed puude ja mõne sireliga, mis praegu imekaunilt õitsevad. Majja sisenedes on näha sissepääsu kohal olevasse võlvi raiutud Parthenoni hobused. Meie korter on kolmandal korrusel vasakul. Välisuksest pääseb koridori, mille seinad on kaetud sinise ja valge mustrilise tapeediga – sama tapeet katab ka väikese lisatoa seinu. Koridorist viib uks salongi. Selle seinad on valged, halli lillemustriga. Uus kummut on roosipuust, see koosneb neljakandilisest viie sahtliga kapiosast ja lahtitõmmatavast paneelist kirjutamiseks. Selle taga praegu Sulle kirjutangi.

Ühte sahtlit kapis kutsume Vincenti sahtliks – see on pungil täis Sinu kirju. Ootame alati tuttavaid kollaseid ümbrikke ja Sinu iseloomuliku käekirjaga kirjutatud uudiseid Sinu elust. Kummuti kõrval on klaver. See on kingitus Sinu tädilt Cornelielt ja mulle meeldib klaverit mängida, ehkki ma ei tee seda kuigi hästi. Meile meeldib see tuba, kuigi see on juba mainitud mööblit üsna täis ja selles on veel tugitoolid ja kaks väikest vaipa. Parkettpõrandad on tõeliselt ilusad. Salongi kõrval on söögituba ja ka see on asju täis ning me kumbki Theoga ei ole rahul, kuidas see on välja kukkunud. Minu vend Andries peab meie mööblit muidugi vulgaarseks ja talle ei meeldi üldse koht, kus me elame, aga minule ja Theole sellest piisab. Väike lisatuba on hetkel täis meie rõivaid. Loodame, et tuled meile ühel päeval külla ja siis muudame praegu panipaigana kasutatava toa ruumiks, kus võib peatuda suur Vincent van Gogh.

Magamistoa seinal ripub Sinu maal „Väike õitsev pirnipuu". See on esimene asi, mida ma hommikul ärgates näen ja mis toob alati naeratuse mu huultele. Klaveri kohal ripub Sinu „Viljalõikus", väikses toas „Hällilaul" ja söögitoas kamina kohal „Kartulisööjad". Meil on oma külaliste jaoks olemas täiesti meie oma Vincent van Goghi näitus. Mulle meeldib tohutult jälgida nende inimeste hämmastunud ilmet, aukartust ja vahetut reaktsiooni, kes näevad Sinu maale esimest korda.

Täna on pühapäev ja Theo on terve päeva kodus. Mul on selle üle hea meel, sest ta on viimasel ajal olnud väga väsinud. Mulle jõudis alles eile kohale, et elangi nüüd päriselt Pariisis. Mõnikord muretsen, et ühel päeval ei vaimusta see mind enam, nagu juhtus Sinuga. Saan üha paremini aru, kuidas Sa nägid kogu seda kaost ja segadust, kuidas Sa igatsesid vaikuse järele. Me elame vaikses kvartalis ja ma arvan, et see sobib mulle paremini. Rahu ja vaikus tunduvad praegusel ajal nii olulised, võib-olla mõistad Sa seda paremini kui mina.

Olen sageli mures nii Sinu, enda kui ka Theo pärast. Olen lugenud Heinet ja ma ei usu, et olen kunagi kohanud sügavamat kirjanikku, aga ta röövib mu hingerahu, pärast temaga veedetud aega on mul võimatu oma mõtteid vaigistada. On ilmne, et ta on kohutavalt kannatanud, ja ta tuletab mulle uuesti meelde kõiki piinatud hingi maailmas. Mõnel päeval on minu ainus soov neid kõiki kaitsvalt emmata.

Ma ei räägi seda selleks, et püüda kuidagi kiiduväärsena näida, pean näiteks tunnistama, et minu majapidamisoskused jätavad tugevasti soovida. Olen sel nädalal riisi juba kaks korda põhja kõrvetanud, ploomid ühe korra. Vaene Theo sööb kõik ära, püüdes varjata, et talle põrmugi ei maitse. Ma olen kindel, et Theo palkab meie teenijat madam Josephit päevas paariks tunniks rohkem lootuses, et ta meile toitu valmistab.

Aga me saame Theoga omavahel tõesti hästi läbi, ma armastan teda rohkem, kui oleksin kunagi võimalikuks pidanud.

Loodan, kallis Vincent, et minu uitmõtted ei ole Sind ära tüüdanud. Olen kindel, et minu oskus oma mõtteid paberile panna aja jooksul paraneb.

Soojade tervitustega,
Sinu väike õde Jo

Juuli 1889

Minu abikaasal on lööve. Tema peopesi katavad väikesed punakaspruunid muhud. Minul löövet ei ole. Mul on aga palavik, pidev peavalu ja tohutu väsimus, söögiisu on kadunud.

Ma pole Theole oma lapseootusest sõnagi rääkinud ja ta ei ole palunud, et ma arsti poole pöörduksin.

Kui ma rääkisin Clarale lööbest, siis ta juba teadis sellest ja ütles isegi, et Theo käis arsti juures. Arst olevat Theole lubanud, et kui ta peab vastu kolm aastat elavhõbedaravi, siis saab ta täielikult terveks. Clara ütles, et siis võime Theoga hakata tootma maailma terveid lapsi. Theo varjab oma häbi minu eest. Minu abikaasa usaldab oma mured Clarale, kellega nad on saanud headeks sõpradeks.

Olen seega saanud Clara vahendusel teada, et meile on kingitud kolm aastat vabadust. Kolm aastat enne, kui võime mõelda lapsesaamisele.

Kui ma ometi poleks juba olnud rase, kui Theol lööve tekkis.

Mõtlen lakkamatult meie võimalustele ja probleemidele.

Kuidas ma saan öelda oma abikaasale, et ta on võib olla andnud oma haiguse edasi meie lapsele?

VAADE PARIISI KATUSTELE

Ma seisan rõdul, öösärk seljas ja öömüts peas, jalas aluspüksid, siidisukad ja villased sokid. Pigistan kramplikult rauast rõdupiiret, vihm piitsutab mind. Ma võiksin vabalt olla hullumaja patsient, luku taga koos Vincentiga. Mind ei üllataks tegelikult, kui Theo saadaks madam Josephi arsti järele. Meie kortermaja ümbritseb kõrgete ja madalate hoonete rägastik, meie kodu on neist kõige kõrgemas ja uhkemas. Pärast abiellumist käitusin mõnda aega nagu tüüpiline hollandlane, piiludes teiste inimeste korteritesse ja uudistades kunstnike elu, soovides teada, kuidas nad veedavad oma päevi ja milliseid teoseid loovad. Täna jälgin, kuidas Pariisi siluett sulab kokku sünge taevaga. Katuseid ja korterite rõdusid katab udu, mis muudab need hallimaks ja igavamaks, see sobib minu meeleoluga. Teistel rõdudel ei ole kedagi ja korterite aknaluugid on suletud. Ma ei näe ühtegi teist maniakaalset naist, kes hommikuse vihma käes seisaks. Värisen. Eiffeli torn on kogu oma pikkuses ja uhkuses seal kuskil udus, ma tahan, et minu vend oleks siin. Hetkel oleksin õnnelik, kui saaksin tagasi aja, mil me koos elasime.

„Mis lahti on, Jo?" küsib Theo. „Kas minuga on nii halb koos olla, et sa eelistad seista siin vihma käes?" Ta naerab, lootes ilmselt, et minu käitumine on mingi nali.

Keeran tema hääle peale ringi. Võin kihla vedada, et tal on minust juba kõrini. Ma ei paneks talle seda pahaks.

„Kas su hammas valutab jälle?" Ma ei vasta. „Meil on kloroformi..."

„Kas sa oled lugenud Thackeray romaani „Uustulnukad"? Selle raamatu lugemine muudab inimese teiseks. Ja preili Honeymani pansionaadi kirjeldus Brightonis lihtsalt peab tuginema reaalselt olemas olevale kohale. Ma tahaksin seda näha."

Vihm on mu riided läbi leotanud. Tahaksin kägarduda märjale põrandale ja uinuda igaveseks, tahan ignoreerida seda, mis minus kasvab. Theo astub uksest rõdule, aga jääb siis seisma. Ma ei tea, kas ta kaotas julguse või peatab teda vihm.

„Reis Inglismaale oleks suurepärane! Tule tuppa, räägime sellest." Ta püüab mind rahustada, mind tuppa meelitada. Mõtlen, kas ta on seda hääletooni Vincenti peal harjutanud.

„Jäta mind rahule."

Theo ajab ninasõõrmed puhevile, tõmbab põsed lohku ja läheb tuppa tagasi. Ta jätab mind vihma kätte. Kahtlemata ootab ta selgitust, aga mida ma võiksin öelda?

„Preili Jo," ütleb Clara, „mis on?" Tema hääles puuduvad emotsioonid. Keeran end ringi. Clara paksud huuled, päikesepruuni tooniga nahk, süsimustad juuksed ja silmad tunduvad säravamad kui kunagi varem. „Te saate siin alusriiete väel seistes surmahaiguse."

Kehitan õlgu. Ma usun, et ma isegi ei hooli sellest.

„Kas ma kutsun härra Andriese?" Clara hääl reedab, et ta on ärritunud. Vihm voolab mööda ta riideid ja ma tean, et ta kõhkleb, mida edasi teha. Ta alles taastub haigusest.

„Mine tagasi tuppa, Clara. Sa ei tohiks siin vihma käes olla." Keeran end seljaga tema poole.

„Ma ei lähe ilma teieta kuhugi. Kas te tahate, et me saaksime siin mõlemad surmahaiguse?" Kuulen tema kepi kopsimist, kui ta minu juurde tuleb.

„Ma armastan Theod. Oma head ja õrna abikaasat. Ta on kõige parem mees, keda ma tean."

„Asi pole ju selles, preili Jo? Kas on veel midagi juhtunud?"

Pisarad voolavad mööda mu põski. Vajun kössi. Mu huuled värisevad. „Mul on tekkinud hommikuti iiveldushood." Sõnad hõljuvad meie vahel. „Süda on igal hommikul paha, korsett on pisut kitsamaks jäänud."

„Te ootate last."

Clara tuleb mu kõrvale ja haarab mu käe: „Oh, preili Jo, see on suurepärane..." Vaatan Clarale otsa, ta särab rõõmust, aga siis jääb ta vait ja krimpsutab nägu. Vihm peksab meid mõlemaid. Clara vaatab kõrvale, me seisame kõrvuti, hoides ikka veel kätest kinni, ja vaatame udust Pariisi.

„Miks te õnnelik ei ole?"

„Theol on sama haigus nagu Vincentil ja see tähendab, et tal on kuskil armuke. See on ainus seletus," ütlen praktiliselt karjudes, „ta on kellegi teisega koos olnud."

„Rahunege maha," ütleb Clara, „Theo sai selle haiguse ammu enne seda, kui teie olete koos olnud. Te ometi teate, et tal oli enne teid teisi? Mõnda naist jagas ta oma vennaga."

Ma noogutan ja pühin käeseljaga nina.

„Sellest päevast alates, kui te kohtusite, pole tal kellegi teise jaoks silmi olnud."

„Ma olin siis juba rase, kui Theol lööve tekkis. Ta pidi teadma, et on haige ja..."

„Mis tehtud, see tehtud," ütleb Clara, „laps teie kõhus on juba praegu kõige õnnelikum laps maailmas."

„Aga mis siis, kui ka mina olen saanud Theo haiguse? Mis siis, kui laps on selle saanud?" sosistan.

„Kas teil on mingeid sümptomeid?" Raputan pead. Jätan ütlemata, et *mitte veel*. „Ma kutsun arsti teid homme vaatama."

Ma ei liiguta end.

„Kas on veel midagi?"

„Mida Vincent seekord ette võtab? Paratamatult tundub, et ta midagi ikka teeb." Mu sõnad on vaevu valjemad kui sosin: „Ta on Theo vend, meie vend. Talle tuleb igal juhul teatada. Agostina tegi tema lapsele abordi. Sa ju tead, kuidas ta meie õnnele siiani reageerinud on. Mis siis, kui uudised panevad ta..."

Seisame vaikides, vihm peksab meid. „Kõige tähtsam on laps, preili Jo. Teist saab mamma ja te peaksite keskenduma oma kõhus kasvavale elule."

„Mamma," kordan kajana, ma pole isegi harjunud veel abikaasa olema, „aga ma ei oska isegi veel riisi keeta, ilma et selle põhja kõrvetaksin."

Clara naerab: „Ma võin teid riisi keetmisel aidata. Ja iga ema, kes peab ennast asjatundjaks, kui beebi ilmale tuleb, kas valetab või on idioot. See nõuab aega ja mitme mäe jagu kannatust."

Ma ei suuda nuuksumist alla suruda. Minust saab mamma.

„Lähme nüüd sisse ja kuivatame end ära," ütleb Clara.

Juuli 1889

Arst uuris mind väga põhjalikult. Ta on veendunud, et nii ema kui laps on esialgu terved. Ta soovitas, et me väldiksime Theoga intiimvahekorda.

Pean sellest kõigest oma abikaasaga rääkima.

ÕITSEV MANDLIOKS KLAASIS JA RAAMAT

Theo väldib mind.

Selleks ajaks, kui ma vihmamärjad riided ära kuivatasin, oli ta välja läinud ega tulnud koju enne, kui ma olin magama jäänud. Otsustades selle järgi, et tema voodipool oli puutumata, pidi ta magama salongi tugitoolis.

Olen ikka veel üksi, toetan selja voodis padjahunnikule ja joonistan. Nõrgad jooned täidavad paberit, ükski neist ei leia oma kohta. Mu pea on pungil täis ärevaid mõtteid: mis siis, *kui minu abikaasa on minu suhtes juba lootuse kaotanud? Mis siis, kui arst eksis ja minu laps on samuti juba haige?*

Panen vihiku kinni. Kummardun, et panna see koos pliiatsitega põrandale, ja tunnen, kuidas kõhus keerama hakkab ja silme ees läheb häguseks, nagu oleksin ära joonud terve pudeli kiniini sisaldavat veini. Tunnen tugevat iiveldust. Kõik, mis kõhus keerab, tõuseb kurku. Viskan teki pealt, kummardun üle voodiääre ning oksendan ööpotti ja üle selle äärte. Tunnen pisut kergendust, pühin käeseljaga suud ja proovin uuesti pikali heita. Liigutamine ajab südame veel rohkem pahaks, ma oksendan kööksudes ja kontrollimatult. Ööpotile ei saa üldse pihta. Okse pritsib parketile.

Oigan. Kogu mu keha valutab.

Madam Joseph tuleb tuppa, ühes käes veekann ja teises klaas. Ta paneb need riidekapi kõrvale põrandale ja tõmbab kardinad eest. Püüan keskenduda kanga roosadele ja punastele lilledele, aga need hakkavad koorevärvilisel taustal tantsima. Vaatan selle asemel põrandale.

Clara komberdab tuppa. Ta kasutab kõndimiseks keppi ja tema teises käes on taldrik. „Võtke, preili Jo," ütleb ta, „proovige pisut seda leiba näksida. Parem oleks, kui saaksite midagi oma kõhtu."

Ta riputab kepi voodijalutsisse ja tuleb ümber okseloigu. Vaatan, kuidas Clara murrab tüki leiba. Ta ulatab selle mulle, aga ma raputan pead. Kõhus keerab. Ma ei tea, kas selle põhjuseks on näljatunne või iiveldus.

„Väiksekesel on seda vaja," ütleb Clara.

Madam Joseph ahmib õhku ja hüüab siis kajana: „Väiksekesel!" „Ole vait," ütleb Clara teda vaadates, „mitte sõnagi. Härra Theo ei tea veel."

„Mida härra Theo ei tea?" küsib Theo ja tema kõmavad sõnad kajavad seintelt vastu, kui ta magamistuppa astub. Ta nööbib oma ülekuue lahti ja paneb kõvakübara voodi ülestehtud poolele Clara jalutuskepi kõrvale.

„Vabandage, härra Theo," pomiseb madam Joseph kummardudes ja põrandalt ööpotti võttes. Ta viib selle välja, enne kui keegi meist midagi ütleb. Ma jälgin, kuidas Theo püüab toimuvast aru saada: täisoksendatud põrand, naine voodis, vesi, leib, naeratav teenija.

„Sa ei ole haige." See on fakti konstateerimine. Theo mängib detektiivi, dešifreerib vihjeid. „Ja Clara tahab, et sa sööksid," ütleb ta ja jääb siis vait. Theo nägu on kahvatu ja ta niheleb, trummeldades voodijalutsis seistes vastu selle roosipuust poste.

„Kas sa jätad mu maha?" küsib Theo. Ta vaatab ainiti segiaetud voodilinu. „Kas abielu minuga on teinud su nii meeleheitlikult õnnetuks ja haigeks?"

Vaatan Clarat ja ta noogutab, et ma räägiksin, aga mu kõhtu lööb valu. Ma ei julge end liigutada. Kui avan suu, võin hakata uuesti oksendama.

„Preili Jol on suurepäraseid uudiseid, härra Theo," ütleb Clara, „aga ta kardab, kuidas te reageerite, sest see juhtus nii ruttu pärast pulmi. Teil oli ju plaane."

„Plaane? Suurepäraseid uudiseid?" kordab Theo. Ma näen, mida ta tunneb, ma oskan tema ilmeid kerge vaevaga lugeda. Üle tema näo tulvab lootus. Temast kiirgab rõõmu. Mu abikaasa silmad säravad heameelest, tema naeratus välgub nagu langev täht. Ta vaatab mulle silma ja siis libistab silmad mu kõhule.

„Kas sa oled?" Noogutan.

Pisarad voolavad mööda mu põski, kui ta kiirustab minu juurde, viskudes voodile ja võttes mu ümbert kinni. Ootamatu liigutus tekitab minus jälle tahtmise oksendada, aga ma püüan selle alla suruda.

„See on parim uudis üldse, absoluutselt suurepärane uudis." Ma kuulen, kuidas ta süda peksab. Tema keha soojus tungib läbi õhukese öösärgi ja ma pole juba ammu end nii turvaliselt tundnud.

Theo tõmbub minust eemale: „Aga mis sind kurvaks teeb?"

„Asi on..." alustan.

Theo kergitab mind pisut, aga see liigutus on liiga järsk. Keeran end temast eemale, aga ööpott ei ole oma kohal. Madam Joseph ei ole uut veel toonud. Ma ei suuda end kontrollida ja oksendan põrandale.

„Preili Jo on mures härra Vincenti hulluse pärast," ütleb Clara.

Minu keha ajab oma asja. Oksendan uuesti.

„Kas ta kardab lapse pärast?" Theo hääletoon on pisut liiga kõrge. Ma kuulen tema küsimuses muret ja ärevust.

„Me kõik peaksime, härra Theo." Vaikus. „Kõik see kihluse ja pulmadega seotu ja teie venna haigushood... Vincent tekitab teis mõlemas pinget, ja preili Jo kannatab iiveldushoogude all, ja arvestades kõiki tüsistusi, mis võivad naistel sünnituse ajal tekkida..." Clara jääb uuesti vait.

Ma arvan, et ta annab Theole märku mehe enda haigusest ja tüsistustest, mida see võib sündimata lapsele põhjustada. Minu abikaasa hoiab oma saladusi. Ma kujutan ette, et ta hoiab hinge kinni ja ootab, millise lahenduse Clara välja pakub.

„Kas arst on sind läbi vaadanud?" küsib Theo.

„Praegu on kõik korras," ütlen, proovides oma pead mitte liigutada.

Theo hingab pahinal välja.

„Preili Jo mõtles, et äkki võiksite neid uudiseid mõne kuu jooksul oma venna eest varjata. Lihtsalt kuni tal on kõige raskem aeg möödas. Preili muretseb, mida Vincent võib endaga muidu seekord teha..."

Uus vaikus, siis on Theo jälle minu kõrval, tõmmates mu lahtised juuksed kuklasse kokku. „Kas sa sellepärast oledki olnud endast väljas? Vincenti pärast?" Noogutan, pead vaevu liigutades. „Ja mina mõtlesin, et sa kahetsed minuga abiellumist."

„Ma ei taha, et meie laps tekitab sinu vennal uue haigushoo. Või midagi hullemat... Vincent on juba mõnda aega rahulik olnud." Vaatan põrandale pritsinud okset.

„Vincent on oma draamaga kõik meie head uudised ära rikkunud," ütleb Theo, „ja sa ei taha, et ta meilt meie rõõmu võtaks. Meil pole aimugi, kuidas ta võib reageerida."

„Ma olen isekas," ütlen väga vaikselt, aga Theo kuuleb.

„Ei, mu kallis Johanna, sul on õigus. Las see olla mõni kuu meie kahe saladus."

„Aga ma pole nii isekas nagu sina," lisan.

Vaikus. Kas Theo mõtleb, et kuulis valesti?

„Ma ei lase mitte millelgi ohustada sind, meie last või meie venda."

„Aga ometigi olid sa minuga vahekorras, kuigi teadsid, et oled haige."

„Jo, see polnud päris nii," alustab ta. Kuulen tema hääles ebakindlust.

Oksendan uuesti põrandale.

Juuli 1889

Theo mõtles, et ma tahan meie abielu lõpetada. Ta arvas, et on selle ära teeninud. Ta teadis, et olen näinud tema löövet, ja on minust kõrvale hoidnud, et ma ei saaks sellest temaga rääkida.

Kui ma oksendamise lõpetasin, rääkisime mitu tundi. Theo seletas, et sai haiguse tükk aega enne meie kohtumist. Ta ei öelnud siiski, kus see juhtus. Ütles, et pärast mind pole tal kedagi teist olnud. Rääkis, miks me pole olnud vahekorras pärast seda, kui ta diagnoosi sai.

Ta nõuab, et arst käiks mind iga päev vaatamas, kuni on kindel, et ma ei ole nakatunud.

Hiljem rääkis ta mulle, kuidas rõõm isaks saamise pärast on segunenud kurbusega, et ta ei saa jagada seda uudist oma vennaga, ja süütundest oma haiguse pärast. Ta ütles, et ta pea on pulki täis. Ma ei saanud aru, mida see tähendab või kuidas ma saaksin aidata.

„Kui mu pea on pulki täis ja ma tunnen end tühjana, ole lihtsalt minuga kannatlik," ütles Theo.

„Mida ma peaksin tegema?"

„Lihtsalt istu vaikides minu kõrval."

„Ma kardan, et siis sa tüdined minust," ütlen.

„Sinu vaikimine ei tüüta mind kunagi."

SÜGIS

1889

Pariis

PUNASE PAELAGA NAISE PORTREE

See oli Rodin, kes soovitas Theole, et me teeksime raseduse ajal iga päev pikki jalutuskäike. Rodini ainsa poja ema Rose'i rasedus ja sünnitus kulgesid komplikatsioonideta ja Rodin väitis, et see oli tänu igapäevasele liikumisele. Kui Theo mulle sellest soovitusest rääkis, pidin paratamatult Camille'i kohta küsima.

„Tal ei ole muud valikut, kui minna varjupaika," ütles Theo ja ma nuuksusin abitult, kuni ta lubas, et püüab kuidagi Camille'i aidata.

Theo tuleb iga päev oma töökohast Boussod, Valadon & Cie galeriist koju lõunale, aga söömise asemel läheme Montmartre'ile jalutama. Ma ei tea, kelle idee on see, et ma pean sööma hobusetoitu, mis koosneb suures osas rohust ja veest, aga olen ühe porgandi kaugusel sellest, et enda järel vooritõlda vedada, kui me jalutamas käime. Puu- ja köögiviljadest koosnev toit on mu seedimise korda ja minu enda terveks teinud, aga nüüd, kus mu süda ei ole enam hommikuti paha, igatsen rikkalikumat ja peenemat toitu. Theo on kuulanud minu kaeblemist alates hetkest, kui me jõudsime Lepici tänavale, ja nüüd, kui me oleme keeranud Clichy puiesteele, olen ka ise omaenda vinguvast häälest tüdinud. Minu abikaasa on ka enda toiduvalikut minu järgi piiranud, aga pole selle üle kordagi kurtnud.

„Sinu vangistus, sinu nelja seina vahel püsimise aeg algab kahe päeva pärast," ütleb Theo teemat vahetades.

„Ma hakkan meie igapäevastest jalutuskäikudest puudust tundma."

„Ja nendest vaadetest," ütleb Theo. Tahan mühatada, aga jään hoopis seisma, sest ta laiutab ülidramaatiliselt käsi. „Jäta need lõhnad ja helid mällu, Johanna."

Naeran. „Sa jätad mulje, et mind karistatakse."

„Läheb mitu kuud, enne kui sul *on lubatud* uuesti välja minna."

Jälgin hetke tiheda liiklusega tänaval toimuvat sagimist. Kuulen kõikjal piitsaplaksatusi ja hüüdeid: „*Hé, la-bas*!" Mehed ja naised püüavad kõrvale põigelda vankrite ja hobuomnibusside eest, hoidudes samal ajal astumast sõnnikuhunnikutesse, mõned inimesed lobisevad ukseavades, teised koperdavad naerdes kabareedest välja. Nende rõõm ja Pariis on joovastavad.

„Hakkan sellest kõigest puudust tundma," ütlen naeratades võõrastele möödujatele.

„Sul jääb aega maalimiseks."

Vaikuse täidab hobuste kabjaplagin.

Raputan pead: „Abielu ja lapsesaamine on kõik muutnud."

„Kas paremaks?" küsib Theo ja ma kehitan õlgu. Ma usun, et on, aga aeg näitab. Ma hakkan alles harjuma abielunaise rolliga ja mõte sellest, et ilma sünnib tibatilluke olend, kes absoluutselt kõiges minust sõltub, tundub ikka veel võimatuna. Ma tean, et mul on kadunud igasugune huvi luua esilekerkivate naiskunstnike kogukond või õppida maalimistehnikaid, ometi tunnen ootamatult, et olen õnnelikum kui kunagi varem. Minu uus elu Theo kõrval täidab mind rahulolu ja rõõmuga.

„Kõik läheb hästi," ütleb Theo. Tema hääletoon on rahulik, ta on veendunud selles, mida ta ütleb. Ma noogutan, sest usun teda kogu südamest.

„Ma olen siiski juba kaheks kistud. Ühelt poolt ootab mind füüsiline ja vaimne eraldatus, sunnitud üksindus, kuni meie laps siia ilma saabub." Naeratan ja sirutan välja oma vasaku peopesa. „Teiselt poolt on mul aga võimalus end ära peita ja vabaneda vajadusest kanda seda liiga kitsast korsetti." Sirutan välja oma parema peopesa. Ma liigutan käsi üles-alla, otsekui kaaludes oma praeguse olukorra plusse ja miinuseid. Tõstan parema käe üles. See võidab. „Korsetist vabanemine on luksus. Ma ei suuda seda kõhtu enam kuigi kaua varjata."

„Ja mõtle veel kõigile neile hapudele ja soolastele toitudele, mida sa saad süüa, kui laps on sündinud," ütleb Theo mu õlga nügides ja käe alt kinni võttes. Jätkame kõndimist.

„Millal ometi ei pea ma enam mõtlema igale viimasele kui suutäiele, mida söön? Emade koorem. Ma nagu vastutaksin ainuisikuliselt lapsele üle antud halbade eelduste eest." Panen käe oma kõhule.

Sel hetkel kuulen naisehäält.

„*Bonjour*, härra van Gogh." Ta seisab meie ees pisut vasakul ja nõjatub Café du Tambourini avatud uksele, sigarett ühes ja õlleklaas teises käes. Kui kaua ta on meid jälginud? Jääme seisma.

„Preili Voort," ütleb Theo kaabut kergitades. Sara naeratab, tema täidlased huuled läigivad ja mandlikujulistes silmades on sära. Tema ilu on vangistav. Sara vaatab minu abikaasat.

„*Bonjour,* Sara," tervitan teda.

Sara heidab pilgu minule ja soojus kaob sellest silmapilkselt. „*Preili Bonger.*"

Ma naeratan ega paranda teda. Jälgin hoopis, kuidas ta silmad peatuvad minu käel, mis on ikka veel kõhul. Ma ei võta seda ära. Naeratan. Ma ei suuda kaasa tunda inimesele, kes õõnestab järjekindlalt meie abielu. Sara neelatab, pilgutab kiiresti silmi ja hingab sügavalt sisse. Vaikus. *Ta teab.*

„Te näete... väga *hea* välja," kortsutab Sara muret teeseldes pilkavalt oma ebaloomulikult tumedaid kulme.

„Pole end kunagi õnnelikumana tundnud." Kuulen, et ütlen sõna „õnnelikum" liialdatud entusiasmiga. „Meile meeldib olla abielus." Ma näen, kuidas ta närviliselt niheleb, aga ei tunne põrmugi halastust.

Theo paneb käe mu õlgade ümber. „Head päeva," ütleb ta, loovides meid Le Tambourini avatud uksest mööda Ta tahab Sarast sama ruttu vabaneda nagu minagi.

„Varsti kohtume, Theo," hüüab Sara meile järele, aga me kumbki ei vaata tagasi.

„Kas sul on temaga kohtumine kokku lepitud?" Theo naerab.

„Ta näeb mind igal pool," ütleb Theo ja ma ei nõua talt lähemat selgitust.

Oktoober 1889

Algab minu tubase režiimi aeg ja täna rääkisime Theoga lõunalauas meie ühisest soovist, et Vincent leiaks naise, kes armastaks teda piisavalt, et enda juurde elama võtta. Theo oletas isegi, et Vincent sobiks kõige paremini naisega, kes on kogenud temaga võrdset lootusetust, sest Theo arvab, et kõige kurvemad hinged seltsivad sageli omasugustega kõige paremini.

Ma ei ole siiski kindel, et ma temaga nõustun. Ma kardan, et kurvad hinged toidavad teineteise kurbust.

Vestlus libises sellele, kuidas tärkav hullumeelsus ja tõelise kunsti loomine tunduvad käivat käsikäes.

Theo ütles, et Vincent peab end Monticelliks – Theo on just sellepärast ostnud mitu selle kunstniku tööd. Vincent imetleb seda, et kunstnik ohverdas oma elu kunstile ja võib-olla isegi samastab end Monticelli hullumeelse käitumisega. Taas kord tuletatakse mulle meelde, et geniaalsusega kaasneb haprus ja väikseimgi tõuge võib tuua kaasa sisemiste müüride varisemise.

Olen mõelnud omaenda hiljutisele haavatavusele, samuti Theo, Vincenti, Camille'i, Agostina, Rodini ja Sara omale. Kas me pole mitte kõik ühesugused? Kas me mitte kõik ei klammerdu läbi elu seilates oma väärtusliku terve mõistuse külge?

Ma tahan aru saada, mida tähendab „tõeline kunst", ja pean selle üle veel sügavalt mõtlema. Pärast abiellumist pole ma maalinud ja ka joonistan harva, aga ma pole tänaseni endalt kordagi küsinud, miks see nii on. Võib-olla olen hakanud kehastama kõike seda, mida Camille ja Agostina vihkavad, aga alles praegu tekib mul küsimus, kas minus toimunud muutust võib ikka negatiivseks pidada. Ma olen loobunud oma kunstipüüdlustest ning eelistan hetkel olla abikaasa ja peagi ka ema. Ma olen muutunud liiga kiiresti üksikust naisest abikaasaks ja last ootavaks naiseks ning alles hakkan aru saama, kes ma õieti olen.

Kas võib olla, et minu jaoks on tugevaks naiseks olemine seotud valikutega? Tõepoolest, ma olen valinud need rollid (kuigi kiirendatud tempos) ja need omaks võtnud, selle asemel et lihtsalt alluda nõudmistele, millele ma peaksin vastama. Camille'il ja Saral pole seda luksust, valikuvõimaluse puudumine hävitab nende vaimu.

Miks ma siis tunnen, et häbistan nende naiseks olemist?

Miks häbistavad naised ja mõistavad kohut nende üle, kes tahavad ainult, et neid rahule jäetaks?

ÕITSEV AED TEERAJAGA

Olen nüüd nädal aega kodus istunud ja mõte, et ma ei pea mitu kuud välja minema, on hakanud mulle meeldima. Arst on mulle kinnitanud, et olen terve ega ole nakatunud Theo haigusesse. Minu laps on väljaspool ohtu. Ma ei ole enam korsetti kängitsetud. See on taevalik.

Lamame päevatekil, mina olen külili. Mu pea toetub padjale ja Theo on kõverdunud minu paisunud kõhu juurde. Ta räägib meie sündimata lapsele oma viimastest tehingutest Monet' maalidega.

„Sa räägid Monet'st, nagu ta oleks kogu liikumise kehastus," ütlen naerdes.

„Ja tuleb tunnistada, et sinu isa vallutas täna Durant-Rueli ja Georges Petit'," ütleb ta minu kõhule.

„Vaevalt küll, et vallutasid." Ma naeran ja mu kõht võppub kaasa. „Sa räägid, nagu sa oleksid suur sõdalane." Panen käe kõhule ja silitan seda läbi öösärgi ringe tehes. „Sinu isa on pehmeloomuline nagu kassipoeg," ütlen ja laps reageerib kerge müksuga.

„Pane oma käsi siia," ütlen ja Theo teeb seda. Ootame. Laps põtkib uuesti. Theo silmad lähevad pärani ja suu venib kõrvuni.

„Poiss ei ole sinuga sugugi nõus," ütleb Theo südamepõhjast naerdes.

Kergitan kulmu: „Poiss?"

„Küll mina juba tean neid asju ja Clara on minuga nõus." Theo koputab sõrmega oma ninaküljele, nagu jagaksid nad Claraga mingit saladust. „Kas mõte veel ühest meessoost van Goghist on siis kohutav?" küsib Theo.

Raputan pead: „See oleks imeline," ütlen ja naeratan. „Mul on hea meel, et sa täna varem koju tulid. Saan sinuga olla tervelt kaks tundi rohkem."

Theo kissitab õnnelikult silmi. „Ma praktiliselt ei läinudki pärast meie keskpäevast lõunat tööle tagasi. Praegu on üha raskem teid kahte omapäi jätta."

„Kui sa aga tööl ei käiks, siis milliseid uudiseid saaksid sa tuua meie sündimata lapsele?"

Naerame mõlemad, kui Theo paneb taas oma käed minu kõhule ja laps uuesti põtkib.

„Paharet," ütlen oma ümarat kõhtu paitades. „Kas sa tunned end hästi?" küsin. Theo nägu on pisut liiga kahvatu ja tundub, et ta on alla võtnud.

„Ma olen lihtsalt ületöötanud."

Theo ei varja enam minu eest oma haigust. Ta küsib arstilt järjepidevalt meie sündimata lapse tervise kohta. Mõnikord koostan mõttes nimekirja naistest, kes võisid teda nakatada. Mõnikord mõtlen, kas Sarat vaevab sama tõbi, kas see liidabki teda vendade van Goghidega.

„Kas sul on kõht tühi?" küsin, peletades mõtted Sarast eemale. „Me võiksime täna õhtul süüa midagi pisut toekamat kui ainult rohelist."

Theo naeratab ja pöördub uuesti minu kõhu poole. „Ma müüsin täna oma seitsmekümnenda Monet' maali. Räägitakse minu müügitehnikast ja arutatakse, et minu poolt Monet' esile tõstmine on kindlustanud tema edu. Sinu onu, muidugi..."

Ta jääb vait ja ma näen, et ta põrnitseb punast voodikatet. Me pole viimastel nädalatel Vincentist kuigi palju rääkinud. Pigem oleme pärast seda, kui Theo minu rasedusest teada sai, vältinud tema venna nime, tundes end süüdi, et Vincent ei saa meiega meie rõõmu jagada. Tema nimi on nagu elevant toas – me mõlemad teame, et ta on seal, aga proovime seda ignoreerida.

„Ma ei suuda taluda, et me pole talle isegi rääkinud," sosistan.

„Kas tõesti?" Noogutan ja Theo nägu lööb särama. „Ärme siis kauem peida oma suurepärast uudist tema eest. Andries teab ja oleks õige, kui teataksime ka kõigile teistele pereliikmetele."

„Ma olen kindel, et Sara sai sellest silmapilkselt aru. Ma ei imestaks, kui see oleks Hollandis juba üldiseks kõneaineks." Vaikus. Theo ei tõsta oma silmi. „Mis on?" küsin haigutades.

„Ei midagi, Sara on..." Theo vaikib ja ma noogutan, et ta jätkaks. „Jagagem lihtsalt oma rõõmu Vincentiga," ütleb ta samuti haigutades, „Vincent on viimasel ajal pealegi olnud väga rahulik.

Ta täidab oma päevi maalimisega." Noogutan uuesti. „Ma pole näidanud sulle seda lõpetatud „Tähisööd", mille ta saatis. Küla kuuvalguses. Maali ülemist keskosa valitsevad tähepöörised."

Haigutan uuesti.

Theo tõuseb voodilt, kummardub minu kohale ja suudleb otsaesist. Tema vuntside harjased kõditavad mu nahka. „Püüa veidi puhata," ütleb ta ukse poole liikudes.

„Ma tahan enne Vincentile kirjutada."

„Ma äratan su üles umbes tunni aja pärast, et jõuaksid end ette valmistada."

„Milleks ette valmistada?" küsin end mugavamasse asendisse seades.

„Härra Pissarro tuleb koos oma pojaga täna meile õhtusöögile. Me rääkisime ju sellest, ainult et..."

„Laps," ütlen oma suurele kõhule osutades. Theo naeratab.

Ma muutun järjest hajameelsemaks, olen väsinud, puhken kergesti nutma ja süüdistan alati selles kõiges meie sündimata last. Silitan veel kord oma kõhtu. *Palun vabandust, mu südameke.*

13. oktoober 1889
Pariis

Mu kallis vend

Meil on Sulle üks suurepärane uudis, mida me ei suuda kauem saladuses hoida. Theost ja minust saavad mõne kuu pärast lapsevanemad.

Me loodame, et see on poiss, kellele ma väga tahaksin panna nimeks Vincent Sinu, tema ristiisa järgi, kui Sa oleksid nõus meile seda au osutama. Ära loodagi end välja vabandada rahapuudusega, sest Sinu ristiisa kohustused ei saa kunagi olema rahalised. Mulle meeldib narrida Theod, öeldes, et ootan tüdrukut, aga oma südames suudan kujutada teda ette ainult poja isana.

Tõele au andes polnud ma kohe õnnelik, kui teada sain, et ootan last. Asi pole selles, et mulle beebid ei meeldi, aga mul oli raske leppida tõsiasjaga, et minust saab ema. Ma õpin alles seda, kuidas olla Sinu vennale hea naine. Muretsesin nii palju selle pärast, et meie beebi võib olla haige või nõrk või ei ole koguni nii arenenud, nagu peaks, et lükkasime uudisest teatamist edasi. Emad peavad oma õlgadel kandma suurt raskust, tooma ilmale terve lapse ja selles katsumuses ise ellu jääma. Mõnel päeval ei suuda ma taluda mõtet, mis kõik võib valesti minna. Siiski on meil hea arst, kes on kinnitanud mulle, et täisväärtuslik toit ja palju puhkust võivad imet teha.

Olen viimasel ajal mõelnud Roulini beebi portree peale, mille Sa maalisid. Kas see on vale, et me kõik unistame tervest, tugevast lapsest, kellel on pruntis põsed ja ilusad silmad, nagu beebil Sinu pildil? Sellest lapsest tundub tõesti lausa õhkuvat tervist! Me mõlemad loodame, et Sa nõustud ühel päeval maalima oma vennapoega.

Theo kirjutab homme vastuse Sinu lõuendit puudutavale kirjale ja paneb vajaliku koguse teele. Ta on kogu aeg väga väsinud ja näeb üsna halb välja, aga kohe varsti saabuvad härra Pissarro ja tema poeg. Ma olin unustanud, et nad täna tulevad, ja nüüd tuleb neil oma õnnetuseks maitsta minu poolt valmistatud toitu.

Soovin Sulle head õhtut ja ootan Sinu reaktsiooni meie uudisele.

Sinu õde Jo

14. oktoober 1889
Saint-Rémy

Kallis õde

Kiri, mille täna hommikul sain, oli lihtsalt suurepärane. Õnnitlen teid mõlemat soojalt. Sain kirja veetlevalt Sara Voortilt, milles ta mainis, et nägi Sinu paisunud kõhtu, ja lootis, et oskan talle rohkem üksikasju rääkida.

Ma ei olnud veendunud, et ta nägi õigesti, arvestades kõiki neid asju, mida Pariisi naised peavad oma seelikute all kandma, ja lasin ta klatši kõrvust mööda. Te olete värskelt abiellunud, nii et selliseid uudiseid oligi oodata. Me teame mõlemad, et preili Voortile meeldib meie vahel tolmu üles keerutada. Ma kardan, et ta peab mind endaga igavesti seotuks, sest härra ja proua van Gogh on meid mõlemaid eemale tõrjunud. Ma ei rõõmustanud teda vastusega, sest olin kindel, et kui te hakkate last ootama, olen esimene, kes sellest teada saab.

Nii et uudis on väga teretulnud ja ma ootan võimalust oma vennapojaga lähiajal kohtuda. Jumala abiga võtan hea meelega enda peale ristiisa kohuste kandmise au, aga ainult siis, kui te seda mõlemad kindlasti tahate. Kui leiate sellesse rolli kellegi sobivama, siis ei tunne ma end solvatuna.

Sama ütlen ka mõtte kohta anda lapsele minu nimi. Kas poleks parem anda lapsele tema isa nimi või meie isa nimi? See tunduks mõistlik ja ma olen kindel, et Theol on asja kohta oma arvamus. Arutage seda ja andke mulle teada, mida otsustate. Saadan teile mõlemale oma kõige soojemad tervitused ja tahan öelda, et olete kogu aeg minu mõtetes.

Et hajutada Sinu muret Theo tervise pärast, luba mul öelda, et ma olen näinud, kui kiiresti võib minu venna tervislik seisund muutuda. Tema tervis võib mõnikord tõesti olla vilets ja kõikuv, aga ta suudab sellest alati välja tulla. Ma olen veendunud, et ta oskab end taastada, nagu ma tean ka oma aastatepikkuse kogemuse põhjal, et Theo armastus ja hoolitsus tagavad lapse turvalise ilmaletuleku. Hea tervis on ülitähtis – Sa pead oma sündimata lapse nimel olema terve nii vaimult kui kehalt ja ma olen kindel, et Sinu eest hoolitsetakse hästi, mu kallis õde. Loodus teeb oma töö ja ma usun, et Sinu kannatlikkuse toel sünnib terve ja rõõmsameelne poisslaps.

Milline rõõm on last saada! Milline tunne on olla isa! Kadestan teid mõlemaid.

Sain täna hommikul kokku oma arstiga. Vabandust, et jagasin temaga teie uudist, aga ma tahtsin rääkida oma kadedusest. Arst ütles, et olen taastumas, ja rääkis väikestest igapäevastest sammudest paranemise suunas. Tema sõnul võin ennast terveks pidada alles siis, kui terve aasta pole uut hoogu olnud. Siiski kardab ta, et mind võib uus haigushoog tabada mistahes ajahetkel, ja kuigi mu seisund läheb pidevalt paremaks, on mul ikkagi veel pikk tee minna. Arsti arvates võib kõige väiksemgi sündmus või uudis põhjustada järjekordse kokkuvarisemise, aga teie suurepärane sõnum ei ole mulle midagi halba teinud.

Ootan ikka veel teateid rahaga seotud asjade kohta, aga saadan homme Theole uue maali. Tema poolt viimati saadetud värvid ja kümme meetrit lõuendit on juba otsas.

Kuigi ma enam ei joo, olen märganud, et kulutan märksa rohkem, kui arvasin. Kuidas see on võimalik? Võib-olla lasin teistel oma õlled kinni maksta! Varjupaik tundub olevat kallim, kui minu eelmised elukohad. Ma tahaksin maalida palju rohkem, aga materjalide hinnad on lakke tõusnud ja ma püüan tulla toime oma võimaluste piirides. Kainus annab mu mõtetele avarust ja selgust, mõne inimese arvates võiks see kaasa tuua negatiivsuse, mina aga tervitan võimalust elu uurida. Tunnen ennast hästi. Tõesti, kallis õde, kui Sa mind järgmine kord näed, ei tunne Sa mind tõenäoliselt ära.

Millal te mulle külla tulete?

Ütle Theole, et ma kirjutan varsti, kui ma saan tema kirja raha kohta. Ma ei tahtnud oodata oma vastuse saatmisega, et teid viivitamatult kogu südamest õnnitleda!

Tout à toi,
Vincent

TALV

1890

Pariis

Jaanuar 1890

Iga viimane kui hommik, terve viimase kuu jooksul on Theo tervitanud mind küsimusega, kas ta juba täna sünnib.

Alguses tegi see mulle nalja. Nüüd on mul iga päev üha vähem kannatlikkust.

Kui Theo peaks homme seda uuesti küsima, hakkan karjuma.

Lisaks Theo kannatamatusele täidab mind vihaga tema absoluutne kindlus, et ma kannan poisslast. Mis juhtub siis, kui sünnib tüdruk? Kas Theo on pettunud? Kas ta proovib väiksekese minusse tagasi toppida?

Aga kõige rohkem närib mind üks teine hirm. Püsiv, kõikehõlmav õudus: mis siis, kui arst eksis ja mu laps on saanud oma isa haiguse?

Palun, et ma võiksin Theole sünnitada terve lapse. Las olla see esimeseks märgiks, et kõik saab korda ja et ma ei ole halb mamma.

MARCELLE ROULINI PORTREE

Ma olen kindel, et minu abikaasa on rääkinud kogu Pariisile, et ma ootan last, aga mul käivad külas ainult Andries ja Clara.

Kui sünnitus on nii lähedal, peetakse sündsaks, et hoian end avalikkuse eest kõrvale. Varem oleksin otsinud viise, kuidas selle naeruväärse tubase režiimi vastu mässata, aga vabadus korseti kandmise vajadusest võidab kõik muu. Minu suurt kõhtu ei pigista avara öösärgi all mitte miski. Mõnikord jälgin, kuidas laps kõhus endale ruumi teeb. Teinekord olen veendunud, et minu sisemust muljub beebi igapäevane põtkimine, et välja pääseda.

Theo tõttab tuppa, õuekuub seljas ja kõvakübar peas, ja paneb hiiglasliku lõuendi mu voodijalutsisse. Pehme lumi sulab tema kübaraserval. Pisut õhukesi lumehelbeid on ka tema kuueõlgadel. Ta vaatab mu kõhtu.

Jah, ma olen ikka veel rase. Ei, beebi pole veel siia ilma sündinud. Lase käia, küsi. Küsi, kui julged.

Theo saab aru, mida ma mõtlen, ja naeratab kõiketeadvalt. „Kas käes on aeg lõunat süüa? Millist muruhõrgutist me täna sööme?"

„Ma igatsesin sinu järele."

„Kui sa ka viieteistkümne aasta pärast ütled sedasama alati, kui oleme vaid mõni tund lahus olnud, siis on meie abielu õnnestunud." Theo paneb oma mütsi ja sissepakitud lõuendi voodile. „Kas Bonger käis sind täna vaatamas?"

„Ta astus korraks läbi. Tal oli uudiseid," ütlen ja Theo ootab, et ma jätkaksin. „Ta on armunud."

„Misasja? Kas ta tõesti ütles seda?"

Puhken naerma. „Ma ei ole kindel, et ta on sellest ise üldse aru saanud, aga kui ta rääkis Annie van der Lindenist, hakkas terve ta nägu rõõmust särama. Me oleme tundnud Anniet lapseeast saadik, aga nad kohtusid uuesti kaks nädalat tagasi."

„Ja ta tuli siia, et sulle sellest rääkida?" küsib Theo ja ma noogutan.

„Ta on Anniega kolm korda ilma saatjata kohtunud ja täiesti ära tehtud. Ta rääkis, kuidas talle meeldib, et Annie ei ütle ühtegi liigset sõna ega jäta samas midagi ütlemata. Ilmselt on ta vaoshoitud ja elutark – kõike seda, mis mammale ei meeldi."

„Ma oletan, et Andries ei taha, et sinu ema sellest veel teaks?" küsib Theo ja ma naeratan jaatavalt: *ilmselt mitte.* „Miks ta ainult korraks läbi astus?"

„Ta kiirustas, et minna vaatama Pariisi maailmanäitust. See, et Annie polnud näitust veel näinud, pani mu venna erutusest nihelema."

„Kas ta oli relvastatud oma fotoaparaadiga?"

„Jah, ja kahekümne mehe innukusega." Theo naerab.

„Kas lund on palju?" Minu abikaasa hõõrub oma käsi, et neid soojendada, siis tuleb ja paneb need mu punnis kõhule.

„Tere, pisipõnn," ütleb ta naeratades. Iga päev üks ja sama: kõigepealt mu kõht ja siis alles mina. Theo kogu olemus kiirgab rõõmsat erutust. See särab temast välja hoolimata pidevast väsimusest, mida ta ei suuda endalt maha raputada. Iga päevaga muutub laps talle lähedasemaks. „Vastik ilm. Lumi on väga märg ega püsi munakividel. Ma libisesin terve tee. Hirmus mõelda, kui õudne see on Bongeri jaoks Marsi väljakul." Theo tõuseb püsti ja näitab, kuidas ta libises, vehkides kätega ja südamest naerdes. Hakkan ka ise naerma.

Eelmisel nädalal ütles arst, et pean voodis püsima. Mu sündimata laps vajab, et ma puhkaksin, aga üksiolemine ja sünnituse pärast muretsemine on tõeliseks piinaks. Mul ei ole ikka veel mingit huvi maalimise vastu, samuti ei taha ma joonistada ja pelk mõtlemine raamatu lugemisele paneb mind haigutama. Olen rahutu, ootan, et laps lõpuks tuleks. Clara on minu juures nii palju, kui saab, aga ta peab ikka veel kindla ajakava järgi raviprotseduuridel käima ja järgmisel hommikul pärast neid puhkama. Theo on mamma käsul, kes ise on „liiga hõivatud", et aidata, palganud madam Josephi paariks lisatunniks päevas. Madam Joseph meenutab mulle mõnel päeval liiga palju mammat ja mulle ei meeldi tema võimukas olek. Ta on tundetu, ei peida oma hämmastust selle üle, kui halvasti ma saan majapidamisega hakkama, ja räägib toonil, mis paneb mind tundma, et olen emana juba ette läbi kukkunud.

„Kuidas sulle su uus pesa meeldib?" Theo noogutab peaga sünnitusvoodile, mis toodi madam Josephi nõudmisel. Selle tulemusena elan nüüd meie väikeses lisatoas. See on ikka veel tuubil täis riidekappe, uus voodi teeb aga minust külalise omaenda kodus.

„Kerge, kaasaskantav, tekib tunne, nagu magaksin kaljuserval," ütlen.

„Kas kohe nii vahva?" Viskan Theod padjaga, aga see ei lenda kuigi kaugele ja kukub mu jalgadele

„Mis sa mulle tõid?" küsin pakendi poole noogutades. Arvan, et selles on Monet' maal, aga kui Theo lõuendi lahti pakib ja maali üles tõstab, pole kunstnikus kahtlustki.

„Vincent saatis selle sulle." Theo tuleb voodi päitsisse ja ulatab mulle kirja. Ta annab mu põsele musi, tema vuntsid torgivad mind.

Kallis õde

Mulle meeldiks mõelda, et van Goghi perekonda varsti sündiv beebi saab olema sama terve nagu laps pildil. Ootan, et saaksin teda varsti maalida. Ma mõtlen Sinu peale sageli, Johanna, ja loodan, et nii Sina kui ka Sinu veel sündimata poeg olete tugevad.

Ma võin ainult palvetada, et ühel päeval käime üksteisel taas külas.

Tout à toi,
Vincent

„Ta tundub olevat üksildane," ütlen Theole otsa vaadates ja temalt kinnitust oodates, „ja iga kord, kui me saame talt kirja, tunnen ma hirmu. Kas sa usud, et me vabaneme kunagi murest selle pärast, mida ta võiks teha..." Hingan sügavalt sisse. Mu suu kuivab. Niisutan seda keelega ja siis sirutan käe, et öökapilt veeklaas võtta.

„Luba, ma aitan sind." Theo tõttab klaasi juurde. Ta paneb maali minu kõrvale. Vaatan seda. Ka see maal kujutab Roulini beebit.

„Ma arvan, et ta teeb ettevalmistusi oma vennapoja portree maalimiseks." Theo tõstab klaasi mu huultele ja ma võtan lonksu. „See on tema viies maal sellest lapsest ja mulle ei meenu ükski teine imik, keda ta oleks nii põhjalikult uurinud."

Võtan veel ühe lonksu.

„Kas aitab?" Noogutan.

„See on üsna kole." Theo pomiseb midagi, aga ma ei kuule, mida ta ütleb, ja mu silmad uurivad ainiti maali. Miski selles teeb mind rahutuks, ometi ei suuda ma pilku kõrvale keerata. „Tänu kontrastse värviga taustale mõjub beebi intensiivsemalt," ütlen.

„Ma teen ühel päeval sinust veel kunstikaupmehe," ütleb Theo ja ma puhken naerma.

Lohistan ennast voodisse ja heidan külili, näoga oma abikaasa poole. Voodi kägiseb mu hiigelkaalu all. „Ma ei saa siiski aru, miks me pidime selle jõletu voodi ostma."

„Madam Joseph ütleb, et on patt sünnitada laps samas voodis, kus ta sigitati," ütleb Theo silma pilgutades.

„Kõlab otse nagu mamma suust." Vaatan avatud ukse poole kartes, et teenija kuulab pealt. „Kas sa võiksid täna pärast lõunat koju jääda?"

„Ma pean tagasi minema. Ootan pildiraamide saadetist." Ta vaikib ja naeratab siis; millele iganes ta ka ei mõtleks, teeb see talle rõõmu.

„Mis on?"

„See on Vincenti „Päevalillede" jaoks. Neljas variant. Maalil on väike puidust serv, selle jätan ma alles, aga usun, et valge raam sobiks suurepäraselt. Kas sa mäletad Père Tanguyd?"

Noogutan. „Sa ütlesid, et ta avastab tundmatuid kunstnikke."

„Jah, ja ta tahab panna Vincenti töid välja oma galeriis rue Clauzel 14, aga tal puudub pilgupüüdja, mis kohe esimesest kokkupuutest minu venna annet näitaks."

Plaksutan käsi. Theo erutus on nakkav. „Kas sa arvad, et „Päevalilled" sobib selleks?"

Theo noogutab. „„Päevalilled" on Vincenti sümbol ja kõigist tema maalidest minu suurim lemmik. Huvi Vincenti vastu kasvab." Theo erutus kandub minule üle nagu lööve. Kratsin tahtmatult vooditekil oma kõhtu. Ta on investeerinud Vincenti nii palju aastaid, rahastanud kogu tema tegevust ja tema usk ei ole löönud kordagi vankuma. Minu abikaasa on lojaalne, aga ta oleks toetanud Vincenti ka siis, kui nad poleks sugulased. Vincenti anne on tähelepanuväärne.

„Räägitakse, et talle on tehtud ettepanek järgmisel aastal oma tööd Brüsselis näitusel välja panna. Usun, et edu võiks

Vincenti päästa." Theo räägib kiiresti, sõnad üksteise kukil, hingamispausideta: „Kui ta suudab vältida uut vaimset kokkuvarisemist, võiks ta isegi meile lähemale elama kolida."

Näen, kuidas tema keha viimase kolme sõna juures norgu vajub, kuidas erutus tema longus õlgadelt maha pudeneb. Theo istub voodile.

„Sa muretsed sellepärast, et kui ta siin on, siis on tema jaoks kõik liiga teistmoodi?" küsin.

Theo tõmbab mind enda vastu ja hoiab tihedas embuses. Ta liigutused on kiired. Panen oma pea tema rinnale – süda peksab. Need südamelöögid loovad mugavuse ja turvalisuse tunde.

„Ära sure kunagi," ütlen. Mu silmist voolavad pisarad.

Theo naerab kergelt ja ma tunnen, kuidas ta rind võbiseb. „Mul pole vähimatki kavatsust sind kunagi maha jätta."

„Ma igatseksin liiga palju sinu südamelööke."

„Mis sulle sisse on läinud, Jo?"

„Ma tahan, et arstil oleks õigus selle koha pealt, et laps ei ole nakatunud..."

Theo püüab end eemale tõmmata, aga ma haaran tema ümber tugevamini kinni.

„Arst on kontrollinud miljon korda. Te olete mõlemad terved."

„Ja mind hirmutab uuesti Vincenti maailma sattumine. Ta pole kaugeltki veel terve, pole veel möödunud aastatki sellest, kui... Theo, ta lõikas endal kõrva ära!"

„Osa kõrvast." Vaikus. Kuulen, kuidas Theo ohkab; see tuleb sügavalt tema seest. Ta on minuga nõus. Ma ütlen lihtsalt valju häälega välja selle, millele minu abikaasa on juba varem mõelnud.

„Ma tahan, et me võiksime elada väikese õnneliku perekonnana... Ma tean, et see teeb mind isekaks, aga me pole arstid. Me ei saa pakkuda seda, mida Vincent vajab."

„Ma tean," ütleb Theo sosinal, „ma arvan, et olen oma vennale endast liiga palju andnud. Ma tahan, et tal oleks võimalused olla iseenda parem versioon, olla osa meie perekonnast. Ta on liiga palju aastaid olnud minu elus esikohal."

„Kas nüüd on aeg tõsta esikohale meie väike perekond?" Theo ei vasta. Ta võis noogutada, aga võis ka pead raputada. Ta silitab mu juukseid. Alguses õrnalt, ent siis hakkavad ta sõrmed mu juukseid rulli kruttima.

Panen käed oma hiiglaslikule kõhule ja sulgen silmad.

Jaanuar 1890

Madam Joseph magab minu voodi kõrval.
See on arsti käsk.
Nad arvavad, et laps peaks iga hetk sündima.
Selles on midagi pakilist.
Peab sündima.
Ja praegu,
nende pakiliste sõnade ja tõsiste häälte tõttu
ma ei suuda,
ma ei tee seda.
Olen hirmust halvatud.
Surun jalad risti.
Püüan valulaineid oma kõhus mitte tähele panna.
Mis siis, kui laps sureb oma teel sellesse maailma?
Uus valuhoog.
Ikka uuesti ja uuesti.

EMA HÄLLI JUURES

Ma ei arvanud kunagi, et olen selline inimene, kes armub esimesest silmapilgust. Mul oli kombeks põlastada äsja emaks saanud naisi, kes kudrutasid oma vastsündinud koledate beebidega ja pidasid neid ilmaimeks.

Siis sündis minu enda poeg.

Lamasin selili, põlved üleval ja Clara seisis mu voodijalutsis, kloroform ja tangid käeulatuses. Madam Joseph kükitas tema kõrval. Kumbki neist ei oodanud, et nii kiireks läheb. Poiss tahtis välja saada, elada, oma vanematega kohtuda. Minu poeg ei jaksanud enam oodata, kuni ma valmis olen, ta kiirustas, et teha oma esimene hingetõmme.

Ma nägin hirmu, mis peegeldus nende nägudel, kui poiss juba kolmanda pressi ajal sünnitusvoodisse katapulteerus. Mu terve keha lükkas ta endast välja ja arst saabus liiga hilja. Ma kaotasin kontrolli. Olin tema sündimise vägivaldsusest lõhki ja šokis.

Nüüd on siin vaikne, Theo istub sirge seljaga ja kohmetult mu voodi kõrval toolil. Ta on jäik ja kõik temas on võõras, nagu oleks ta millegipärast unustanud, kuidas olla tema ise. Meie mähkmetes poeg on minu abikaasa kätel: ma ei suuda neilt oma pilku pöörata. Ta on vaid paari tunni vanune, ma tean temast nii vähe. Meie poeg on tilluke. Sisse mähitud pundar täis võimalusi. Theo käed on liiga suured, tema sõrmed liiga pikad. Meie poeg on imeline. Blondid juukseudemed. Sõrmed surutud tillukesse rusikasse. Nöbinina. Tal on sünnimärk: pisike punane laik parema käe randmel. Ta on täiuslik. Kuidas võib midagi nii tillukest inimese elu täielikult muuta?

Minu abikaasa kummardub pojale lähemale ja ma näen, kuidas ta teda imetleb. See on õnn.

„Millest sa mõtled?" küsin pärast seda, kui vaikus on kestnud oma kümme minutit.

„Ma püüan poissi oma mällu jätta. Et oskaksin teda kirjeldada igale inimesele, kes küsib, ja eriti neile, kes seda ei tee."

„Ma arvan, et ma pole kunagi näinud ilusamat last."

„Tuhat korda ilusam, kui see Roulini beebi," ütleb Theo.

Vaatan talle otsa. Theo silmad on märjad. Näen, kuidas üksik pisar pärlendab tema silmanurgas.

„Minu poeg." Theo räägib sosinal, tema pisar maandub lapse näol. Vaatan, kuidas meie tilluke olevus väänleb ja suud kõverdab. Theo naerab ja see heli ehmatab meie poega. Ta sirutab oma sõrmed välja ja ajab oma sinised silmad pärani.

„Mul on sinu suhtes suured ootused," ütleb Theo poisile õrnalt. Ta silitab sõrmega üle beebi näo. „Ma õpetan sulle kõike, mida ma tean." Lapse pinge kaob, tema sõrmed tõmbuvad uuesti rusikasse ja ta paneb silmad kinni. „Aga kõigepealt peame talle nime panema. Ma tean, et me mõtlesime..." Theo vaatab mulle otsa ja tahab, et me asja arutaksime. Tema silmad ja suu naeratavad võidu. Ta ootab, et ma midagi ütleksin.

„Me võiksime panna talle ikkagi sinu isa järgi nimeks Theodorus ja see viitaks tugevalt ka sinu nimele," ütlen, naeratades oma poja tillukesele rusikale. „Ma olen valmis sinu kaitseks tapma, mu poeg."

„Ja sina muretsesid, et sul ei teki kunagi emaarmastust. Aga mitte Theodorus."

Noogutan nõustuvalt, ma saan aru.

„Ma tahaksin, et tema nimi oleks Vincent Willem. Meid õnnistatakse teistegi lastega. Paljude teiste lastega. Ühele neist paneme siis minu nime."

Naeran ja viibutan tema poole sõrmega: „Liiga vara sellele mõelda. Igatepidi liiga vara, mu kallis kaasa."

„Ma juba loodan, et neid saab olema kuus või seitse," ütleb Theo, kuid siis ta ilme muutub. Ta pähe torkab tõsine mõte: „Mõtle, milline austusavaldus see on Vincentile. Tema nimi elab edasi."

„Kas sa arvad, et see solvaks Andriest?" küsin.

Theo kehitab õlgu. „Ta kindlasti abiellub Anniega, neil tulevad omal lapsed."

„Ka Vincent võib abielluda ja lapse saada," ütlen, aga mu hääles puudub veendumus. Vaatan Theole otsa, me teame mõlemad, kui vähetõenäoline see on. Võib-olla on see esimene kord, kui me mõlemad tunnistame, et Vincenti paranemise lootus kahaneb iga järjekordse haigushooga.

„Kas oleme kokku leppinud?"

SÜNDINUD
31. JAANUAR 1889,
HÄRRA JA PROUA
VAN GOGHILE
POISSLAPS
VINCENT WILLEM.

Veebruar 1890

Andriese nägu esimest korda oma õepoega nähes oli kirjeldamatu! Onu imetlus. Tohutu heameel ja siirad rõõmupisarad. Mu süda laulis, ta hakkas beebit silmapilkselt armastama.

Siis palus ta mul silmad kinni panna. Mida ma ka tegin. Ma kuulsin, kuidas ta toast lahkus ja tagasi tuli. Tema närvilist naeru, kui ta palus mul silmad avada

Ja siis nägin ma venna käes Berthe Morisot' maali „Häll".

„Kas see on mulle?" Andries noogutas.

Ta rääkis mulle, et ostis maali kaks nädalat pärast seda, kui ma seda Durand-Rueli galeriis nägin, minu esimestel päevadel Pariisis. Puhkesin nii valjult nutma, et madam Joseph tuppa tormas. Uskumatu rõõm, minu venna lahke ja suur süda.

Andries ütles: „Ma teadsin, et see päev kunagi tuleb."

AUTOPORTREE KUNSTNIKUNA

Theo paneb maha vaadates ümbriku minu kõrvale voodile ja heidab siis pilgu hälli, meie pojale. Beebi Vincent on alles kaheksa päeva vanune, aga tema isast on kogu rõõm kadunud.

„Dr Peyron kirjutab."

„Sinu venna kohta?" Theo noogutab vaevumärgatavalt. Tunnen hirmusähvatust. „Kas ta on elus?" Theo vaatab mulle otsa. Ta langetab uuesti pea.

Avan kirja ja loen nii kiiresti, kui suudan. Järjekordne hullumeelsushoog. See tekkis vahetult pärast meie poja sünniteadet ja selgitab, miks Vincent meile ei vastanud ega ole meid õnnitlenud.

„Dr Peyron soovitab, et saadaksime nii vähe häid uudiseid kui võimalik," ütleb Theo.

„Ma tean, et ta ei tahtnud sinult sinu rõõmu röövida," ütlen ja Theo ohkab.

„Ma ei tea, kas tahtis või mitte või on tegemist lihtsalt tagajärjega. Me kehastame tema jaoks kõike seda, mida tal ei ole ja mida ta tahab, et oleks."

Vaatan poja hälli: puhtus, rõõm, hingerahu.

„Dr Peyron ütleb, et Vincent ei suuda maalida ega ole võimeline vestlema..." ütleb Theo. „Mis minu vennast ometi saab?"

Theo hääl tekitab minus valu. Tema sõnad ekslevad toas. Theo on seda tüüpi mees, kes võtab kõike sügavalt hinge. Ma vaatan, kuidas ta kummardub meie lapse hälli kohale ja silitab sõrmega oma poja põske. Pisarad voolavad ta silmist vuntsidesse.

„Teeme nii, nagu arst soovitab."

„Mul on nii palju ja Vincentil nii vähe." Theo hääl väriseb. „Kas maailm pole mitte ülekohtune?"

„Ma sooviksin, et saaksin sind vabastada süütundest selle pärast, et oled edukas ja õnnelik." Heidan jalad üle voodiserva ja tõusen, et Theo kõrvale ninna. Ta paneb käe mu ümber ja ma toetan pea tema õlale. Seisame vaikides. Vaatame lummatult oma magavat poega. Beebi Vincent luksub veidi, tema keha võppub iga luksatusega. Lähen tema juurde ja panen oma käe lapse mähkmetes rinnale. *Ma olen siin, sa pole üksi, ma ei jäta sind kunagi.*

„Vincentile on loodud kõik võimalused. Rohkem kui sulle." Minu hääle kõla paneb beebi siputama. Võtan mähitud puntra sülle. Tõstan ta oma põse vastu ja tunnen tema tillukest suud, mis otsib toitu ja on valmis protesti märgiks kisa tõstma.

„Dr Peyron küsib raha juurde," ütleb Theo.

„Sul kulub Vincenti ülalpidamiseks rohkem raha kui meie kolme peale kokku."

„Tal ei ole kedagi teist." Theo hääl on praktiliselt sosin. Tema sõnades peituv tõde teeb need veel valusamaks.

Kiigutan beebit küljelt küljele, püüdes teda rahustada. „Võib-olla ta võiks proovida mõnda muud elukutset? Võib-olla suudaksime teda veenda, et rahast lageda maalikunstniku elu ei sobi enam tema iseloomuga."

Theo raputab pead. Kõik tema liigutused on loiud. Minu abikaasa on kurnatud. „Vincenti läbimurre on kohe-kohe saabumas. Ja mis seda teemat puudutab, siis..."

Ma noogutan, et ta jätkaks.

„Degas oleks valmis sind juhendama. Kingitusena Vincenti sünni puhul. Võib-olla võiksite koos maalida..."

Beebi Vincent luksub. See tilluke heli toob mu maa peale, tuletades meelde, mis on tegelikult tähtis.

„Anna Degas'le edasi minu vabandused, aga mul pole ikka veel tekkinud huvi kunstnikuks saada. Kõik, mida ma vajan, on selles toas."

Veebruar 1890

Theo rääkis veidi aega tagasi oma venna piinadest ja meie jutt kaldus sellele, et Vincent on kannatades maalinud oma parimad tööd. Theo võttis kiiresti sisse kaitsepositsiooni, kui ma süüdistasin teda selles, et tema veendumuse kohaselt peab iga kunstnik edu saavutamiseks olema piinatud hing. Selle asemel ütles Theo, et edu saavutamiseks peab kunstnikul olema midagi öelda ja ta peab tegema oma tööd ausalt ja tõde kartmata.

Theo jääb alati arvama, et kõige õigem eneseväljendus tuleb südamest. Et kunstnik väljendab alati ainult seda, mida maailm talle paljastab. Minu abikaasa räägib kunstnikest ja valu mõjust nende loomingule. Kas ta jätab ütlemata selle, et inimene võib olla tõeliselt tähelepanuväärne ainult siis, kui ta on sügavalt kannatanud? Kas Theo tahab öelda, et alles pärast ahastust nähakse nende tegusid, arvestatakse nende arvamusega ja võetakse kuulda nende häält?

Nii et... minu elu võib olla kas rahulik või tähelepanuväärne. Mitte kunagi mõlemat.

MEES ON ÄRA MEREL

„Mul tilgub jälle piima. Äkki ta ei söö piisavalt?"

„Beebi võtab täpselt nii palju, kui ta vajab, preili Jo," ütleb Clara. „Me võime teie öösärgi jälle ära vahetada."

Minu laps on kolme nädala vanune. Ta magab oma hällis, aga minu rinnad on kõvad ja piima täis. Mul tekib piima kindlas rütmis, seda tilgub nibudelt ja ma püüan neid kipitamise vähendamiseks sissepoole lükata.

„Mu keha tundub arvavat, et söögiaeg on käes."

Clara vaatab kaminasimsil olevat kella. „Veel kolmkümmend minutit. Theo poob meid elusalt, kui me ei pea kinni tema tehtud söötmiskavast."

Istun väikeses toas imetamistoolis, sõrmed rinnanibudel. Vaatan aknast välja aiale, mis eraldab Cité Pigalle'i tupikut suurest tänavast. Poisikesed jooksevad üksteist taga ajades munakividel, kaks tüdrukut istuvad naabermaja trepimademel ja punuvad teineteisele patse. Nende riided on räbaldunud, halvasti istuvad ja Pariisi talve jaoks sobimatud, neil pole ei jakki ega keepi. Lisaks on tänaval veel üks tüdruk, kes pole mängivatest lastest kuigi palju vanem. Võib-olla on ta nende õde. Just teda ma vaatan, kui ta seal edasi-tagasi jalutab. Ta püüab kogu hingest näha välja vanem, vapram ja julgem. Ta juuksed on lahti, liiga suured kingad panevad ta koperdama, ta tunneb ennast enda nahas ilmselgelt ebamugavalt ja tema vaatamine tekitab minus ärevust. Tüdruk tunneb hirmu, aga püüab olla oma venna ja õdede ees kartmatu ja enesekindel. Ta astub ukseavasse ja näen, kuidas üks mees talle järgneb.

Tõusen, et akent avada. Ma tahan näha, mis toimub, ma tahan lastele hüüda. Kuulen, kuidas toa uks krigisedes avaneb.

„Vabandage, proua," ütleb madam Joseph, „keegi preili Voort tahab ilmtingimata teiega kohtuda. Ta ütles, et oleks teie enda huvides teda mitte ignoreerida."

Vaatan Clarat, kes kergitab kulmu ja noogutab siis pead. Tal on õigus, ma pean lubama selle naise siia väikesesse tuppa.

„Inimese kohta, kes peab end daamiks..." ütleb Clara, „beebi sündis kõigest kolm nädalat tagasi. Ta peaks teadma, et on sobimatu külla tulla, kui ema on vaevalt nurgavoodist tõusnud."

Aga seal ta on, lastetoas, turnüüri õõtsumise ja seelikuriide sahina saatel. Tema silmad vilavad mööda tuba, siis märkab ta hälli ja nihutab end selle juurde. Kõndides võtab ta ära keebi ja kindad. Tema dekoratiivne turnüür võppub igal sammul. Sara tõmbab ninaga, hingates sisse kõiki toas levivaid lõhnu. Tema ninakirtsutamise järgi oletan, et lõhn on talle ebameeldiv, selles on tõenäoliselt tunda nii minu higi kui poja väljaheiteid.

Sara käitub siiski tasakaalukalt ja laitmatult, ta on ette valmistunud. Mina olen kõike muud. Ma ei mäletagi enam, millal viimane kord oma juukseid kammisin. Olen räsitud ja kurnatud värske ema piimaplekilises öösärgis. Ma lõhnan lapse ja niiskuse järele. Kui see on võistlus, siis on ta juba ette võitnud. Ootan, et ta selgitaks, miks ta viibib meie korteris, aga Sara kummardub hälli kohale. Beebi Vincenti silmad on pärani, tema tillukesed rusikad on surutud põse vastu.

„Milline pontsakas väike poiss," ütleb Sara, „ja kui kena teist, et andsite talle nime Vincenti ja mitte tema isa järgi." Sara keerab minu poole ja vaatab uurivalt mu nägu, nagu püüdes sellelt midagi välja lugeda. Siis ta naeratab, paljastades esimeste hammaste vahelise vahe, ja pöörab ennast uuesti hälli poole.

„Kui prisked põsed tal on ja millised sinised silmad." Uus paus. Sara keerab ringi ja põrnitseb mind uuesti. Nii ilusa välimusega inimese kohta on tema käitumine ja jutt inetud. „Kas Vincent on teiega ühendust võtnud?"

Ma ei suuda oma keha reaktsioone kontrollida. Tema hääl paneb mu kaela ja põsed lõõmama. See naine vihkab mind. Ta vihkab minu last. Ta vihkab, et ma elan tema elu. Tema hääl on tungiv, see on hüsteeria piiril.

„Jah, ta kirjutab meile... Kui saab." Mu sõnad on hoolikalt läbimõeldud ja valitud.

„Vincent ütles mulle, et te kirjutate ainult selleks, et kiidelda," ütleb Sara oma juukseid raputades. Ta näitleb.

„Ma olen kindel, et minu abikaasal oleks kurb seda kuulda." Märkan, kuidas Sara sõnade „minu abikaasa" juures nina krimpsutab. *Tunnen väikest võidurõõmu.*

„Aga pisike on pahandusetekitaja, just nagu ta isagi."

„Kes?"

„Vincent," vastab Sara ja noogutab hälli poole. Tema sõnad on täis vihjeid. Ta tahab midagi öelda, minul on aga liiga vähe kannatlikkust, et tema mänge mängida. Clara võtab beebi sülle. Mina ei liiguta ennast ja istun edasi lapsesöötmise toolis kamina kõrval. Clara paneb poisi mu sülle.

„Ma olen kindel, et teie külaskäigul on mingi põhjus."

Uus paus. Sara mõõdab mind pealaest jalatallani. Ta märkab piimaplekke mu rinnanibude kohal ja vaatab neid natuke liiga pingsalt.

„Kas ma olen ainus inimene, kes märkab, et teie laps on oma onu Vincenti väike koopia?"

„Minu laps on van Gogh, preili Voort, ja sellepärast on loomulik, et ta on oma sugulase sarnane." Tõmban poja oma rinnale. Mu nibud pakitsevad. Paremast pritsib piima.

Sara paneb käed puusa ja puhkeb valjult naerma, tundub, et ta on liimist lahti: „Tõde tuleb päevavalgele. Nii või teisiti. Me teame mõlemad, kuidas vendadele van Goghidele meeldib jagada." Siis keerab ta ringi ja purjetab toast välja, õõtsutades puusi otsekui muusika taktis. Ta viskab ukse enda järel mürtsuga kinni ja see ehmatab mu poega, kes protesteerib järsu äratamise vastu karjumisega.

„On see üks läbinisti paheline hing," ütleb Clara.

„Kas ta tõesti vihjas, et lapse isa võib olla Vincent?"

„Selles naises elab Kurat ise. Tema eesmärk on iga hinna eest halba teha."

Hakkan üle kere värisema. „Aga ma pole..."

„Ma tean," ütleb Clara.

„Aga mis siis, kui ta räägib Theole..."

TÄHISÖÖ RHONE'I KOHAL

Pärast poja sündi on Theo jõudnud koju iga päev täpselt sel hetkel, kui kell lööb neli. Täna võpatan välisukse kolksatust kuuldes.

„Mu oli täna töö juures äärmiselt huvitav külaline," ütleb Theo lastetuppa tulles. Ta paneb oma kõvakübara sünnitusvoodisse ja võtab lapse minu kätelt: „Tere, pisike." Me mõlemad oleme viimasel ajal kurnatud. Theo tõstab poja üles ja annab talle otsaette musi.

Kui ma ootan, et ta räägiks, milles on asi, tunnen kasvavat ärevust.

„See oli preili Voort."

„Miks ta meid ometi rahule ei jäta?" Sõnad purskuvad mu suust, ma peaaegu karjun: „See hull naine käis täna siin. Kes tuleb ilma kutsumata äsja sünnitanud naise juurde, vahetult pärast sünnitust?"

„Sara tuli minuga jagama ühte teooriat." Ma noogutan ootavalt. „Ta väidab, et sa panid meie lapsele nime lapse isa järgi." Tekib vaikus. Theo uurib mu nägu ja ma proovin oma emotsioone mitte välja näidata. Siis puhkeb ta südamest naerma. „Ma soovitasin tal arsti poole pöörduda. Ta on veel hullumeelsem kui minu vend."

„Ma ei saa aru, miks sa teda kunagi armastasid."

Theo ilme muutub tõsiseks: „Ma olen oma elus ainult sind armastanud. Sara rääkis, et Vincent käis sul päev enne meie pulmi külas. Et te kohtusite."

„Sara valetab. Ma olin terve päeva koos oma perega Amsterdamis." Mu toon on liiga kõrge. Hüppan voodist välja, ehmatades meie vaest last. Ta kriiskab protesti märgiks, aga ma ei lähe ta juurde. Minu ärevus nakatab teda, ta muutub sama rahutuks nagu mina.

„Johanna," sosistab Theo. Ta tõstab mähkmetes puntra sülle ja kiigutab kergelt. Jälgin oma abikaasat. Tema silmad on suured. Ta uurib minu reaktsiooni teadmata, mida arvata. „Miks sa mööda tuba ringi tammud?"

Ma ei saanud aru, et ma seda tegin. „Sara ajab mind vihale. Ta söödab sulle valesid ja mina pean neid siis ümber lükkama." Minu sõnad võdisevad nagu tarretis.

„Aga ma ei usu ju ühtegi tema sõna," ütleb Theo rahustaval toonil, aga selles on veel midagi. Mind katab hirmuhigi, ma olen ülimalt erutatud, hüppevalmis. Vaikus.

„Räägi välja," ütlen.

„Ma olen mures tema hüsteeria pärast."

„Kuidas palun? Millest sa pole mulle rääkinud?"

„Ta on kinnisideest haaratud. Ta ütles, et temast saab ikkagi minu naine. Et ta võtab hea meelega üle rolli väikese

Vincenti emana." Theo silmad on maas, ta ei suuda mulle otsa vaadata.

„Miks ta peaks midagi sellist ütlema? Tal ei tulnud see idee ju nagu välk selgest taevast." Tunnen hirmusähvatust. „Mille sa rääkimata jätad?"

„Johanna, palun." Theo sõnad on vaevu kuuldavad. Ta kiigutab meie rahutuks muutunud last: „Ma nõustun, et olen ilmselt tahtmatult ja enesele aru andmata teda julgustanud."

„Tal puudub igasugune austus sinu naise vastu."

Vaikus. „Mul on selle pärast südamest kahju."

„Ma arvasin, et ta on kadunud. Et ta on meid rahule jätnud. Kas sa oled minu seljataga temaga kohtunud?"

„Ta käib mul töö juures. Teeskleb huvi kunsti vastu." Vaikus.

„Kui sageli?" Mul hakkab korraga külm ja mu lõug vabiseb.

Ikka veel vaikus.

„Kui sageli?" kordan iga silpi selgelt rõhutades.

„Iga päev. Juba mitu kuud."

„Miks sa pole mulle..." ei suuda ma lauset lõpetada. Vappun üle keha.

„Ma kontrollisin olukorda."

„Väga halvasti!" karjatan ja laps hakkab karjuma.

„Ma ei uskunud kunagi, et ta võib oma hullumeelsuses meile koju tulla. Palun mine tagasi voodisse," Theo viipab sünnitusvoodi suunas, „sa oled nii kahvatu."

Mu põlved värisevad. Piimast pungil rindade alt higistab, rinnanibud valutavad ja peas vasardab.

„Aga mis siis, kui ta levitab neid jutte kogu linnas?" Istun voodiserval ja tõstan jalad voodile, et pikali heita. „Minu maine..."

„Mis ajast sa oled hakanud sellistest asjadest hoolima?"

„Ma hoolin sinust ja sinu positsioonist. Ma hoolin õiglusest. Me peame kaitsma oma poega." Ma ei suuda pisaraid tagasi hoida. „Ta tahab meid hävitada," nuuksatan abitult.

„See ei õnnestu tal kunagi," ütleb Theo, paneb beebi minu kõrvale voodile ning laskub madalamale, et käsi mulle ümber panna. „Mitte ükski jõud maailmas ei saa meie väikest perekonda lõhkuda."

„Miks sa siis seda naist vastu võtad?"

„Viisakusest. Süütundest oma varasema käitumise pärast, isegi kaastundest, aga täna see lõppes. Ma tegin talle selgeks, et räägin tema isaga."

„Aga..."

„Ei mingit aga. Sellel on tänasega lõpp." Ma nõjatun Theo õla vastu ja me istume mõnda aega vaikides. „See naine on valinud hullumeelsuse."

„Tahaksin, et minu enesetunne oleks parem. Olen pidevalt väsinud ja hakanud uuesti veritsema"

„Ma palun arstil sind vaatama tulla," ütleb Theo ja ma silitan ta kätt.

„Kas sa arvad, et ka mina teesklen huvi kunsti vastu? Et ma olen sama võlts nagu Sara?"

„Asjade tähtsusjärjekord on sinu jaoks muutunud. Aga mul pole vähimatki kahtlust, et kunst tuleb varsti sinu ellu tagasi." Uus paus ja ma müksan teda küünarnukiga.

„Kui rääkida heast, lausa hämmastavast uudisest, siis Vincent kirjutas, et sai valmis oma vennapojale mõeldud maali. Tundub, et poiss aitab oma onul taastuda," ütleb Theo ja ma tunnen, kuidas tema keha lõdvestub. Ta andis sellele nimeks „Mandliõied" ja saadab selle niipea, kui värv on kuivanud. See on tema esimene töö pärast viimast kokkuvarisemist; tema esimene käik looduses ja iga pintslitõmme on kantud mõttest tema väiksele nimekaimule."

Naeratan. Perekond on kõige tähtsam. „Kas ta kirjutas lähemalt, mis sellel on kujutatud?"

„Tema kirja toon oli entusiastlik, isegi rõõmsameelne. Ta kirjutas, et kasutas impressionistide murtud pintslitõmbeid ja divisionismile iseloomulikke laike ja punkte. Tema sõnul on pilt täis sära ja mõeldud uue elu pühitsemiseks."

„Kui armas."

„Võib-olla seekord..." Ma kuulen, et ta naeratab.

„Võib-olla see on märk, et ta paraneb," ütlen.

„Maal, mis on mõeldud meie poja magamistuppa, et onu temast kunagi kaugel ei oleks," ütleb Theo.

KEVAD
1890

Pariis

Märts 1890

Tugev veritsemine jätkub. Olen teist nädalat voodirežiimil ja tunnen järjest rohkem, et olen emana ebaadekvaatne. Clara ja madam Joseph on poisi eest hoolitsemise enda peale võtnud ja toovad ta minu juurde ainult siis, kui laps süüa nõuab. Theo toob iga päev koju uusi kunstiteoseid, võib-olla selleks, et stimuleerida minu loovust. Ma nimetasin täna toodud maali inetuks ja ütlesin, et mulle ei meeldiks, kui see meie kodus ripuks. Võib-olla kasutasin seda sõna isiklikust frustratsioonist, aga see tõi kaasa arutelu, mis kestis rohkem kui tunni ja ärgitas mind kunsti ja iseenda peale mõtlema nii, nagu ma pole kunagi varem teinud.

Theo ütles, et ma kasutan sõna „inetu" sageli. Et ma kirjeldasin sama sõnaga Eiffeli torni. Teinekord aga kasutasin seda Vincenti Roulini beebi kohta.

„Kas tõesti?" Olen sellele maalile sageli mõelnud, pidanud isegi võimatuks seda unustada. Olin kohkunud, et võisin lapse pildi kohta sellist sõna kasutada.

Theo palus, et ma mõtleksin uuesti minu ees oleva pildi peale – see oli ühelt moodsatest kunstnikest.

Ta küsis, miks ma pean seda inetuks?

Vastasin, et kunstnik on meelega valinud modelli, koha, kus ta on, ja tema seljas olevad rõivad nii, et need rõhutavad inetust.

Theo vastas: „Äkki on kunstnik hoopis ausalt kujutanud seda, mis on olemas ja mida ta näeb oma silme ees? Et seda, mida sina pead inetuks, peab maalikunstnik tõeks?"

See ajas mind segadusse ja ma olin mitu minutit vait, enne kui palusin tal lähemalt selgitada.

Theo rääkis, et tema töö ja kogemus kunstimaailmas lubavad tal pidada „inetut" maali heaks, sest see sunnib teda mõtlema enda ebamugavustundele ja sellega silmitsi seisma. Ta ütles, et kuigi ma inetu töö kõrvale lükkasin, ei saa ma sellelt silmi ära, et ma olen eksinud selle kurbusesse ja ebameeldivusse, sest see kujutab midagi, mida ma kardan.

„Ja see ongi tõeline kunst," lõpetas Theo entusiastlikult.

Lõpuks ometi selgitus, mida ma olen otsinud!

Theo rääkis, et see, mida ma olen pidanud maitsetuks ja vulgaarseks, on tegelikult kõnetanud minu hinge ja ma ei suutnud väljendada selle maali ja enda vahelist seost sõnades kartes, mida see minu kohta ütleb.

„Kui me vaatame kunstiteost, otsib meie aju tuttavat, aga ka selgust. Teosega tekkinud side peegeldab tõde ja kes meist on piisavalt julge, et välja näidata enda sees peituvat inetust?"

MANDLIÕIED

Theo jalutab hommikumantlis lastetoaks muudetud väiksesse tuppa ja ma märkan, kuidas mind nähes kogu ta ilme muutub. Sünnitusvoodi viidi kuu aega tagasi minema, toas on meie poja Vincenti häll. Sellele toale ei antud kunagi võimalust külalistetoaks saada, praegu on see lapse päralt.

„Ma ärkasin ja sind polnud minu kõrval." Ma kujutan ette, et ta sattus ilmselt paanikasse. Olen olnud kuu aega voodirežiimil ja veritsemine on vähemaks jäänud. Nüüd käiakse mulle peale, et lõpetaksin rinnaga toitmise. Ma tean, et olen üleväsinud ja et lehmapiimale üleminek võimaldaks mul rohkem puhata, aga imetamine on ainus aeg, kui ma tunnen end tõeliselt poisi emana.

„Ma mõtlesin, et sa oled kuhugi läinud."

„Kuhu? Ma ei ole mitu nädalat jalgagi majast välja saanud."

„Kas sa magasid hästi?" küsib Theo ja ma noogutan.

Ma ei räägi talle, et mind äratas õudusunenägu, milles Sara haudus plaane, kuidas varastada minult mu laps ja abikaasa.

Olen ikka veel unenäo ja reaalsuse vahelises tühiruumis ega suuda andestada Theole seda, kuidas ta unenäos käitus.

Seisan akna all. Theo paneb käe ümber mu õlgade. Olen kardinad eest tõmmanud. Päike on ärganud ja vaade on mähkunud kergesse uttu. Hoonete piirjooned on hägusad, ma ei suuda täpselt eristada, kus üks neist lõpeb ja teine algab.

„Pariis näitab alati ainult head nägu, kas pole?" ütlen, aga Theo ei vasta. „Suurejoonelised monumendid, rohkelt avarust, piisavalt kortermajade kvartaleid, et rikkad saaksid elada jõukuses ja luksuses, samal ajal kui..."

„Kui mis, Johanna?"

„Kui sa avad oma silmad, siis näed tõde, kas pole?" Theo mõtleb hetke ja siis noogutab. „See on nagu inetuse kujutamine kunstis," jätkan. „Varakad pariislased saavad lukustada end oma mõnusatesse korteritesse, peita end oma uhkete sissepääsude ja paksude kardinate taha, suvel aga põgeneda rannikule. Aga nende saladused ja valed jäävad alles. Tõde leiab alati viisi, kuidas pinnale tõusta."

„Mida sa sellega öelda tahad?"

Kehitan õlgu. Ma tõesti ei tea.

„Igas linnas on rikkaid ja kodutuid, eksinud hingi, armastatud ja üksikuid inimesi."

„Ja igas kodus," sosistan, aga minu abikaasa ei reageeri neile sõnadele. Tahaksin küsida talt Sara kohta, selle kohta, mis juhtus, kui ta Sara isaga rääkis. Tahaksin isegi küsida, kas ta sai oma haiguse Saralt. Minu elu on olnud viimasel ajal liiga eraldatud, seinad tunduvad ahenevat sissepoole.

„Kas sa tuleksid homme minuga välja? Arst ütles, et oled piisavalt terve ja võid seda teha."

Nõjatun tema vastu: „Väljas on liiga palav. Vähemalt minu jaoks, ja lapse võivad teised jalutama viia." Ilm on tõesti varakult suviseks muutunud.

Vaatan seinale. Beebi Vincenti hälli kohal ripub tema onu maal kõrvuti Rembrandti kuldses raamis gravüüriga. Päevavalguses saab poiss jälgida oma onu Vincenti õitesse mattunud puud. Peenelt ja täpselt maalitud puuokste taustaks on sinine taevas, mille varjunditerikkus muudab selle väga reaalseks. Mõnikord mõtlen, et maalis on mingi sõnum, mida ainult sugulased mõistavad. Praegu laps magab. Ta imeb oma pöialt.

„Ma arvasin, et kuulsin tema häält," ütlen ja Theo vaatab oma magavat poega.

„Ta kasvab ja areneb. Tema isiksus tuleb iga päevaga üha rohkem esile."

„Meie poeg on mõtleja. Ma arvan, et temast saab kord suur filosoof," pühin hommikumantli varrukaga oma otsaesist.

„Sulle meeldib talv rohkem," ütleb Theo ja ma noogutan.

„Lähenev suvi kogu oma pikkuses teeb mind rahutuks. Ma võin terveks suveks siia lõksu jääda." Beebi häälitseb õrnalt, nagu oleks unenägu teda kohutanud. Seisame vaikides ja vaatame, kuidas meie poeg uuesti uinub.

„Ei tea, mida ta unes näeb."

„Kõige tõenäolisemalt sinu rindu," ütleb Theo. Ta keerutab mind kohapeal ja tõmbab oma embusse. Tema huuled libisevad üle minu huulte ja sealt kaelale: „Minu unenägudes on need igatahes sagedased külalised," sosistab ta. Tema soe hingeõhk kõditab mu kõrvanibu.

Me pole mitu kuud vahekorras olnud. See on arsti käsk minu tugeva veritsemise pärast ja seniks, kuni Theo ravi kestab. Me pole veel aastatki abielus olnud, aga kardan sellele vaatamata, et tema kirg minu vastu on kahanenud ja ta on suunanud oma huvi teistele radadele. Sara ronib ikka veel sageli minu mõtetesse. Ma tahan oma abikaasat, ma igatsen tema järele.

Tema pehmed ja niisked huuled kohtuvad minu omadega, aga tundub, et tema tähelepanu on kuskil mujal. „Milles asi on?" Tõmbun Theost eemale ja püüan tema ilme järgi aru saada, mis teda vaevab.

„Asi on minu vennas," pomiseb ta, „ma sain kirja." Theo vaatab maha.

„Mida ta kirjutas?" Hoian hinge kinni, iga lihas minu kehas on pingul.

„Ta on..." Theo ei tõsta ikka veel pilku.

Tunnen, kuidas mind haarab paanika. *Surnud?* „Räägi ometi." Mu hääl on ootamatult kõrge. Theo vaatab mulle otsa. Tema silmad on paistes ja punased. Neis on sügav kurbus, olen olnud liiga hõivatud iseendaga ega märganud seda varem.

„Ta proovis ennast värvi neelates mürgitada," ütleb Theo pilku uuesti kõrvale pöörates. Astun eemale ja tammun mööda lastetuba.

„Nüüd on siis värv relvaks," ütlen sosinal. Theo sõnad ei jõua mulle kohale. „Kas ta ütles, miks?" küsin ja Theo raputab pead.

„Ta on haige, Johanna," ütleb Theo. Kogu ta keha vajub kössi. Ta on lüüa saanud, tühjaks imetud, tõenäoliselt mõlemat.

„Mida me saaksime teha, et teda aidata?"

„Me võime kutsuda ta siia elama." Tunnen, kuidas mu keha läbib kuumahoog, minu lõug hakkab värisema.

„Mina... meie..."

„Ütle välja," nõuab Theo.

„Me ei saa lubada teda oma poja lähedale." Mu sõnad kriiksuvad. „Sa saad ju sellest aru?" Theo ei vasta. „Me ei tea, mida ta järgmisena teeb." Panen käed rinnale risti. Mu nina tõmbleb ja silmad kipitavad.

„Ta arvab, et on terveks saanud. Ta kirjutas Saint-Rémyst lahkumisest."

„Mis terveks? Meile öeldi, et ta peab olema terve aasta ilma haigushoogudeta. Aga praegu ta sööb värvi, vaevalt et niimoodi käituks inimene, kes..."

„Ta kirjutas, et värvi süües oli ainus, millele ta suutis mõelda, oma vennapoja nägemine, ja et see on praegu tema ainus eesmärk. Tundub, et isegi dr Peyron usub seda."

„Kas dr Peyron püüab haigest mehest lahti saada?" Värin haarab mind üle keha ja paneb vappuma.

„See oleks kõige parem."

„Kõige parem? Kellele?"

Pühin sõrmedega pisaraid, milles frustratsioon on segunenud vihaga. Siis vaatan, käed puusas, otsa oma abikaasale, et näha, kas ta julgeb jätkata oma plaanidest rääkimist. Ma olen kompromissitu. Olen väsinud, eksinud ja hirmul, tahan, et Theo jagaks minu ülevoolavat vajadust kaitsta meie poega. Et ta seda ei tee, muudab mind hirmust kangeks.

„Niikaua, kui minu vend on minu veri, teen ma kõik , mis on minu võimuses, et teda aidata."

„Ta ei ole minu veri, aga ta on sellele vaatamata ka minu vend," ütlen, aga Theo raputab pead, andes märku, et ma ei saa aru, mida ta tunneb.

Näitan väriseva sõrmega meie lapse peale, kes hällis magab. „Sa oled ennekõike isa. Sinu jaoks peaks olema kõige olulisem oma poja kaitsmine. Kas sa oled kutsunud Vincenti meie juurde elama?"

Vaikus.

„Theo?" karjatan. Laps hakkab kisama. Jääme vait ja vaatame, kuidas beebi siputab ja uuesti uinub.

„Ma olen kirjutanud talle..."

„Ja siis?" sisistan ma läbi hammaste. See, et Theo mulle ei räägi, et ma pean iga sõna temast välja kiskuma, on katnud mind külma higiga.

„Kõige parem on, kui ta kolib meile lähemale. Aga mitte siia, mitte sellesse korterisse."

„Kuhu siis?"

„Auvers-sur-Oise'i, see asub Pariisi lähedal keskusest loodes."

„Millal ta kolib?"

„Varsti," vastab Theo ja ma jalutan toast välja, lüües ukse enda järel pauguga kinni. Kuulen, kuidas laps selle peale karjuma hakkab, aga ma ei taha, et Theo näeks minu kergendustunnet selle üle, et meie vend ei tule meie juurde elama.

Ma vihkan ennast selle pärast, et ma ei suuda olla parem õde.

3. mai 1890
Pariis

Kallis Johanna

Vabandan, et ma ei saa täna lõunale tulla. Monet tahab kohtuda kell üks ja doktor Gachet peaks tulema kell kaks.

Tuhat musi Sulle ja meie pojale.

Theo

DR GACHET' PORTREE

Üllatun, kui kuulen, et ta koju tuleb. Esmaspäevast neljapäevani ei jõua Theo käia kodus lõunat söömas, põhjuseks arvukad kohtumised ja nõudlikud kunstnikud, nagu ta ütleb. Ta töötab liiga palju ja on kogu aeg kurnatud. Theo tuleb kirja lugedes lastetuppa, heitmata pilku minule või minu süles istuvale lapsele.

„See on nüüd tehtud," ütleb Theo. Ta pilk püsib paberilehel.

„Mis on tehtud?" Miski tema toonis sunnib mind selga sirgeks ajama, mu käsivartele tuleb kananahk.

„Vincent on Saint-Rémy varjupaigast ära saadetud. Ta kolis Auvers-sur-Oise'i," ütleb Theo, hõõrudes käega oma punetavaid silmi. „Vincent loodab, et saab meiega sageli kohtuda."

„Kus ta elab?" Püüan hoida oma hääle neutraalsena.

„Ta elab omaette, aga arsti järelevalve all." Theo loeb kirja edasi.

„Tema arst on dr Gachet." Theo surub oma käe suule, nagu püüaks järjekordset köhahoogu maha suruda. „Vincenti arvates on Auvers imeline. Rookatused, maaliline loodus, maa süda." Theo hääles on kuulda hingeldamist ja pinget.

Pilku kirjalt tõstes vaatab ta mulle uurivalt otsa. Ootab minu reaktsiooni. Ma ei näita oma tundeid välja, tahan enne oma arvamuse ütlemist rohkem teada saada. Theo vaatab uuesti kirja.

„Dr Gachet on päris omapärane tüüp. Ta tegeleb ka ise maalimisega. Kohtusin temaga eelmisel nädalal. Ma ju rääkisin sulle." Raputan pead ja Theo naerab mu segaduse peale, tema naer on kähisev. „Vincent on leidnud elukoha, mis maksab kolm ja pool franki päevas."

Ta tõstab uuesti pilgu ja uurib mu ilmet.

„Kui palju?"

„Kas sa oled hakanud teda jälle vihkama?"

Mu kõrist kostab midagi urinasarnast. See hääl tuleb sügavaimast sisemusest. Ma ei vihka Vincenti, aga ma võin hakata vihkama iseennast. Kuidas ma saan oma mehele öelda, et minus tekitab paanikat uuesti Vincenti maailma sattumine? Et tema vend ähvardab juba praegu meie rahulikku elu? Et mind kohutab see, mis juhtub Theoga, kui Vincent peaks endaga midagi tegema? Vaatame teineteisele otsa, aga ma ei ütle midagi. See on esimene kord mitme nädala jooksul, kui me Vincentist räägime. Mul polnud aimugi, et Vincent kolib nii ruttu. Võib-olla ma koguni arvasin, et kui me asjast ei räägi, siis sellega enam ei tegeleta.

Theo pöördub uuesti kirja poole ja loeb ette valitud kohti. „Kümme meetrit lõuendit, kakskümmend lehte joonistuspaberit..."

„Lehekülg lehekülje järel nõudmisi." Mu hääl on summutatud ja täis vihjeid.

„Kunstnik vajab töövahendeid. Nagu sa peaksid mäletama."

Julm mees. Ma ei mäletagi enam, millal viimane kord pintsli kätte võtsin.

„Ta kirjutab sulle lõputult oma rahalistest vajadustest, aga sina ei saa talle oma elust midagi rääkida. Kas selleks, et end kunstnikuks pidada, ei peaks suutma ennast oma kunstiga ära toita?"

„Nii et kirjanik on ainult see, keda avaldatakse, ema ei ole enam ema, kui laps kodunt lahkub, tool ei ole enam tool, kui selle jalg katki läheb?"

Ootan, kuni ta köhahoog mööda läheb: „Sa oled Vincent van Idioot Goghi nimeline pank." Mu hääl on liiga vali ja see ehmatab last.

Theo naerab. See on närviline, kähe naer, mis tuleb tema kurgupõhjast ja paneb teda veel rohkem köhima. „Idioot Gogh?" ütleb ta ja naeratab. Aga tema silmad jäävad tõsiseks. Theo silmad on pärani ja neis peegeldub hirm.

Kussutan beebit ja vaatan Theole otsa. Ta loeb uuesti kirja.

„Arst soovitas kallimat võõrastemaja, mis maksab kuus franki päevas, aga Vincent otsustas odavama kasuks." Theo vaikib, nagu oodates, et ma oma vastuseisust loobuksin ja kiidaksin tema venda kokkuhoidlikkuse pärast.

„Ta võtab söögi meie lapse suust," ütlen ja Theo hakkab uuesti naerma.

„Laps saab toidu sinult."

Tõusen püsti ja võtan lapse sülle. Et mitte asju loopida ega protestiks kätega vehkida.

„Sa oled ennasttäis idioot. Täpselt nagu su vend."

Theo vaatab mulle volksamisi otsa. Ta silmad on suured ja küsivad. Ta sirutab oma peopesad tõrjuvalt välja, nagu tahaks mu sõnu tagasi põrgatada.

„Mis sul kuradi pärast viga on, Johanna? Millal sa ometi nii inetuks oled muutunud? Millal kadus sinu tänulikkus selle eest, mida me jagame? Mul on raske sind ära tunda."

„Nüüd sa siis nõuad, et ma tunneksin huvi selle vastu, mida *sinu* vend teeb? Aga sa ei pidanud vajalikuks ühtegi plaani minuga läbi arutada?"

„Ta on *meie* vend," ütleb Theo. Tema hääl on õrn. Ta püüab mulle mõistust pähe panna. „Vincent palus sind kogu südamest tervitada."

„Miks sa ei taha eelkõige kaitsta meie poega tema onu hullumeelsuse eest?" karjun ja beebi hakkab vigisema. Ta kardab nagu minagi. Kiigutan last süles, rütm on maniakaalne ja liiga kiire. Laps hakkab kilkama. Vaatan teda ja tema rõõm toob mu näole naeratuse. Kiigutan teda kiiremini ja ta hakkab uuesti kilkama.

„Vincent küsib kirjas, millal ta võib külla tulla või kas meile sobiks minna mõnel pühapäeval teda vaatama," ütleb Theo kähedalt.

Ma ei vasta. Lähen, laps süles, ukse juurde. Theost möödudes keeran end seljaga tema poole ja varjan tema pilgu eest meie last, siis marsin uksest välja.

„Johanna!" Theo tuleb minu kannul.

Ma ei keera end ringi, ma ei taha, et ta näeks mu pisaraid. Theo käsi puudutab mu õlga. Lükkan selle eemale, hoolimata tahtmisest, et ta mu enda kaissu tõmbaks, ja end vihates, et tema lohutust vajan.

„Me peaksime rääkima," ütleb Theo väga vaikselt.

Keeran end ringi ja vaatan talle otsa.

„Ma armastan sind, sest sa elad selleks, et aidata kõiki abivajajaid kogu maailmas," ütleb Theo. „Sa oled hea kõigi vastu, kui see on võimalik."

Puhken nutma. Theo võtab lapse sülle ja annab tema otsaesisele musi. Pühin silmist voolavaid pisaraid, vaadates isa ja poja vahelist õrnust.

„Ma tean, et sa oled hirmul, aga ma luban, et ma ei sea sind ega meie poega kunagi ohtu." Vaatan talle otsa ja näen, et ta on siiras. „Aga meie vend vajab meid."

Noogutan. Ma tean, et vajab. Vincenti aitamine on meie kohus.

„Aga mis siis, kui me pole piisavalt tugevad, et üle elada seda, mille Vincent võib endaga kaasa tuua?"

„Tormide kartmine ei hoia neid ära," ütleb Theo, paneb käe mulle õlale ja tõmbab mind lähemale. Oleme kolmekesi koos: meie perekond.

Mai 1890

Theo sai arstilt oma köha jaoks uue ravimi ja heitis, kurnatud nagu ta on, juba magama. Olen viriseva lapse maha rahustanud ja mõtlen ikka ja jälle Theo küsimuse peale: „Millal sa ometi nii inetuks muutusid? Millal kadus sinu tänulikkus selle eest, mida me jagame?"

Praegu olen täiesti ärkvel ja mõtlen sellele, kui sageli kasutatakse naistest rääkides koos sõnu „inetu" ja „raske". Raske on iga naine, kellel on oma arvamus. Ta on valinud tee, millel meestel on lihtne liikuda. Kui naised lepivad oma positsiooni ja staatusega, on nad ilusad, kui neil aga on oma hääl ja soovid, siis on nad inetud. See on meisse juurdunud, ka mina olen süüdi, sest kasutan neid sõnu.

Kuidas ma küll alles nüüd taipan, et naiste käitumist kontrollib hirm saada tembeldatud ühega neist kahest sõnast? Kui sinu kohta öeldakse „inetu" või „raske", kaasneb sellega hukkamõist, lüüasaamine ja tõrjutus – ja mida me siis teeme? Me hakkame käituma nii, nagu mehed meilt ootavad ja nõuavad. Nendes alati sosinal öeldud sõnades on ähvardus, need süstivad hirmu meie otsustesse ja tegudesse.

Aga miks peetakse „inetust" halvaks asjaks? Miks võrdsustatakse „raske" kurjuse ja pahatahtlikkusega? Kas need sõnad pole mitte täiesti määratlematud? Tajumatud ja arusaamatud? Ometi kasutatakse neid relvadena.

Võimu relvadena.

Kas ma olen leidnud vastuse omaenda küsimusele, miks naised üksteise üle kohut mõistavad? Kas me mitte kõik ei otsi võimalusi leida oma koht meeste maailmas? Mõelda vaid, kui me kõik ühineksime ja nõuaksime, et meie rolli meeste edukuse tagamisel tuleb tunnistada!

Camille, Agostina, Sara, Clara, ema – ma olen paratamatult seotud nende kõigiga, kadunud nende kurbusesse, inetusse ja nende ebameeldivusse.

SUVI
1890

Pariis

ADELINE RAVOUX' PORTREE (POOLFIGUUR)

Kohtume Vincentiga võõrastemajas Ravoux Inn. Vincent elab kõrtsiruumi kohal. Ta ootab meid väljas, seljas jämedast puuvillasest kangast sinine jakk ja peas kalamehe õlgkaabu.

„Theo, Johanna," ütleb ta, emmates venda ja andes mulle mõlemale põsele musi. Vincent lõhnab kopitanud tubaka ja äädika järele. Ta paistab pikem ja tugevam ning isegi ta õlad tunduvad laiemad. Võib-olla näen tänu sellele esimest korda, kui kõhn ja haige on Theo temaga võrreldes. Vincent sõrmitseb minu uinuva poja juuksekiharaid. „Tulge. Lähme võtame klaasikese." Märkan, et ta hoiab oma vigastatud kõrva poolset õlga längus. Ta võtab mütsi peast ja avab kõrtsitoa ukse, astume sisse.

Ma ei osanud oodata, et see on seestpoolt nii omanäoline. Ruumis on kümme vahatatud tammelauda, ainult kolme ääres istuvad inimesed. Kõrtsituba täidab jutukõmin, mida katkestab vaid kana-veinihautise nautijate matsutamine. Toit lõhnab hõrgutavalt. Vincent kõnnib kõrtsitoa tagaseina ääres oleva, uksest kõige kaugema laua juurde ja me võtame istet.

„Las ma vaatan oma vennapoega lähemalt," ütleb ta kummardudes ja beebi Vincenti esimest korda nähes. Püüan märgata, kas ta ilme muutub, aga mingit reaktsiooni pole näha, samuti ei ütle ta midagi.

„Poiss magab praegu, seega võime segamatult lobiseda," ütleb Theo. Vincent pöörab pilgu lapselt Theole ja naeratab.

„Sa ei kujuta ette, kuidas ma olen igatsenud su nägu näha." Tema rõõmsameelsus on nakkav ja Theo puhkeb naerma. „Aga miks sa nii kõhn ja kahvatu oled?"

„Ta töötab liiga palju. On surmväsinud, kui õhtul koju jõuab," ütlen. „See ei takista aga pisikest öösel kisamast ja isa äratamast. Ma arvan, et poisil on esimene hammas tulekul."

„Sellele vaatamata on mul hundiisu," ütleb Theo uuesti naerma hakates; ta hääl on kähe.

„See on tõsi. Ta on hakanud igal hommikul jooma toorest muna konjakis ja nõuab õhtuti topelt portsjoni liha." Puudutan Theo kätt.

„Aga see köha..." alustab Vincent.

„See tuleb ja läheb," vastab Theo. Vennad ei tea, et ma näen nende omavahelist hääletut suhtlemist: silmsidet ja peanoogutusi.

Kena blond sinises kleidis tüdruk, kelle lahtised juuksed on seotud samavärvilise paelaga, tuleb meie laua juurde. Ta valab kahte klaasi veini ja naeratab Vincentile. Tüdruk ootab, nagu tahaks, et teda tutvustataks, aga lahkub minuti pärast.

„Kas ta on sinu sõber?" küsin vaadates, kuidas kena neiu eemale kõnnib. „Kui vana ta on, kas viisteist?"

„Kolmteist," ütleb Vincent silmadega tüdrukut saates. „Ta tuleb mulle järgmisel nädalal modelliks."

Kergitan kulmu oodates, et Theo midagi ütleks.

„Pead selle maali mulle saatma," ütleb mu abikaasa hoopis.

Sa ei mõtle seda ometi tõsiselt? Raputan pead ja Theo kehitab õlgu.

„Teen selle ühe seansiga," ütleb Vincent piipu süüdates. Ta vaatab leti taga seisva tüdruku poole ja lehvitab. „Ma tegin temast visandi, aga perekond ei pidanud seda sarnaseks." Ta raputab pead. „Ma loodan, et maal meeldib neile rohkem."

„Kas sööme midagi?" küsib Theo vaadates, kuidas teised kliendid lusikatäite kaupa hautist ahmivad.

„Kas sul on kõht tühi?" küsin Vincentilt. Ta on priskem, tervema jumega ja näeb välja õnnelikum, kui oleksin osanud oodata.

„Preili Voort kirjutas mulle," ütleb Vincent. „Kas te teadsite, et temast on lahti öeldud, et ta elab Pariisis öömajades?"

„Ma arvan, et ta käib kunstnikele modelliks," ütleb Theo.

Vaatan talle otsa. *Misasja?* „Miks sa pole mulle sellest rääkinud?"

Theo sirutab käe üle laua ja võtab minu omast kinni. Meie sõrmed põimuvad ja ma vaatan Vincenti poole, kes silmitseb oma kollase ja sinise värviga kriimutatud käsi ja kortsutab kulmu. Tahaksin teada, mida ta mõtleb. Tahaksin teada, kas me oleksime pidanud seda intiimset hetke vältima, samas pean tunnistama, et see on kõige arukam vestlus, mis mul on kunagi Vincent van Goghiga olnud. Tundub peaaegu, nagu kohtuksin temaga esimest korda.

„Johanna, mu õde," ütleb ta mulle silma vaatamata, „tahtsin kord maalida sind vulgaarses asendis."

„Ma mäletan," vastan ega keera end, et näha, kuidas Theo võiks reageerida.

„Ja... noh, ma pean selle eest vabandust paluma." Vaatan Theod ja näen, et ta särab üle näo.

„Ka praegu tahaksin sind maalida, aga minu eesmärgiks oleks jäädvustada sinu ilu ja muuta see surematuks. Ma imetlen seda, kui fantastiline sa oled, pean lugu sinu tugevusest ning tahaksin, et ka teised seda teeksid."

Theo tõuseb ja läheb oma venna juurde. Ta võtab istuva Vincenti ümbert kinni.

„Nad on sind Saint-Rémys hästi söötnud," ütleb ta venna kõhtu patsutades.

„Erinevalt sinust olen ma üsna priske ja rõõmsameelne." Vennad naeravad üle kõrtsisaali. „Kuidas ma küll olen teid mõlemaid igatsenud."

„Poiss ärkab varsti," ütlen, „sööme midagi."

„Jah, ja pärast on dr Gachet kutsunud meid oma arvukaid loomi vaatama. Tal on kassid, koerad, kanad, küülikud, pardid, tuvid. Minu nimekaimule meeldivad need kindlasti," ütleb Vincent ennast sirutades ja oma vennapoja pead silitades.

See ongi õnn: me oleme liigagi kaua sellisest normaalsusest puudust tundnud.

Juuni, 1890

Pärast Vincenti juurest tulekut arutasime rõõmsat kergendust tundes, et Vincent näeb mind teistsuguses valguses. Küsisin Theolt, kas ta on märganud kunstimaailma meeste üldises suhtumises naistesse mingeid muutusi. Ta naeris ja ma heitsin talle sellise pilgu, et ta oli sunnitud vabandama.

Aga siis Theo elavnes ootamatult ja rääkis muutusest, mida ta oli täheldanud naiskunstnike juures. Ta ütles, et tema arvates maalib Morisot naisi nii, nagu nad ennast ise näevad, mitte sellistena, nagu mehed tahaksid, et nad oleksid. Et läbi oma kunsti säilitab ta kontrolli oma keha üle ja võimaldab seda teha ka oma modellidel. Et iga Morisot' autoportree kuulutab vaatajatele: „See olen mina. Ma tahan, et te näeksite mind just sellisena." Et ta ignoreerib jõllitavate meeste ootusi ja vajadusi, aga mehed peavad alles hakkama seda mõistma.

„Ja kui ka Morisot' poolaktid võivadki esile kutsuda erootilisi pilke, siis tema ebakorrapärased pintslitõmbed võitlevad selle vastu. Ja teised naised kuulavad teda," ütles Theo.

Milline progress!

Ja ka see on progress, et Vincent ei soovi mind enam lõuendil enda omaks teha.

17. juuni 1890
Auvers-sur-Oise

Kallis Theo

Pühapäev tegi mu tõeliselt õnnelikuks. Mul on hea meel, et me pole enam teineteisest kaugel, ja ma loodan, et meil on võimalik sageli kokku saada. Ma loodan, et Sinu köha annab järele ja Sa võtad kuulda mu soovitust nädal aega puhata. Lisan nimekirja värvidest, mille ma palun Sul tellida.

Olen töötanud palju ja kiiresti, võib-olla on see minu tagasihoidlik viis näidata, kui halastamatult kiire on kaasaegne elu. Sellele vaatamata tunnen pärast teie kõigiga kohtumist uut energiat ja entusiasmi.

Maalin praegu moonipõldu, mul on ka väike lõpetatud maal mägedega ja üks küpressi ja tähtedega. Mõne päeva eest sain valmis meie võõrastemaja pererahva tütre portree. Noor sinisesse riietatud tüdruk sinisel taustal, Sa võib-olla mäletad teda oma külaskäigult? See on lõuendil nr 15. Enne seda lõpetasin maastiku, mis kujutab kahte pirnipuud öise kollaka taeva ja nisupõllu taustal. Lõpuks tahan ära kasutada alles jäänud lõuenditüki, mille pikkus on meeter ja kõrgus viiskümmend sentimeetrit, ja maalida sellele nisupõllud, paplid, silmapiirile sinised mäed ja võib-olla isegi rongi, mille valge suits lainetab roheluse kohal. Järgmisel nädalal, kui lõuendit saan, loodan maalida preili Gachet' portree.

Tahaksin suvel kangesti mõneks päevaks Pariisi tulla, aga esialgu olen hõivatud maalimisest. Olen veendunud, et Sa leiad varem või hiljem võimaluse minu maalid mõnes kohvikus välja panna.

Kõike head väiksekesele ja tugev käepigistus Sulle ja mu õele.

Tout à toi,
Vincent

PEALUU PÕLEVA SIGARETIGA

Tänavad on saginat täis. Vooritõllad kihutavad munakivisillutisel, et toimetada rikkaid pariislasi teatritesse, baaridesse ja kabareedesse.

Öine Pariis õhkub jõukust ja küllust. Käes on juuli ja ma olen pärast mitut kuud esimest korda väljas, kogu see kära ja rahvahulk käib mulle juba praegu üle jõu.

„Ettevaatust..." Andries paneb käe mulle ette ja tõmbab mu mööda kihutava vooritõlla ja hobuse eest ukseavasse.

„*Pardon, pardon!*" hüüdes lehvitab Andries eemalduvale voorimehele järele. Kuulen piitsaplaksatust ja hüüet: „*Hé, labas!*" ja juba tormabki tõld mööda Clichy puiesteed edasi.

„Kus su mõtted täna ometi on, Jo?" Heidan vennale pilgu. Andriese näonahk on laitmatu ja laikudeta, samal ajal kui mina olen vähem kui aastaga kümme aastat turjale saanud.

„Laps karjus jälle terve öö. Ma olen kindel, et saastunud lehmapiim on talle kahjulik, aga arst ei kuula, mis ma räägin. Ta ütleb, et põhjuseks on hammaste tulek. Kõike seletatakse hammaste tulekuga. Hakkan poisile hoopis eesli-piima andma."

Andries võtab mul käe alt kinni ja me jalutame edasi. Loovime paarikeste vahel, Andries kummardab nendele, keda ta teab, teised hüüavad üle tänava tervitusi. Hoian pilgu maas, sest ei taha ühegi tuttavaga vestelda, ja võitlen tungiva sooviga koju tagasi põgeneda.

Theo on Haagis ja arutab kunstikollektsionääri Hendrik Willem Mesdagiga ühte Corot' maali, Andries aga käis peale, et läheksime õhtul koos välja. Ma ütlesin talle, et ma ei saa. Et järjekordne verekaotusehoog ja sellest tingitud nädal voodis on küll möödas, aga kodunt eemal viibimine teeb mu närviliseks. Andries rääkis, kui palju ta on meie ühiseid seiklusi igatsenud, ja lisas, et ei lepi eitava vastusega. Ta ilmselt ei tea, et ma kuulsin, mida nad täna Claraga eestoas pomisesid, nende sosinal vahetatud sõnu „hüsteeria" ja „paranoia".

„Ma olen ema ja mu poeg on rahutu. Ma ei saa temast kaua eemal olla."

„Clara hoolitseb poisi eest. Kõik on korraldatud ja endine Johanna oleks armastanud seda kohta." Andries jääb seisma. Meie ees olev hoone on kaunistatud valge äärega musta leinakrepiga. Musta keebi ja silindriga kirstukandja avab ukse ja annab märku, et me siseneksime.

„Kas keegi on surnud?" Olen segaduses, sest kõik viitab surmale, ometi kuulen seestpoolt lõbusat naeru.

Andries lükkab rasked eesriided kõrvale ja mu silmad hakkavad kohanema. Klammerdun venna külge, püüdes kuidagi toime tulla ootamatult ründava müra ja kummalise atmosfääriga. Koopataolises ruumis on siin-seal suured puidust kirstud. Nende peal võbelevad küünlad ja neile on pandud pealuid. Kuigi see kõik jätab mulje matustest, on igal pool inimesed, kes näivad olevat väga purjus ja väga lõbusad.

„Mis koht see on?" küsin vennast tugevamini kinni haarates. Tunnen, kuidas ärevus mind pitsitab. „Kas ma olen tulnud enda matustele?"

„See on Surmakabaree. Äsja avati."

„Ta joob ju inimese pealuust," ütlen ühele külalisele osutades. Mees kuuleb seda kummalisel kombel ja tõstab kolba kõrgele, nagu tahaks öelda „*Santé!*"

„Mida ometi kõik see..." Mu pilk eksleb ruumis ringi. Meid ümbritseb surm, otsekui oleks minu voodipuhkuse ajal tabanud maailma hiiglaslik katastroof, ometi on pärlikeedega naised ja silindrites mehed ülimalt lõbusad. Surmale näkku naerdes pühitsetakse elu.

„Kunst ja õlu käsikäes," ütleb Andries. Ta sirutab käed laiali, nagu tervitaks mind oma kodus: „Ükski asi pole nii, nagu see alguses paistab. Rodinile meeldib siin käia."

„Aga Camille'ile?" küsin, suutmata varjata väikest lootusesädet. Andries raputab pead.

„Camille ei tee enam skulptuure."

*
Terviseks! – pr k

Camille on seltskonnast kustutatud. Teda pole enam olemas. Loomingulised naised Pariisis kaovad, kui nende meestel neid enam vaja ei ole. Nende lugusid ei räägita.

„Püha müristus, vaata ometi kõiki neid detaile," ütleb Andries, lastes pilgul sünges ruumis ringi rännata. Seinad on kaunistatud pealuude ja kontidega, siin-seal on toolid, millel istuvad skeletid. Laes ripub suur pealuudest küünlalühter. Õhk on tubakasuitsust paks, kohalviibijate naer tundub sobimatu. Siin reklaamitakse ja kiidetakse surma, nurgas lõikab giljotiin inimesel pead otsast.

„Seal on giljotiin," ütlen judisedes. Ma ei suuda oma õudustunnet maha suruda: „Kas see on sinu arusaamine toredast õhtust?"

„Nad kasutavad giljotiini demonstreerimiseks reaalseid surnukehi," ütleb Andries, nagu peaks see kõike selgitama. „Rüübakem parem mürgijooki võltsitud inimpealuust."

„Andries."

„See kõik ei ole tõeline, Jo. Varsti hakkab illusioonietendus ja see on uskumatu. Naine muutub otse meie silmade ees luukereks."

„Ma peaksin olema kodus poja juures." Seisame järjekorras ja ootame, et meid istuma juhatataks.

„Lollus," ütleb Andries ja naerab, „nüüd aga aitab sinu virisemisest. Tahad, ma räägin sulle, mis mul endal uudist on?"

Noogutan ebakindlalt.

„Ma olen vaadanud ühte korterit teie maja alumisel korrusel."

„Mis sa ütlesid? Kas sa mitte ei pidanud kohta, kus me elame..." Andries vehib eitavalt käega.

„Me oleme pidanud Theoga plaani hakata koos äri ajama."

Misasja? „Kas ta kavatseb oma töölt ära tulla? Aga ta maksab ju ka Vincenti ülalpidamise eest..."

„Mõtle, kui vahva see veel oleks, kui te hakkaks Anniega hästi läbi saama."

Oleks küll vahva, aga ma ei mõista, miks Theo ei ole mulle sellest sõnagi rääkinud. Pariisis Andriesega ühe katuse all elamine on nagu unistus, mul pole lapsepõlvest ühtegi mälestust, milles ta ei figureeriks. Mõte, et vend oleks jälle minu lähedal, et ta oleks lapsel iga päev olemas, toob mu näole naeratuse.

„Kas sa abiellud Anniega?"

Vend noogutab. „Nii ruttu, kui võimalik. Ma kutsusin ta täna õhtul siia, et..."

Ta ei lõpeta lauset. Ma arvan, et ta muretseb minu reaktsiooni pärast. Patsutan tema käsivart – *kõik on korras*. Olen saanud oma vennaga viimasel ajal nii harva kahekesi olla. Me kõnnime kumbki oma teed ja elame oma elu. Asi pole selles, et ma tahaksin elada teistmoodi. Ilmselt ma lihtsalt lootsin täna, et me võime aja peatada. Kaks aastat tagasi keerata. Et võiksin veel korraks olla lihtsalt Bongeri õde.

Meile läheneb munk, mõlemas käes pealuu. „Tere tulemast, väsinud rändurid. Lubage, et ma valin teile sobiva kirstu."

„Kas ta on tegelikult ka munk?"

Vend puhkeb naerma. „Ta mängib oma rolli. Miski pole nii, nagu paistab, Jo. Sa ju tead seda." Jah, ma tean. See koht on nagu Pariisi kunstielu. Miski pole nii, nagu alguses tundub, ja kui jääd liiga kauaks, kaotad igaveseks mõistuse.

Andries paneb käe ümber mu õlgade ja me kõnnime munga kannul toolidega ümbritsetud puukirstu juurde. Kui me istume ja ma keeldun oma keepi ära võtmast, asetab munk meie ette kirstule kaks kolpa. Matusekellad helisevad ja mängitakse leinamarssi. Mõned külalised tõusevad püsti. Munk juhib nad teise kambrisse. Tunnen eelaimdust.

„Mida kuradit?"

„Seda minagi," ütleb vend naerdes. Minu murelikkus ja segadus lõbustavad teda, siis hüppab ta püsti ja lehvitab kätt. „Seal ta ongi."

Ma poleks meie lapsepõlvesõpra Anniet ära tundnud. Ta on sale, blond ja inglisepärane nagu need tüdrukud, keda olen näinud raamatuillustratsioonidel. Ma arvan, et tema ilme on samasugune nagu minu oma, kui ma mõned minutid tagasi siia saabusin. Ma näen, et kui Annie kirste vältides läbi ruumi meie poole manööverdab, on ta ilmselgelt kohkunud pildist, mis ta silmade ees avaneb. Annie on Pariisi maailma sattunud hollandlanna, lisaks on vend visanud ta vette tundmatus kohas ja tundub uudishimuga jälgivat, kas ta oskab ujuda.

„Jo, sa mäletad ju Anniet? Aga ta on muutunud erakordselt targaks ja tal pole ühtegi viga," ütleb Andries ja ma sirutan käe.

10. juuli 1890
Auvers-sur-Oise

Mu vend (ja õde?)

Bonger kirjutas mulle, et ta on huvitatud korterist teie all ja, nagu poleks sellest veel küllalt – et te plaanitsete hakata koos äri ajama. See, et Sa kavatsed hakata sõltumatuks kunstikaupmeheks, vaimustab mind, aga mind paneb imestama, miks Sa pole seda oma vennaga arutanud? Kas sellepärast, et Sa muretsed uue ettevõtte edukuse pärast olukorras, kus pead ülal pidama nii oma perekonda kui ka oma läbikukkunud kunstnikust venda?

Kas ma pean järeldama, et Sa võtad leivatüki minu suust ja annad selle Bongerile? Kas ma olen Sind kuidagi pahandanud?

Mind kummitab tunne, et olen muutunud Sulle koormaks, aga Sa pead ju teadma, et ma olen iga päev oma kunsti orjuses?

Vincent

11. juuli 1890
Pariis

Kallis Vincent

Anna andeks, et ma ei teatanud Sulle meie esialgsetest läbirääkimistest Bongeriga, kuigi minu jaoks pole ootamatu ja ma ei imesta põrmugi, et ta tegutseb põhjendamatu tormakusega ja räägib kõigile, kes kuulda viitsivad! Paraku on kõik lõppenud sama kiiresti, nagu algas.

Kui päris aus olla, siis ma arvan, et Andries on juba Annie tuhvli all. Ta julges isegi väita, et ma ei suhtu ettevõtmisesse samasuguse innuga nagu tema. Me selgitasin, et olen viimasel ajal üha rohkem kurnatud ega suuda tunda tõeliselt huvi millegi muu kui söömise ja magamise vastu. Bonger väitis sedagi, et võib-olla me tahame nende kolimist oma majja, et Annie võiks Johannat toateenijana abistada. Ma ei suuda ette kujutada, et Bonger ise võiks millegi sellise peale tulla, ja pean seega arvama, et need on Annie sõnad. Sa võid ette kujutada, kuidas minu naine reageeris, ehkki tegelikult on kogu tema tähelepanu pööratud lapsega tegelemisele. Laps on väga rahutu, Jo on alles taastumas järjekordsest nädalasest voodirežiimist ja kogu meie majapidamine on pilla-palla.

Tegelikult on oluline vaid see, et Sa teaksid, et Bonger on loobunud nii korteri rentimisest meie majas kui ka meie ühise ärièttevõtte rajamisest. Ta räägib isegi, et kolib pärast abiellumist Amsterdami. Ma ei taha Sulle lisamuresid tekitada, aga sooviksin galeriist Boussod, Valadon & Cie ära tulla. Märkan järjest selgemini, et mu tööpäevad on väga pikad – äkki see ongi minu pideva kurnatuse põhjus? Palk ei vasta tehtud tööle, aga võib-olla arutan asja galerii omanikega.

Kui ma oleksin tõsiselt mõelnud äriplaanidele või kui rahalised mured oleksid olnud tungivad, oleksin tulnud ise Sulle neist rääkima. Ma loodan, kallis vend, et püsid hea tervise juures ja kui miski Sind vaevab, siis pöördud kohe dr Gachet' poole. Ta võib midagi anda, kui Sa jälle melanhoolseks muutud.

Kirjuta mulle endast nii ruttu, kui saad. Saadan selle kirjaga Sulle viiskümmend franki.

Jo ja Sinu vennapoeg tervitavad soojalt, nagu ka Sind armastav vend.

Theo ja Jo

12. juuli 1890
Auvers-sur-Oise

Mu kallis vend (ja õde?)

Suur tänu kirja ja viiekümne frangi eest.

Mõnel päeval tahan kirjutada Sulle nii paljudest asjadest, aga täna ei näe ma sellel mõtet. Selle asemel pühendun täielikult maalimisele. Lõuendid on hõivanud kogu mu tähelepanu ja ma olen otsustanud saada sama heaks, nagu need teised maalikunstnikud, kelle töid Sa iga päev müüd ja välja paned.

Siin elab nüüd ka Anton Hirschig. Ta küsis, kas Sa võiksid tellida talle selles nimekirjas loetletud värvid, ja mina olen lisanud oma absoluutselt minimaalse tellimuse. Võib-olla võiksid panna Hirschigi tellimuse minu saadetisse ja kui Sa ütled hinna, siis saadab ta Sulle raha.

Kirjutan varsti rohkem ja soovin edu probleemide lahendamisel Boussod, Valadon & Ciega.

Südamlikud tervitused Jole ja vennapojale.

Tout à toi, Vincent

KELLELT: DR PAUL GACHET

KELLELE: THEO VAN GOGH

VÄGA KIIRE. TULGE KOHE AUVERSI.

VINCENTI ON TULISTATUD.

Juuli 1890

Telegramm saabus eile hilisõhtul. Meid äratas vali tagumine välisuksele.

Theo ei tahtnud, et ma temaga kaasa läheksin. Ta nõudis, et ma jääksin Pariisi, laps on ikka veel rahutu, minu tugev verejooks on vaevu kontrolli alla saadud ja ta tahab mind säästa teda ootavast õudusest.

Mul pole aimugi, kas Vincent on elus või surnud.

Kõhus keerab hirmust. Ei mingit hingetõmbeaega – kas meie vennal läks nüüd korda teha seda, mis polnud tal siiani õnnestunud?

29. juuli 1890
Auberge Ravoux

Mu kallis Johanna

Mulle ei jõua päriselt kohale, mida siin räägitakse. Mu vend hääbub mu silme all ja ma ei suuda teda päästa. Püüan toimunut kokku traageldada, aga selles on palju mõistmatut.

Eile sõi Vincent lõunat nagu igal teiselgi päeval, pärast seda läks kohe nisupõllule. Oma siinoleku jooksul on ta iga päev teinud vähemalt ühe maali ja pole olnud mingeid märke sellest, et ta tööhoog oleks raugemas. Videvikus polnud ta veel tagasi ja see tekitas pisut muret, sest Vincent ei jätnud kunagi ühtegi söögikorda vahele.

Võõrastemaja omanikud istusid õues, kui Vincent lõpuks nende poole vaarus. See oli umbes kell üheksa õhtul. Ta hoidis kõhust kinni. Keegi küsis, kas temaga on kõik korras, ja ta pomises mõned sõnad, läks siis majja sisse ja kohe teisele korrusele oma magamistuppa. Kõrtsmik isa Ravoux, lahke ja sõbralik mees, tundis, et midagi on korrast ära. Ta läks Vincenti vaatama ja leidis ta voodil lamamas ja oigamas. Ta küsis Vincentilt, kas ta on haige, ja selle peale tõmbas Vincent oma särgi üles ja näitas haava.

Mu vend ütles, et ta püüdis ennast tappa!

Tundub, et mu vend tulistas ennast revolvrist ja siis minestas. Ta rääkis isa Ravoux'le, et püüdis seejärel endale otsa peale teha, aga ei leidnud revolvrit üles. Kuhu see võis sattuda? See poleks ometi tema käest kadunud? Vincent väidab, et ta loobus lõpuks revolvri otsimisest ja tuli võõrastemajja tagasi.

Isa Ravoux saatis arsti järele. Lõpuks oli dr Gachet see, kes tuli mu vennale appi ja sidus ta haava, seejärel saatis vaimuliku mind teavitama. Aga see oli isa Ravoux, kes jäi Vincenti juurde terveks ööks. Ta süütas Vincentile piibu ja rääkis temaga kuulates, kuidas mu vend valudes oigab.

Kui mina saabusin, jooksin jaamast võõrastemajja ja jõudsin kohale just hetkel, kui majja sisenes kaks sandarmit. Keegi oli neile enesetapukatsest teada andnud. Järgnesin isa Ravoux'le ja sandarmitele Vincenti tuppa. Mu vend ei tundnud mind kohe ära, ta tähelepanu oli keskendunud isa Ravoux'le, kes selgitas, et Prantsuse seaduste järgi on Vincent sooritanud kuriteo, sest mitte kellelgi pole õigust end tappa, minu vend aga vaidles vastu, et tegemist on tema kehaga ja ta võib sellega teha, mida iganes soovib.

„Kas sa tahtsid surra?" küsisin Vincentilt. Ta vaatas mulle esimest korda otsa, vastates naeratades: „La tristesse durera toujours."

Kurbus kestab igavesti! Kallis Johanna, mida me ometi teeme?

Ma lootsin, et ta ütleb veel midagi, aga teda tabas valuhoog ja letargia. Sandarmitel paluti lahkuda ja ma istusin tema voodi kõrvale toa ainsale toolile ja suudlesin teda, meie mõlema pead samal padjal.

„Ma ei seisa enam kindlalt oma jalgadel, aga nüüd, kus sa siin oled, on mu hing rahus," ütles ta mulle hiljem: „Sa oled ainus inimene maailmas, kes on mind armastanud."

Ta puhkab praegu, aga mu süda lõhkeb. Vincent näib kuidagi väiksem, on linadesse mähitud ja maailmale kadunud. Tema toas on vaikus, see tekitab mus paanikat. Minu vend magab liiga vaikselt, hirm, et ta ei pruugi enam ärgata, ei lase mul tema kõrvalt lahkuda.

Kirjutan homme lähemalt. Anna meie väiksele pojale musi ja minu poolt Sulle tuhat kallistust.

Igavesti Sinule pühendunud
Theo

Juuli 1890

Täna pole Theolt kirja tulnud. Ma kirjutasin talle, aga ta pole vastanud. Ma tean, et tema aeg ja mõtted kuuluvad vennale ja peavadki kuuluma, aga teadmatus ei lase mul rahuneda.

Pärast seda, kui me Vincentiga möödunud kuul kohtusime, arutasime Theoga, kui hea ta välja nägi. Mina arvasin, et ta on lõplikult paranenud. Nüüd aga igatsen Theo järele ja mõtlen lakkamatult Vincenti peale: mõtlen, et ta ei olnud kunagi päriselt õnnelik, et ma ei kutsunud teda meie juurde elama; et ta kaotas lootuse.

Ma ei suuda taluda mõtet, kui kohutavalt üksik ja meeleheitel ta pidi olema, et näha ainsat väljapääsu oma valust enese tulistamises. Mind lohutab ainult see, et Theo on praegu tema kõrval.

Kas ma võin loota, et mu abikaasa on maalinud olukorrast süngema pildi, kui see tegelikult on?

Praegu pean lihtsalt ootama.

Kulutan oma aega koduste tööde ja poja peale. Jälgin, kuidas väike Vincent imestades maailma avastab, kuidas ta asju haarab ja armsalt laliseb. Varsti saab me pisike kuuekuuseks ja arvan, et ei lähe kaua, kui ta ütleb esimest korda selgelt „mamma". Mind on vallanud kõikehõlmav vajadus klammerduda meie õnne külge ja jagada Theoga meie ühist elu ja poega. Me kuulume kokku. Ometigi oleme olnud kuude kaupa kordamööda tüütult haiged ja praegu kõigub meie habras rõõm sellise pimeduse kohal, millist me pole kunagi oma elus kogenud.

Ma igatsen, et oleksime oma pesas kõik koos, et Vincent oleks paranenud ja me kõik saaksime puhata.

IIRISED

Iga uksekoputus tekitab minus paanikahoo: kardan, et tuuakse telegramm, mis teatab, et Vincent on surnud. Theolt pole juba kaks päeva sõnagi ja mind on halvanud hirm.

„Uudiste puudumine võib tähendada ka häid uudiseid," ütlen oma magavale lapsele.

„Johanna." Kuulen mehehäält. Sekundi murdosa jooksul arvan, et see on Vincent.

Ta ei ole surnud. Kõik saab korda.

Keeran suurt kergendust tundes ringi ja näen ukselävel Theod. Ta pea on longus. Käed risti liiga kõhnal rinnal.

„Vincent?" Näen, kuidas Theo nägu moondub. Ta noogutab ja temast hoovab otsatut kurbust. Theo vaarub ja ma jooksen ta juurde. Nuuksed raputavad kogu ta keha. Võtan tal kätest ja aitan toolile istuma. Kükitan ta jalge ette, panen oma käed tema põlvedele ja ootan, millal ta on valmis rääkima.

Minutid kuluvad, meie poeg magab magusalt oma hällis, meie poeg on õndsas teadmatuses. Vaatan Theod ja märkan, kuidas ta pingutab, et hingata.

„Ma ei lahkunud tema kõrvalt, enne kui see oli möödas."

Kuulen, kui raske tal on neelatada. Panen oma põse ta põlvele.

„Ta tahtis surra."

Ootan.

„Ta andis alla. See ei olnud õnnetus," Theo köhib, „ta tahtis surra, et kurbus kaoks." Theo vaikib. „Tema elus oli nii vähe õnne."

Uus vaikus. Minutid kuluvad.

„Ta langes koomasse," ütleb Theo sosinal. Ma ei tõsta pead, et talle otsa vaadata. „Ta suri 29. juuli öösel umbes kell üks, aga ma ootasin hommikuni, siis teatasin tema surmast raekotta."

„Kus ta praegu on?"

„Ikka veel Auversis. Ta on kirstus, ümbritsetuna oma maalidest. „Iirised" ripuvad seinal. Maali värv on alles märg. Ja kirstu jalutsis on..." Theo vaikib uuesti ja nuuksub. Ma ei suuda oma mehele otsa vaadata, ma ei suuda näha tema leina. „Tema kirstu jalutsis... Seal on tema palett ja pintslid," ütleb Theo kähedalt.

„Tema elu tõeline armastus," sosistan ja tunnen, kuidas Theo jalad värisevad.

„Seal on väga palju lillekimpe ja pärgi. Teistelt kunstnikelt, kes elavad Auversis. Homme maetakse ta päikselisse kohta..."

Seltskondlikud reeglid nõuavad, et naised suudaksid matustel pisaraid tagasi hoida, mul ei lubata osaleda. Ma ei võta oma põske Theo põlvelt. Kuulen tema nuukseid ja mu pea liigub tema jalgade värina taktis. Mida ma küll annaksin, et saaksin rääkida Johanna Bongeriga: selgitada tüdrukule, kui hinnaline ja ilus on meelerahu, näidata, millist jõudu annab see, kui sind armastatakse ja sa ise armastad, ning kui väärtuslik on tänulikkus ja tõde. Ma ütleksin Johannale, et ta õnnest kinni haaraks. Ma ütleksin, et miski pole igavene ja kõik kaob.

„Ma oleksin pidanud tema vastu parem olema," sosistan.

Pisarad voolavad mööda mu põski, ninast tilgub tatti Theo pükstele.

„Miks ta mulle ei rääkinud, kui meeleheitel ta oli?" küsib Theo. Nuuksed saadavad igat tema sõna. Inimesed rääkisid, et ta oli rahulikum, et ta oli terve. Sellest on võimatu aru saada..."

„Nii see tavaliselt on."

August 1890

Me kõik oleme leinas.

Vincenti erakordne, imepärane, märkimisväärne anne. Kas see kõik on kadunud ja igaveseks maetud?

Veel hullem aga on see, et näen, kuidas mees, keda ma armastan, libiseb minust järjest kaugemale. Kaotuse sügavusse, kus ma ei suuda temani jõuda.

Minu väike perekond on hävinenud. Minu abikaasa upub. Minu elu armastust on praktiliselt võimatu ära tunda.

Theo on kadunud, ta on meeleheitest haige. Kilod varisevad tema kehalt.

Ta ei maga, keeldub söögist ja on tervenisti haaratud lootusetust vajadusest pöörata aeg tagasi, et oma vend päästa.

Täna keeldus ta last sülle võtmast. Ta ütles, et poisi nimi on neetud, et tema perekonnas saab igal ajahetkel eksisteerida vaid üks Vincent van Gogh. Ta vaatas meie poega nii, nagu oleks laps oma onu surmas süüdi.

Mul on seda kõike väga raske jälgida.

PUUJUURED

Minu abikaasa läks tagasi tööle. Ma lootsin, et uued kunstitehingud aitavad ta mõtteid mujale viia, aga selle asemel on ta oma kunstnikud hüljanud ja kõrvale jätnud. Vincenti surmast on möödunud üks kuu ja samal ajal, kui minu abikaasa keha kurnab haigus, kummitab vend tema vaimus.

„Ma pean keskenduma Vincenti mälestusnäitusele," ütleb Theo. „Teeme selle oktoobris või novembris. Siis, kui pariislased linna tagasi tulevad." Ta pühib salongis ebakindlalt ringi tammudes taskurätikuga otsaesist. „On äärmiselt oluline, et näitus võimaldaks näha minu venna kunsti tervikuna. Nii on teistel võimalik seda täielikult mõista."

„Aga sa ei saa seda teha oma tervise hinnaga," ütlen järsumalt, kui kavatsesin. „Vaata ometi, milline sa välja näed. Sa suudad vaevu ilma kukkumata kõndida. On täiesti selge, et sul on palavik, ja ära arvagi, et sul on õnnestunud uut löövet varjata."

„Ära käi mulle närvidele, armetu õnnetusehunnik!" karjub ta mürgiselt. „Ma teen seda *Vincenti* pärast. See on *ainus*, mis mulle korda läheb."

Astun talle sammukese lähemale. Ma tahan, et ta vaataks mulle silma ja näeks, kuidas ma muretsen. „Sa ju tead, et ma armastan meie venda, aga kas tema maalid on sinu tervisest tähtsamad? Sa oled väga lähedal täielikule kokkuvarisemisele."

Theo surub lõuad kokku, tema silmad pilluvad tuld. Siis annab ta mulle kõrvakiilu. Põrkan tagasi, tema käeulatusest välja, ja tõstan käe põsele, et kipitust leevendada.

Theo hingamine on kiire. Ta vaatab oma kätt, nagu oleks see võõrkeha ja randmest kuidagi eraldi. Siis vaatab ta mulle otsa, näol täielik uskumatus: „Anna andeks, Johanna, oh jumal, Johanna! Palun anna mulle andeks. Ma ei tea..."

„Ära tõsta enam kunagi mu vastu kätt!" karjun, aga siis näen, kuidas Theo vajub põrandale põlvili. Tema õlad vappuvad.

„Ma ei tea enam, kes ma olen. Ma kardan, et mind on nakatanud minu venna hullumeelsus. See on van Goghidel veres." Ta vaatab ainiti põrandale: „Ja mina olen selle edasi andnud meie pojale." Tema sõnad on täis meeleheidet ja hirmu.

„Ma saan aru sinu vajadusest kanda hoolt, et Vincenti looming ei ununeks," ütlen, ikka veel peopesaga põske hõõrudes, „aga me tunneme sinust puudust. Sinu poeg, mina, me mõlemad vajame sind."

„Sara Voort on möödunud nädalal iga päev kirjutanud," ütleb Theo. Ta pilk puurib endiselt põrandat. „Ta ütleb, et Vincent tappis end sellepärast, et ta armastas sind."

„Ja sa usud teda?" Püüan jääda rahulikuks. Panen oma värisevad käed selja taha. Ma ei tea, mida mu abikaasa võib järgmisena teha.

„Tema surmas puudub igasugune loogika. Vaata." Theo tõmbab taskust paberilehe. Tema sõrmed värisevad, kui ta selle lahti voldib ja enda ette põrandale asetab. Põlvitan tema vastu, hoides distantsi; tunnen läbi seeliku, kui kõva ja külm on põrand. Ma ei suuda paberil olevate kastikeste teksti lugeda, aga näen arvukaid nooli, mis osutavad allakriipsutatud nimedele.

„Kas sa arvad, et ta mõrvati?"

Theo noogutab. „Ta maalis oma elu viimasel seitsmekümnel päeval seitsekümmend viis maali. Lilleaiad, tuules lainetav nisupõld, maastikuvaated..."

„Tema viimane maal oli „Nisupõld varestega"," ütlen. „Kas sa mäletad, kui pahaendelised olid need varesed? Nad lõhestasid taevasina. Kindlasti pidi see peegeldama tema meeleseisundit ja..."

„See polnud tema viimane maal. Tulistamise päeva hommikul maalis ta alusmetsa. See maal on täis päikest ja lootust. Maal koos molbertiga leiti nisupõllult." Theo teeb pausi ja köhib taskurätikusse. Ootan. „See on puujuurte sasipuntra ebamaine, spirituaalne kujutis. Erksad värvid, ebakorrapärased vormid, peaaegu abstraktne, samas tulvil elu." Theo köhib veel rohkem. „Lõuendil on tühje kohti, sest see on lõpetamata. Miks hakata maalima ja jätta siis töö pooleli, et end maha lasta? Vincenti jaoks oli kunst kõik kõiges. Ta oleks maali valmis teinud, enne kui..."

„Kas ta mitte ei öelnud, et ta tahtis surra?"

„Mul on võimatu seda mõista."

Tõmbun veel pisut tahapoole, eemale tema vihast. „Me ei mõista kumbki, miks peaks keegi tahtma endalt elu võtta. Me ei suuda ette kujutada piina, mis paneb kellegi arvama, et surm on ainus pääsetee."

„Kes tulistab end kõhtu? Kuidas see on üldse võimalik?" Theo hääl tõuseb iga küsimusega. Ta näitab paberilehel erinevatele kastikestele. Sõrmed värisevad, ta puterdab. „Kõik tunnistajad räägivad, et ta tundus õnnelik ja rahulik, mitte nagu inimene, kes kavatseb end hävitada."

Tõusen püsti ja liigun oma abikaasa käeulatusest kaugemale. „Me ei saa keegi teada, mis tema peas toimus."

„Miks sa pole valmis isegi kaaluma, et tegemist võis olla kuriteoga?" Theo põrnitseb mind, püüdes mulle silma vaadata.

„Mõrv tundub mõistusevastane. Miks oleks keegi pidanud tahtma Vincenti surma? Miks sina ei usu, et tegemist võis olla enesetapuga? Vincent lõikas ära oma kõrva. Ta neelas värvi."

Theo põrnitseb põrandat ja paneb siis käe oma kõhule. „Ma tunnen seda siin." Noogutan. Vaatan oma abikaasat ja tema üksikasjalikke diagramme. Ta tahab meeleheitlikult Vincenti saatuse kaoses korda luua.

„Kui ta oleks tahtnud surra, siis miks ta ei tulistanud ennast pähe? Nurk ei olnud õige, kuul ei läinud läbi tema keha," jätkab Theo kogeledes, „Vincenti tulistati." Ta paneb käe püstolikujulisena kokku. „Põmaki, põmaki." Theo sõnadest nõriseb mürki. Ta tulistab sõrmedega õhku ja ma panen käed risti rinnale.

„Ma lihtsalt tean, et teda tulistati, aga kes seda tegi? Keda mu vend kaitseks?"

„*La tristesse durera toujours,*"* ütlen.

„Ma tean, et sa tahad, et ma edasi liiguksin," ütleb Theo.

„Sa oled haige ja vajad abi. Ma tahan, et me saaksime oma elu tagasi. Sinu venna vaim..."

„Kas ta painab sind?" Theo tõmbab silmad pilukile ja ma raputan pead natuke liiga ägedalt.

„Mind painab ainult see, mida ma oleksin saanud teha tema aitamiseks. Kahe aasta jooksul, kui ma teda tundsin, ta..."

„Vincenti matustele tuli palju inimesi. Mis siis, kui üks neist oli tema mõrvar? Keegi, kellel oli usutav motiiv? Miks pidi Vincent oma surivoodil kaitsma oma tapjat? Miks ta ei öelnud mulle, kes seda tegi?" Theo räägib väga kiiresti. Teda ei huvita, mida mina tema vennast mõtlen. „Ma arvasin, et ta usaldas mind täielikult ja kõiges."

Mul on vaja, et Theo minu juures oleks, mul on vaja, et minu abikaasa mind kuulaks. „Sa ei saa seda kunagi teada," ütlen kalgilt, „aga sa ajad end hulluks, kui sa keskendud ainult..."

„Ma ei olnud Vincenti eluajal tema jaoks alati olemas ja vähim, mida ma saan praegu teha..."

„Mida ütles Vincent dr Gachet'le, kui talle öeldi, et tema elu saab päästa?" küsin ikka veel külmal toonil.

„Et siis ta peaks seda uuesti tegema," vastab Theo.

*

Kurbus kestab igavesti – pr k

„Ja sa arvad ikkagi, et tegemist polnud enesetapuga? Ma anun sind." Lähen Theo juurde ja haaran ta käed. Hoian neid oma käte vahel. „Palun, Theo. Ma anun sind. Lase sellest lahti. Me saame koos hoolt kanda, et maailm õpiks tundma, kui suur kunstnik Vincent oli, aga palun, oleme jälle perekond. Palun. Meie päevad võivad paremaks muutuda."

SÜGIS

1890

Pariis

September 1890

Theo kutsel tuli kunstikaupmees Paul Durand-Ruel meile külla Vincenti maale vaatama. Theo oli kindel, et Paul on valmis need viivitamatult välja panema. Kogu korter tuli kella kümneks korda teha ja Clara läks lapsega parki jalutama.

Vaene Paul seisis hämmeldunult ega teadnud, kuidas reageerida Theo hullumeelsele tormlemisele mööda tuba. Ma püüdsin oma abikaasat rahustada, aga ta oli nagu palavikus, püüdes müüa iga viimast kui teost. Ma olen kindel, et kuulsin, kuidas Paul üritas pärast esimest veerandtundi vabandada ja lahkuda. Siiski oli ta nii kannatlik, et jäi terveks tunniks, aga ta ei jõudnud vaadata isegi neid lõuendeid, mille Vincent maalis Auversis.

„Vincenti kunst võib olla liiga vastuoluline," ütles ta lõpuks ja lisas, et võtab nädala jooksul ühendust.

KURBUS

Mis siis nüüd lahti on?

Just seda ma mõtlen, kui magamistuppa lähen. Theo olukord on kaks kuud järjest halvenenud, ta on viimastel nädalatel joonistanud lõuenditele diagramme ja koostanud kahtlusaluste nimekirju ning riputanud need salongi seintele. Theo istub voodiserval, käes minu avatud visandivihik ja kõikjal tema ümber vedelemas ümbrikutest välja võetud kirjad. Mul ei ole tema eest midagi varjata, aga selline sekkumine minu isiklikesse asjadesse näitab uut haigushoogu.

„Durand-Ruel lubas ühendust võtta nädala jooksul. Ta valetas."

„Võib-olla on ta hõivatud..."

„Kuu aega vaikust tähendab seda, et ta keeldub minu venna töid välja panemast." Ma ei vasta. Ma tean, et see on valus hoop ja minu kurnatud abikaasa kõigub niigi hullumeelsuse piiril. „Meie armastus ei olnud kunagi võrdne, kas pole?"

Misasja? Järsk teemavahetus rabab mind. Ma ei vasta ja püüan Theo näost välja lugeda, mida ta mõtleb.

„Ma andsin lahkumisavalduse. Ma ei tööta enam Boussod, Valadon & Cie galeriis."

„Sa oled väsinud. Ma lähen toon su rohud," ütlen ja keeran ringi, et toast lahkuda.

„Need tilgad teevad mu sõna otseses mõttes hulluks." Ootan. Theo hingab sügavalt sisse: „Ma usaldasin sind. Ma andsin sulle kõik, mis mul on, ja *selline* on siis sinu tasu?" ütleb Theo ja osutab mu visandivihikule. Tema rahulik toon muudab mind rahutuks.

„Millest sa ometi räägid?"

„Millest sa tahad täna kirjutada, mu kallis naine? 4. oktoober 1890. Täna avastas mu abikaasa, et olen räpane hoor?" Ta uriseb madalalt, hääl tuleb kuskilt sügavalt tema seest: „Tunnista üles, sa oled olnud Vincentiga koos. Kogu selle aja. Kas see on siin kuskil kirjas? Kas sa käid ikka veel tal külas sel ajal, kui mina tööl olen?"

Ikka veel? Olen vait.

„Noh, räägi välja!" uriseb Theo.

„Misasja? Kuidas? Miks sa midagi sellist arvad?" ütlen ukselävel seistes ja kiirustades ning sõrmes abielusõrmust keerutades. Mul pole aimugi, kuidas ma peaksin käituma.

„Kas te naerate rumala Theo üle, kes midagi ei kahtlusta? Ja selle üle, kuidas sa mind oma valedega petad?" küsib Theo pärani silmi. „Kui mõtlematu ma olin, kui usaldasin sulle oma südame ja hinge."

Seisan tardunult nagu kuju. Hoian hinge kinni, püüdes süüdistuste tulvaga sammu pidada.

„Kas kõik kunstnikud Pariisis teavad? Kas kõik irvitavad selja taga minu üle? Kui kõik teavad, et mu vend on ikka veel elus?"

„Vincent on surnud," ütlen ja näen, kuidas ta võpatab. Ta raputab ägedalt pead. Astun sammu tema poole, tahan teda instinktiivselt lohutada. „Minu ja Vincenti vahel pole kunagi midagi olnud. Miks sa ometi seda arvad?"

„Kas ta saatis oma maalidega sulle sõnumeid?" Ohkan. Näpin uuesti oma abielusõrmust.

„Ma nägin teid koos."

„Kus? Millal?"

„Täna hommikul. Meie köögis."

Ma ei tea, kuidas reageerida. Vincent on surnud ja maetud, Theol on luulud; mis uus hullumeelsus see veel on?

„Kas te kasutasite vahepealset aega, enne kui saate lõplikult kokku jääda? Igavesti?"

„Theo, luba ma toon sinu rohud," ütlen ukse poole astudes. Proovin rääkida rahulikult, püüdes haigusest laastatud mehele mõistust pähe panna. Püüdes välja mõelda, millist abi ta vajab.

„Ma ei muutu enam kunagi selliseks, nagu ma olin enne sinuga kohtumist," ütleb Theo maha oma kingadele vaadates.

„Kas see on siis halb?" Mu toon on liiga kaitsev ja ta volksab mulle uuesti silma vaadata.

„Sa süüdistad *mind* selles, et sa mind petad?" Theo virutab rusikaga visandivihikule. Voodi rappub ja tema koos voodiga.

„Ei," tõstan oma värisevad käed. Ma olen elanud kaks kuud pidevas paanikaseisundis. Abikaasa, keda ma tundsin ja armastasin, suri koos oma vennaga. Alles on vaid tema täiesti ettearvamatu ja võlts koopia.

„Sina oled alati see ohver, on ju, Johanna?" Theo kõkutab naerda, aga selles pole kübetki rõõmu. Higi niriseb tema laubalt mööda põski alla vuntsidele. Ta on haige. Ta on väga-väga haige. „Sa vaeseke küll, täiesti süütu, ei mingit vastutust vendade van Goghide allakäigu eest."

„Luba, ma lasen kutsuda arsti. Ta..."

„Millal sa lõpetasid minu eest võitlemise?" karjub Theo ja ma lasen pea longu. „Millal sa lõpetasid oma poja eest võitlemise?"

Vaatan kõrvale. „Ma ei ole võitlemisest kunagi loobunud. Sa tähendad minu jaoks kõike," sosistan. Theo vaikib. „Me leiame sulle abi. Sa ei ole terve. Palun." Astun sammu voodi poole, aga ta tõstab tõrjuvalt käe. Ta tahab, et ma püsiksin temast eemal. Köhahoog takistab tal rääkida. Ootan jalalt jalale tammudes.

„Kas sa kirjutasid talle üksikasjalikult meie abielust, minu vigadest, kõigest, mis sulle minu juures ei meeldinud?"

Raputan pead: „Muidugi mitte." Mu hääl on kahanenud sosinaks, ma olen juba lüüa saanud.

„Minu vend peab kõiki minu naisi enda omadeks, millekski, mida tal on õigus omada." Theo sõnad on teravad ja kibedad.

„Ma tahan sind. Ainult sind. Ma olen teadnud seda sellest peale, kui ma sind esimest korda nägin." Püüan äratada oma abikaasas meest, keda ma kunagi tundsin. Mu huuled värisevad. Hääl samuti.

Theo naerab mind välja, aga ma ei tohi tema suhtes alla anda. „Sa oled mind muutnud. Sa oled toonud minus välja kõik, mis minus on head. Sa oled näidanud mulle, mida tähendab armastus. Palun, Theo, luba, ma lasen arsti kutsuda."

Theo põrnitseb mind altkulmu, siis näen, kuidas ta ilme muutub ja silmad lähevad pärani: „Kas sa kavatsed koos minu vennaga põgeneda? Kas see kõik on siin kirjas?" Ta vehib õhus visandivihikuga. „Kas see hakkas pihta juba enne meie kihlust? Kas Vincent rääkis tõtt? Seekord, kui sina ja tema Bongeri vaibal..."

„Ei," ütlen kindlalt, „sa oled kõik, mida ma olen kunagi tahtnud."

„Kas sa unustasid mu iga kord, kui temaga olid? Kui ta oli täna hommikul sinu sees? Mitu korda sa tal Auversis külas käisid?" Theo räägib segaselt ja puterdades.

„Ainult see üks kord, kui me käisime seal kõik kolmekesi. Sinu ja poisiga," sosistan.

„Valetad!" karjub Theo, nii et seinad kajavad. Ta viskab visandivihiku voodile: „Sa oled hoor. Ma nägin teid täna hommikul koos!" röögib ta.

„Palun, Theo..."

„Tundub, et ma ei tunne sind üldse." Theo hüppab voodilt püsti ja liipab minu poole. Ta vehib visandivihikuga minu näole nii lähedal, et selle serv tabab mu nina. Püüan selle ta käest ära kahmata, aga Theo on kiirem. Ta paneb vihiku oma selja taha ja irvitab.

Mu kael ja põsed hakkavad kuumama. „Mida sa tahad, et ma ütleksin?"

„Alustuseks võiksid vabandust paluda ja öelda, et sa kahetsed," ütleb Theo, nii et tema sülg pritsib mulle näkku.

„Aga ma ei ole..."

„Ma kavatsen selle läbi lugeda, et teada saada, kes sa tegelikult oled!" Ta kõigub jalgadel ja lükkab kättesurutud visandivihiku jälle mu näkku. Ma ei liiguta pead. Püüan säilitada enesekindlust. Mu nina hakkab kipitama, kui vihik seda uuesti tabab. Värisen üle kere. „Sa oled inimene, kes tunneb rahuldust vendade van Goghide hävitamisest."

„Aga Theo... Palun," ei suuda ma pisaraid tagasi hoida. Need voolavad ojadena mööda mu põski. „Loe seda, mul pole sinu eest midagi varjata."

„Sa oled ainus naine, keda ma olen kunagi armastanud," sosistab Theo. Ta keerab ringi ja läheb tagasi voodisse. Vaatan, kuidas ta vaarub, kurnatus tabab teda ilmselt lainetena. „Minust pole sulle kunagi piisanud."

„Sinust on minule rohkem kui piisanud. Sa oled kõik, mida ma vajan."

Theo lössitab voodiserval näoga minu poole. Ta näeb välja rohkem Vincenti kui enda moodi. „Mida sa veel varjad, proua van Gogh?" Ta vaatab mulle otsa, tema silmad põlevad. „Kas laps on üldse minu oma?"

Toas valitseb vaikus, see on tontlik ja täis pimedust. Minu hea ja armastava abikaasa ilme on hetkeks nagu väikesel poisil, kes tahab meeleheitlikult, et ma kõik korda ajaksin. Ma seisan silmitsi kaotusega. Kõik on muutunud, kõik, mida me jagame, on kokku varisenud. Theo on kaotanud meelerahu, mina olen ilma jäänud oma elu armastusest. Paraku olen seda teda jälgides vaid mõelnud, ma pole sõnagi öelnud. Theo on tõlgendanud minu vaikimise sõnadeks, millel pole tegelikkusega midagi pistmist.

„Muidugi on ta sinu laps," ütlen kiirustades ja liiga hilja, „ma pole kunagi olnud Vincentiga intiimvahekorras." Mu hääl on tuim. Mulle endalegi kõlab see vabandavalt. Ma tahan veel midagi öelda, rääkida loogiliselt ja veenvalt, aga õige aeg on mööda lastud.

„Sa andsid poisile nime tema *isa* järgi." Theo sõnad on kui piitsalöök. Ta uriseb ja tema silmad lõõmavad.

„*Sina* andsid talle nime *oma* venna järgi," ütlen käsi rinnale risti pannes, „mina tahtsin talle panna nimeks Theodorus, nagu ta isal."

Vaikus.

„Sa oled mu ainus armastus. Minu lapse isa. Minu tulevik," ütlen nuuksudes.

„Tulevik?" Theo naerab kaledalt ja kriipivalt: „Meil ei ole tulevikku." Ma näen tema valu, tema hirmu ja tülgastust. Ja tema viha samuti. „Sa oled röövinud minult kõik," ütleb ta voodist välja hüpates ja visates visandivihikuga mulle vastu pead. Vise on täpne, tunnen valusööstu. See viib minu tähelepanu korraks kõrvale ja sel hetkel Theo ründab mind. Tema jõud ja energia on ootamatud, need tulevad sügavalt tema olemusest. Ta tõukab mu pikali. Löön pea vastu põrandat. Tunnen põletavat valu.

Olen uimane. Ma ei osuta vastupanu. Ta tirib mind seelikut pidi toa keskele, paneb põlve mu rinnale, saapa käsivarrele ja surub käed ümber mu kaela. Üha tugevamini ja tugevamini. Ta kägistab mind.

Mul on raske hingata. Ahmin õhku, pea on lõhkemas. Kohutav valu üle kogu keha. Püüan pead raputada, aga Theo haare on liiga tugev. Higi tilgub tema lõualt mu näole. Ta pigistab tugevamini. Ta on otsusekindel.

Mul ei ole enam jõudu vastu hakata.

Äkki paiskub magamistoa uks lahti.

„Härra Theo!" karjub Clara ja temaga koos hakkab röökima meie laps. Hääled viivad Theo tähelepanu hetkeks kõrvale. Need toovad ta tagasi meie magamistuppa, ta laseb oma käed lõdvaks ja ma väänlen tema haardest välja. Clara tuleb tuppa, beebi süles, püüdes mõista pilti, mida ta näeb.

Theo tõstab pilgu. Ta näeb Clarat ja hüppab jalule ning kõigub ebakindlal sammul Clara ja meie beebi poole, püüdes last Claralt ära võtta. Ta tirib väikest Vincenti käsivartest ja tillukesest kaelast, aga Clara keerab talle selja, kummardudes Vincenti kohale ja kaitstes röökivat last isa eest. Theo hakkab Clarat peksma – lööb, tümitab ja tirib juustest. Ta üritab last Claralt ära võtta, püüab minu beebit enda kätte saada.

„Appi," karjub Clara, „aidake mind!"

„Theo!" püüan hüüda, aga mu hääl kähiseb ja kurk on valus.

Rooman nende poole. Lükkan lambi ja raamatud põrandale, tooli ümber, kolistan ja teen nii palju lärmi kui vähegi võimalik.

Kogu see karjumine ja müra aitab. Madam Joseph tormab tuppa. Ta tirib Theo Clarast eemale ja tõmbab tema käed tihedalt selja taha, aga Theo jalad jätkavad pekslemist. Kogu Theo keha väänleb ja vingerdab madam Josephi ootamatult tugevas haardes.

„Ma tapan teid kõiki ära, sa oled kurat!" karjub Theo, aga siis pöörduvad ta silmad lakke. Ta raputab tugevalt pead, otsekui sumiseks selles tuhat mesilast.

Midagi on valesti. Theos muutub midagi. Tema peas toimub midagi, mis ta tähelepanu endale tõmbab.

„Tehke, et see lõpeks. Tehke, et see ometi lõpeks." Theo räägib vaiksemalt, tema hääles on valu.

„Kuss, härra Theo," ütleb madam Joseph, aga tundub, et Theo ei kuule.

Ta hakkab köhima. Tema keha väänleb köhakrampides. Silmad on suletud. Ma vaatan, aga kõik toimub liiga kiiresti.

„Lase ta lahti!" karjatan, ja mu hääl teeb mulle haiget.

Madam Joseph vaatab minu poole. Ta pole kindel, kas täita mu käsk, kuid ma noogutan. See tühine liigutus saadab valuhoo läbi kogu mu keha. Valu viib mu tähelepanu hetkeks mujale, aga kui ma uuesti vaatan, siis näen, et madam Joseph on lasknud Theo lahti.

Minu abikaasa haarab rinnust. Theo silmad on ikka veel kinni. Tema suu on avatud.

„Theo!" karjatan.

Theo variseb põrandale.

Oktoober 1890

Theo on elus.

Ta viidi La Maison Dubois' haiglasse, praegu puhkab ta Passy kliinikus.

Tal on ajuhaigus. Mulle öeldakse, et venna surm on ta hulluks ajanud.

Arstid ei usu, et ta kunagi terveks saab.

Ma ei mäleta enam, mida tähendab normaalsus.

See torm minu elus on kestnud liiga kaua. Meie õnn jäi liiga üürikeseks.

MAASTIK VANKRI JA RONGIGA

„Jo." Tunnen ta hääle ära. Keeran ringi ja otsin teda kõikjal sagivate reisijate seast. Üksainus sõna, ja ma muutun hetkega Gare du Nordi raudteejaama ees nuuksuvaks õnnetusehunnikuks. Jumal teab, mida teised reisijad minust arvavad: laps puusal, üksi ilma meheta, väike kohver kukkunud jalge hetke, pisarad voolamas mööda põski. Beebi vigiseb, kui võõrad meist mööduvad.

Näen teda. Oma venda: pikk, vehkimas kõvakübaraga rahvahulga kohal, mind hüüdmas, tunglemas läbi rongist välja valguva reisijatesumma. Tõstan lapse teisele puusale, püüdes läbi pisarate naeratada ja anda pojale kindlust, et kõik saab korda. Andries manööverdab reisijatest ja nende pakikandjatest mööda.

„Mida sa siin teed?" küsin kokutades.

„Ma kuulsin, et sa lähed öise rongiga Utrechti," ütleb ta.

„Aga kes..."

„Clara," vastab Andries kummardudes ja tillukese Vincenti pealaele musi andes. Poiss sirutab käe ja haarab Andriese salongikuue reväärist. Minu vend ei ole täna nii hoolitsetud välimusega kui tavaliselt: tema kael on laiguline ja vuntside otsad korralikult koolutamata. „Ma mõtlesin sulle seltsiks tulla," ütleb Andries mu poja sõrmi ükshaaval kuue küljest lahti musitades. Tal ei ole pagasit, mis näitab, et ta tuli ülepeakaela.

„Mulle on öeldud, et Theo seisund on palju tõsisem, kui oli Vincenti oma," ütlen.

Andries noogutab, tema silmad hüplevad ühelt möödujalt teisele ja ta väldib mu pilku. Kaotan uuesti enesevalitsuse. Nina luriseb ja silmist purskavad pisarad. Tõstan silmade pühkimiseks pluusivarruka, aga Andries ulatab mulle oma siidist taskurätiku. Võtan selle, tupsutan silmi ja põski ja siis nuuskan nii kõvasti, nagu puhuksin trompetit. Laps hakkab kilkama. Ulatan taskuräti vennale, aga ta raputab pead. Selle asemel tõmbab ta mu endale lähemale, annab mu otsaesisele musi ja paneb siis käe ümber mu õlgade.

„Me saame ühiselt sellega hakkama."

„Pole ühtegi lootusekiirt."

Ma tahtsin näha Theod eelmisel nädalal, enne kui ta Pariisist ära viidi, aga mul ei lubatud. Seisin, laps süles, ja anusin, et saaksin kasvõi viis minutit oma abikaasaga olla, aga arstid keeldusid. Nad ütlesid, et pean andma Theole rohkem aega uue keskkonnaga kohanemiseks. Eemalt sain läbi raudvärava varbade siiski näha teda koos põetajaga aias jalutamas. Theo oli küürus, kuid suutis kõndida, ja see ühtaegu nii rahustas mind kui ka täitis kurbusega. Tundsin korraks rumalat lootust, et minu abikaasa paraneb. Viis päeva hiljem öeldi mulle, et ta on juba Utrechti vaimuhaigetele mõeldud haiglasse üle viidud.

„Räägi mulle kõigest, mida sa tead," ütleb Andries.

„Ma sain tema üleviimisest teada alles pärast teda, kui üks arst Utrechti Willem Arntzi psühhiaatriahaiglast kirjutas, et Theo oli haiglasse saabudes ärevil ja segaduses. Tal polnud kuuldavasti vähimatki aimu, kus ta on või mis päev on. Nad panid ta isolatsioonipalatisse."

„Ja sina otsustasid väiksekesega sinna sõita?" küsib Andries poisi blonde juukseid sasides. „Mida sa loodad eest leida?" Jaama kell lööb kaks ja Andries kummardub, et võtta mu kohver.

„Arstid ütlevad, et tema paralüütilise dementsuse põhjuseks on nakatumine süüfilisse." Mind haarab häbitunne.

„Te olete kõik juba mitu kuud haiged olnud." Noogutan, oleme küll.

„Aga meie arst ütles, et mina ja poeg ei ole süüfilisse nakatunud."

„Kas sa tahad, et ma võtan ta sülle?" Raputan pead. Mul on vaja, et väike Vincent oleks kogu aeg minuga. Ma pean teda kaitsma.

Andries keerab ringi ja hakkab perrooni poole minema. Ta kõnnib pisut liiga kiiresti, ma püüan temaga sammu pidada, aga tunnen end väga nõrgana. Olen viimase kahe aasta jooksul elanud läbi terve pika elu. Viimase kuu jooksul olen kartnud, et hakkan tervet mõistust kaotama.

„Väsimus ja rahutus on meid kõiki ära kurnanud. Kui ainult Theo suudaks magada," ütlen endamisi, kuid Andries kuuleb ja pöördub minu poole. Ta naeratab.

„Kas sa usud, et sinu nägemine aitab teda?"

„Ma olen selles kindel."

Mu vend annab noogutusega märku, et me talle rahvasummas järgneksime. Minu sõnadest paistab läbi nende mõte: *pole vähimatki lootust.*

November 1890

Minu külaskäik kujunes katastroofiks.

Meid pandi tuppa, kus olid laud ja kolm tooli. Theo toodi sisse, ta jäi koos põetajaga suletud ukse juurde seisma ja keeldus lähemale tulemast.

„Vaata, su poeg on siin," ütlesin.

Theo astus aeglaselt lähemale, pilk ainiti poisil, aga näol tühi ilme. Kui ta meieni jõudis, jõllitas ta poissi ja karjus, et ei tunne teda.

„Theo," ütlesin, aga ta vaatas mind nii, nagu näeks esimest korda. Ta haaras tooli ja viskas sellega ukse suunas. Andries astus minu ette ja minu abikaasa röögatas häälega, mille sarnast ma polnud kunagi varem kuulnud. Kõrge karje, täis lõputut õudu. Minu poeg hakkas samuti hirmust karjuma ja ma seisin nuttes, võimetu aitama kumbagi meest, keda ma jumaldan.

Põetaja tormas Theo juurde ja juhtis ta toast välja.

Minult paluti, et ma ei tuleks rohkem Theole Utrechti külla, vähemalt mitte enne, kui ta on tulnud mõistusele ja rahunenud.

Olen hakanud kartma, et tuleb päev, mil ma unustan tema näo, mil ma ei kuule silmi sulgedes tema häält, mil ma ei vaata meie poega igatsedes, et temast tuleb samasugune mees, nagu ta isa oli.

Mida ma räägin meie pojale tema isa kohta? Kuidas ma suudan leida sõnu, et kirjeldada meest, keda ta ei saa kunagi tundma?

OLIIVIPUUD

Clara keeldus teda korterisse laskmast. Ta tuli mind lastetoast kutsuma ja ma läksin aeglaselt välisukse juurde, harjutades tee peal vaikselt seda, mida kavatsesin öelda. Ma olen oodanud, millal ma näen Sara Voorti. Ma teadsin, et varem või hiljem ta tuleb. Olen oma kõne ette valmistanud.

Aga nüüd näen ma enda ees vaid teist kurnatud ja murtud naist. Sara on ukselävel, jään seisma tema vastu. Püüan seista enesekindlalt ja uhkelt. Sara pilk on maas ja õlad norgus. Tema randmed on sidemetes, peites tema viimast katset elu petta.

Kõik, mida ma kavatsesin öelda, tundub tähtsusetu ja tarbetult julm.

„Niisiis?" ütlen hoopis, kaotanud kogu sündsustunde. „Miks te siia tulite?"

„Ma tahtsin küsida, kuidas Theoga on," ütleb ta, suutmata mulle silma vaadata.

„Ta on polsterdatud toas ja tema turvalisuse huvides..." neelatan, püüdes tundeid maha suruda, „ta on isolatsioonis."

Sara tõstab pilgu. Tema pruunid silmad on pundunud ja punased, südamekujuline nägu kaetud laikudega. Ta on omadega läbi. Me oleme mõlemad kaotanud.

„Isa saadab mu ära. Londonisse." Sara huuled värisevad. „Ma tahtsin enne lahkumist öelda, kui kahju mul on."

Ma ei vasta.

„Ma pidasin Theod enda omaks. Ta oli minu esimene armastus. Ma kinkisin end talle. Ta ütles, et me abiellume... Ma mõtlesin, et te varastasite ta minult."

„Ja edasi?" küsin, käed puusas. Olen valmis võitluseks.

„Te tundsite teda nii lühikest aega," Sara nuuksub, „mul on nii kohutavalt kahju, et ma vahele segasin..."

„Palun lõpetage." Mu õlad vajuvad longu ja kogu võitlusvaim on kadunud. Astun sammu tagasi ja tahan ukse kinni panna. Ma ei suuda taluda tema kurbust, ma ei saa enda omagagi hakkama.

Sara paneb oma käe ukselengile, et takistada ukse sulgemist. „Vincent rääkis mulle nende julmast mängust. Kuidas ta nõustus mind üle võtma, et ma enam Theole ei mõtleks."

„See oli andestamatu," ütlen pead raputades, „aga mina pole kunagi olnud teie vaenlane. Mina ei ole süüdi selles, kuidas vennad teid kohtlesid."

„Ma ihkasin temaga koos aega veeta. Aga alati, kui ta oli minuga, olid tema mõtted kuskil mujal."

„Alati, kui ta oli koos teiega?" Ma ei suuda varjata paanikat oma hääles.

„Ma sundisin ennast talle peale. Mõtlesin välja probleeme, milles vajasin abi, rääkisin edasi Vincentilt kuuldud valesid.

Otsisin mistahes vabandusi, et temaga rääkida, teda näha, aga tema..."

Noogutan, et ta jätkaks.

„Theo tõrjus mu iga kord eemale. Ta armastas ainult teid."

Ma ei suuda oma pisaraid peita. Sara sirutab käe välja, aga ma astun tagasi.

„Te püüdsite hävitada meie abielu," püüan rääkida neutraalsel toonil ja peita nii oma viha kui ka kergendust. Olen talle siiski tõe eest tänulik. „Te ignoreerisite mind."

„Andke andeks. Mul on häbi. See, et ma polnud piisavalt..." Sara nuuksub sõnade vahele. „Ma tahtsin olla teie asemel, aga siis lootis Vincent teiega suhtesse astuda ja ma arvasin, et ta viib teie mõtted Theost eemale."

Vangutan pead. Ma nõustun ja saan aru: „Te püüdsite võita vendi van Goghe nende enda mängus?"

„Nad hävitasid mu, tegid minust inetu inimese."

„Kas te ise ka kuulete, millist lollust te suust välja ajate?" küsin pisut liiga valjult. Sara huuled kõverduvad, tema ilme muutub hapuks.

„Aga..."

„Ei mingit *aga*," matkin ta häält. „Te ajasite taga meest, kes teid iga kord tagasi lükkas. Te teadsite seda, aga jätkasite kangekaelselt oma jahti. See oli teie otsus, nemad ei teinud teid inetuks." Jään vait. Sara ei vasta. Ta vaatab mind. Hingan sügavalt sisse ja välja: „Vennad van Goghid ei ole teid hävitanud. Te otsustasite ise mängida hüsteerilise naise rolli ja mina olin teie manipulatsioonide sihtmärk."

„Ma tean," ütleb Sara, pilk saabastel.

„Aga te olete ikka veel siin ja te olete ikka veel elus. Kui te midagi muud ei suuda, vaadake vähemalt tõele näkku. Hakake vastutama oma tegude, otsuste ja õnne eest."

„Mul on kahju," kordab Sara nii vaikselt, et ma ei ole kindel, kas ta üldse midagi ütles. Ma näen tema leina ja see on võrdne minu omaga. Valu, süütunne, häbi, kaotus – meil on mõlemal raske klammerduda terve mõistuse külge. Me oleme mõlemad liiga palju kannatanud.

„Te peate reageerima teisiti sellele, millised on ühiskonna põhjendamatud nõudmised naistele. Olge julgem ja vapram, õppige olukorrast üle olema."

Sara vaatab mind ilmel, milles peegeldub tuhat küsimust. Naeratan läbi pisarate: „Võtke Londonit kui uut algust. Mul on seal tuttavaid. Toredaid inimesi. Nad aitavad teid."

„Miks te mu vastu nii lahke olete?" Sara on segaduses. See pole reaktsioon, mida ta ootas või mille ta on enda arvates ära teeninud.

Sirutan käe: „Me oleme mõlemad väsinud." Ka Sara sirutab oma käe välja ja meie sõrmed põimuvad. „Aga kas te ei arva, et me oleme saanud tänu vendadele van Goghidele hoopis tugevamateks ja targemateks? Nad on muutnud meid mõlemaid."

„Kas paremateks?"

Noogutan.

Ma olen nagu Sara, me oleme mõlemad naised, kes on endale oma otsuste ja käitumisega haiget teinud. Me julgeme mõlemad ausalt tunnistada, kes me oleme.

„Kas te teate, mida ma praegu tõeliselt vajan?" Sara raputab pead.

„Kedagi, kes kuulaks, kui ma räägin Theost, kedagi, kes oskaks rääkida mulle lugusid mehest, keda ma armastan."

„Mina võin seda teha," naeratab ta, „ka mina armastasin teda."

Noogutan. Armastas tõesti. Astun toa poole, kutsudes Sara oma koju.

3.

PEATÜKK

Tõus

TALV

1891

Pariis

26. jaanuar 1891
Pariis

Mu kallis Theo

Sa surid eile öösel.

Olen Sind kolm kuud igatsenud. Olen kolm kuud igal viimsel kui päeval Sinust puudust tundnud. Kolm kuud kirjutanud Sulle oma mõtetes kirju – sõnu, mida Sa kunagi ei loe. Nüüd olen Sinu lesk. Ja ma ei näe Sind enam kunagi.

Mul ei lubatud Sulle rohkem külla tulla, aga Sinu arst kirjutas mulle. Kolletanud paberilehele kritseldatud tõde. Sul oli kaks langetõvehoogu, pärast teist ei tulnud Sa enam teadvusele. Sinu südamelöögid muutusid nõrgemaks, hingamine samuti ja eile õhtul kell pool kaksteist lahkusid Sa sellest maailmast. Ma kadestan juba praegu inimesi, kes tundsid Sind kauem kui mina. Ja praegusel hetkel ma vihkan neid. Mul on raske taluda mõtet, et Sa armastasid oma venda terve elu, mind aga nii lühikest aega. Aga peamiselt põlgan end selliste inetute tunnete pärast. Me olime teineteise elus vaid kolmkümmend kuud. Ma olin Sinu abikaasa, proua van Gogh, ainult kakskümmend üks kuud. Ma olen alles kahekümne kaheksa, Sina vaid kolmekümne kolme aastane. Need numbrid on ebaadekvaatsed.

Ja kuigi Sa tegelikkuses lahkusid meie juurest juba mitu kuud tagasi, tundub mulle, et täna olen saanud loa kurvastada. Meie poeg magab. Teised arvavad, et ka mina magan, aga ma ei suuda. Meie korter on liiga vaikne. Olen kindel, et Clara ja madam Joseph istuvad köögis liikumatult nagu raidkujud, et mitte teha ühtegi häält, mis võiks mind segada. Nad ei ole aru saanud, et helide puudumine teeb mu veel rahutumaks.

Ma ostsin täna päevalilli. Sinule. Need on vaasis meie raamitud pulmapildi kõrval. Ma vaatan seda pilti ja mulle tuleb meelde, kuidas me Vincenti pärast kartsime, kuidas me kartsime, mida ta võib endale teha. Mõnel päeval varjutab tema kurbus kõik meie lühikese kooselu rõõmsad hetked. Igal kunstnikul on minu abikaasa kohta mõni lugu. Minu enda lood ja mälestused meie armastuse teest sisaldavad nii palju hirmu Vincenti pärast.

Ma tahaksin karjuda, Theo. Ma tahaksin minna rõdule ja karjuda. See ei ole õiglane. Mitte nii ei pidanud meie lugu lõppema. Miks ei lubatud meil oma armastuse lugu lõpule viia, mu kõige kallim? Kus on see hea, mille külge ma võiksin klammerduda? Miks on Sinu kaotus vallutanud kõik minu mõtted?

Ma vajan Sind. Meie poeg vajab Sind.

Viie päeva pärast tähistame tema esimest sünnipäeva. Sa ei saa mitte kunagi õpetada talle seda, mida Sa tead. Ta jääb Sind otsima terve oma elu, kogub teiste inimeste mälestuskilde Sinust ja muudab need enda omadeks. Mul on vaja, et Sa just praegu meie juurde tuleksid, oma tillukese poja sülle võtaksid, mind enda kaissu tõmbaksid ja ütleksid, et kõik saab korda.

Ma ei oska olla proua van Gogh ilma Sinuta. Ma ei oska ilma Sinuta olla mina ise.

Ma soovin, et suudaksin meie lühikese koos veedetud aja tagasi keerata. Läheksin tagasi sellesse päeva, kui ma nägin Sind esimest korda. Range olekuga meest, kes tundus olevat Moulin de la Galette'i õhustikku täiesti sobimatu. Ma mäletan, kuidas ma mõtlesin, et Sa oled nagu puidust nikerdatud. Sinu laitmatu salongikuub oli liigagi tihedalt ümber Su saleda figuuri. See oli eest kõrgelt kinni nööbitud. Kõik Sinus oli jäik ja järeleandmatu. Aga sellele vaatamata ei suutnud ma millegipärast Sinult silmi pöörata. See oli minu esimene õhtu Pariisis. Ma olin nii eksinud ja häbistatud, aga ikkagi tundsin end Sinus ära. Silmapilkne side. Ma peaaegu ei julgenud silmi pilgutada kartes, et Sa kaod.

Ja nii tunnen ma end ka praegu. Ma ei julge magama jääda, kuna tean, et tunnen ärgates ikka ja jälle kogu lõputut valu. Üha tugevamalt. Koos veel suurema igatsusega. Koos teadmisega, et ma ei näe Sind enam kunagi. Meie lõngad olid kokku põimitud. Me olime koos tugevamad kui üksi. Ma igatsen Sinu südamelööke.

Kuidas ma saan jumalaga jätta oma elu armastusega? Kui iga päev tuletab meie poja vaatamine mulle meelde, et Sind ei ole.

See on nii vale. See ei saa olla õige.

Ma elan Sinu surma üle iga päev kuni enda omani.

Puhka rahus, mu kallis kaasa. Ma jään alati Sinu naiseks.

Tout à toi, Jo

Jaanuar 1891

On meie poja esimene sünnipäev ja Theo on juba maetud Utrechti.

Edgar Degas käis täna siin. Meie esimesel kohtumisel rääkis Theo, et ta tutvustab mind talle, ja ma ei suuda kokku lugeda kordi, mil ma olin seda vältinud.

Turske ja lahke olekuga härrasmees rääkis prantsuse keeles ja metsikult žestikuleerides. Me ei rääkinud sellest, et ma ei tegele enam kunstiga, aga ta ütles, et ta ei maali enam, sest tal on probleeme nägemisega. Degas'd on hakanud huvitama fotograafia ja Andriesele oleks see meeldinud. Mul on tagantjärele kahju, et ma ei kohtunud temaga siis, kui Theo veel elas. Ma tahaksin, et Theo oleks siin ja võtaks meie vestlusest osa. Ma tunnen puudust oma abikaasa naerust, tema teravast mõistusest, tema sõrmedest, mis minu omi otsivad.

Mõeldes Theole, kaotasin enesekontrolli. Vaevalt et vaene Degas teadis, kuidas rääkida nuuksuva naisega.

Aga võib-olla teadis. Ta eiras mu pisaraid ja rääkis pikalt Theo oskustest ja tema pärandist, samal ajal kui minu poeg mu süles magas.

13. veebruar 1891
Amsterdam

Mu kallis Jo

Saadan sulle kiiresti paar sõna, mis nõuavad viivitamatut tegutsemist!

Sa ju mäletad, et kui ma rääkisin esimest korda Sulle oma plaanist Amsterdami kolida, siis sa ütlesid, et sooviksid Pariisist lahkuda, et mulle ja Anniele lähemal olla? No nii, ma olen leidnud suurepärase võimaluse, kuidas sa saaksid seda teha ja samal ajal elatist teenida.

Anniel on sõber, kelle vanemad elavad Bussumis, mis on siit umbes kahekümne viie kilomeetri kaugusel. Neil on pansionaat, mida nad ei suuda enam pidada, ja nad otsivad kedagi, kes selle üle võtaks.

Ma käisin seda täna vaatamas ja see on täiuslik. Sobib imehästi Sulle ja pisikesele Vincentile. Neil on palju huvilisi, aga ma olen nendega rääkinud ja nad ära võlunud lugudega Sinu intellektist, tarkusest ja sarmist! Ma võisin mainida ka seda, et sa jäid hiljuti leseks ja et poisil ei ole isa. Nad on nõus-

tunud lükkama teisi läbirääkimisi edasi, kuni nad on Sinuga kohtunud.

Kas Sa saad homme Amsterdami tulla? Võta mu vennapoeg kaasa ja peatuge meie juures.

Sinu armastav vend
Andries

MOONID

Kui ma Amsterdamist tagasi jõuan, on Clara meie korteris. Ta keedab pliidil süüa ja on maalide virnad esikust ära viinud. Ta ütles, et see aitas tal tegevust leida, sest ka tema igatseb Theod.

„Ma olen otsustanud Pariisist lahkuda," ütlen, võttes pannilt lusikatäie hautist ja sellele peale puhudes, „ma ei tunne end siin enam koduselt. Vähemalt mitte praegu. Ma pole siia tegelikult kunagi kuulunud."

Ootan Clara reaktsiooni kartes, et ta püüab mind ümber rääkida.

„Millal te lähete?" Clara ei vaata mulle otsa, vaid mängib end taskurätiku taha peites mu pojaga peitust.

„Kahe kuu pärast," teen pausi, lürpides vedelikku ja naeratades, sest see maitseb oivaliselt, „kas sa tuleksid meiega kaasa? Me elaksime Hollandis Andriese ja Annie lähedal. Kannaksime hoolt pansionaadi eest."

Clara vaatab mulle kiiresti otsa ja ma näen, et ta püüab ära arvata, ega ma õelat nalja ei tee. „Ma kartsin, et te ei kutsu mind," ütleb ta rõõmust hüpates. „Õhtusöök on poole tunni pärast." Clara haarab väikese Vincenti sülle ja keerutab temaga ukse poole. Poiss kilkab rõõmust, kui me salongi läheme.

„Ma ei oleks kunagi arvanud, et Vincentil on nii palju maale, visandeid ja eskiise," ütlen.

Theo van Goghi lesena on kõik Vincenti teosed ja kirjad sattunud minu valdusse. Nende kogus on tohutu. Vaatan salongis ringi. Maalid katavad kõiki seinu, tapeedi hall-valget lillemustrit pole õieti nähagi. Meie vend on kunstiga tegeldud kümne aasta jooksul loonud üle kahe tuhande töö, sealhulgas umbes kaheksasada kuuskümmend õlimaali. Mulle kuulub praegu üle üheksasaja tema kunstiteose, mis kõik on siin korteris virnades.

Pärast Theo kokkuvarisemist pole klaverit mängitud, sellele on kuhjatud Vincenti visandid. Igaüks neist on väärtuslik, haruldane ja tähtis. Suur hunnik maale on kummutil, mõned toetuvad selle vastu, Vincent on paljud neist maalinud vahetult enne oma surma. Theo „Vincenti sahtel" on lahti ja ma näen tuttavaid kollakaid ümbrikke ning Vincenti iseloomulikku käekirja; nüüd on seal hulgas ka muud kirjavahetust. Sajad ja sajad kirjad, mida Vincent terve oma elu jooksul sai ja ise saatis, paljud neist Theolt ja Theole.

„Ma tean, mida ma kõige sellega teen," ütlen Clarale, näidates käega meid ümbritsevale kaootilisele rikkusele. Ta ootab, et ma jätkaksin, ja paneb väikese Vincenti põrandale. „Ma kavatsen pansionaadi pidamise kõrval viia lõpuni selle, mida Theo alustas."

„Kas te mõtlete mälestusnäitust?" küsib Clara keskendunud ilmel. Mu poeg roomab meie kõrval põrandal.

„Ja palju enamat," ütlen entusiastlikult. „Andries soovitas seda, aga ma olin alguses vastu. Arvasin, et ülesanne käib mulle üle jõu."

Clara naeratab: „Te olete kõige tugevam inimene, keda ma olen kunagi kohanud."

„Aga ma olen samal ajal naine, kellel puudub igasugune maalide müümise kogemus."

Clara kehitab õlgu, ta ei saa aru, mida ma silmas pean.

„Julgus raskustega silmitsi seista," ütlen, ja Clara on veel suuremas segaduses. Väike Vincent haarab minu seelikust ja upitab end püsti. Ma vaatan, kuidas ta toas ringi ukerdab, otsides maalivirnadest tuge, sest pole veel piisavalt vapper, et oma esimesi samme päris iseseisvalt teha. „Ma viin oma abikaasa töö tema eest lõpule. Ma teostan tema plaani."

Ma olen kindel, et on inimesi, kes peavad mind ohvriks, aga nad eksivad. Ma olen otsuse langetanud ja see aitab mul jalule tõusta. See annab mulle eesmärgi ja aitab mul üle saada kibestumisest ja kurbusest, milles elasin koos vendade van Goghidega, kui me kõik kolmekesi olime lõksus piinarikkas armastuse, haiget tegemise ja armukadeduse kolmnurgas.

„Võib-olla ma tunnen ellujäänu süüd. Võib-olla annab see mulle julgust."

„On sel üldse tähtsust?" ütleb Clara. „Teie poiss on õnnelik, et tal on ema, ja ärgem unustagem, et ta vajab toitu, millega kõhtu täita, ja kohta, kus elada." Ta paneb oma käe mu käsivarrele ja silitab seda õrnalt: „Teie õlul on niigi raske koorem, pole vaja sellele veel süütunnet lisada."

Ma naeratan oma sõbra tarkuse peale: „Ma armastan kunsti, ma olen kuulanud Pariisi parimat kunstikaupmeest Theo van Goghi ja temalt õppinud."

„Ja siis?"

„Ma kavatsen tutvustada Vincent van Goghi kunsti kogu maailmale. Ma teen nii, et kõik hakkavad mõistma tema geniaalsust. Ma lasen tema maalidel rääkida oma venna lugu." Jään korraks vait ja lisan: „Ükskõik, kui kaua see aega võtab."

Clara lööb käsi kokku ning naeratab laialt ja julgustavalt. Minu poeg kilkab põrandal ja taob samuti käsi kokku. Tema jaoks on kõik mäng. „Härra Theo ütles alati, et tema vend on geenius," ütleb Clara ja plaksutab uuesti, et väike Vincent teda matkiks. „Ta oli kindel, et härra Vincentile oli määratud saada üheks Hollandi suurkujudest."

Claral on õigus ja tema toetus lisab mulle enesekindlust. „Just sellepärast ei saa ma lasta kummalgi vennal unustusse vajuda. Ainult nii saan endaga rahu sõlmida ja Theo pärandit edasi kanda."

Mõtlesin rongis terve kojusõidu aja Andriese ettepaneku peale. Ma olen olnud van Gogh ainult kakskümmend üks kuud, aga minu poeg on van Gogh. Ta jääb alati van Goghiks. Mul on enda ja oma poja ees kohustus saada jagu oma kurbusest ja üksindustundest. Mu vennal on õigus – eelkõige on mul kohustus võtta oma õlgadele oma abikaasa töö jätkamise koorem, kisendada kogu maailmale, et Theo van Goghil oli õigus uskuda vankumatult oma venna kunsti. Minu abikaasa ei pühendunud oma venna andele sellepärast, et nad olid sugulased. Ei, Theo van Gogh oli esimene, kes märkas ja mõistis Vincenti geeniuse suurust.

Plaksutan käsi ja mu poeg laseb pildiraamist lahti, et mind järele teha. Ta kukub tagumikule, näol hämmeldunud ilme, ja kaalub, kas hakata virisema või mitte. Tõstan ta puusale ja keerutan, kuni ta kilkama hakkab.

„Ma tutvustan sinu onu maale kogu maailmale," ütlen poisile, „ma äratan tähtsamate kunstikaupmeeste, kollektsionääride, üldse kõigi tähelepanu. Just sellega tegeleks ka sinu isa. Just sellega ta oleks tegelnud. Eks?" Hüpitan poissi üles-alla, kuni ta hakkab uuesti kilkama.

„Habras naine, beebi puusal! Nad ei oska aimatagi proua van Goghi tulekut," ütleb Clara.

Tal on õigus, ei oska. Mõistan muidugi irooniat, et minu julgus toitub kaotusvalust. Ma olen sunnitud võtma ennast kokku ja astuma välja just nende rollide – abikaasa ja ema – turvalisusest, mis kunagi täitsid mind hirmu ja kahtlustega. Ja ometigi olen seda tegemas, olen sisenemas kunstimaailma mitte tänu oma oskustele, vaid kogenematu kunstikaupmehena.

„Pane mu sõnu tähele," ütlen väikesele Vincentile naeratades ja sõrme viibutades, „tuleb päev, mil maailm tunneb ja imetleb van Goghi nime." Ma vaatan oma poega ja ta vaatab mulle otsa. Ta on pärinud isa helesinised silmad ja näojooned, tema leebe loomuse.

KEVAD

1891

Pariis

KARTULISÖÖJAD

„*Pardon*. Vabandan tohutu segaduse pärast, aga ma pakin maale, et need nädala lõpus, kui me ära kolime, kaasa võtta."

Saabus järjekordne inimene Vincenti töid vaatama. Huvi tema maalide vastu on kasvanud. Pärast seda, kui levis kuuldus, et Vincenti maalid viiakse Pariisist ära, on siin iga päev käinud ilma ette teatamata tundmatuid, kes tahavad tema töid näha. Nüüd seisan salongis koos järjekordse võõraga.

„Ma kolime Amsterdami lähedale Bussumisse. Värske õhk teeb kahtlemata head, aga ma hakkan tõenäoliselt tundma puudust sellest, et ei näe iga päev Eiffeli torni." Heidan pilgu aknast paistvale tornile. Me mõlemad oleme viimase kahe ja poole aasta jooksul tublisti kasvanud.

„Mul soovitasid siia tulla Verkade ja Serrurier."

„Nad imetlevad Vincenti kunsti," ütlen oma tähelepanu uuesti külalisele pöörates.

„Võib-olla," ütleb mees. Ta on minuga ühepikkune ja kaks korda nii ümar. Mees pole silindrit peast võtnud. Ma ei saa aru, miks, aga ta käed on rusikas. Ta sibab salongis ringi, silmad ainiti maalidel, kulmud kortsus ja rind kummis.

„Kuigi ma ei saa aru, miks te tahate kõik need maalid endaga kaasa võtta..." Ta tammub mööda tuba ja teeb kätega liigutuse, mis haarab Vincenti maalide virnu.

Kamina kohal ripub „Päevalilled", vastasseinas kummuti kohal on „Tähisöö Rhone'i kohal". Theo tugitooli kohal ripub „Boulevard de Clichy" ja klaveri kohal „Õites viljapuuaia" kõrval „Lõikusaeg". Maale on kõikjal, neid on tegelikult liigagi palju, seinad on kunstiga kaetud.

Salongi õhus on ikka veel tunda Vincent van Goghi värvide lõhna.

Theo ja Vincenti kirjade hunnik lebab kummuti klapplaual. Olen need pikkadel üksildastel õhtutel pärast Theo surma ära sorteerinud. Ma teadsin, et leian neis uuesti oma abikaasa. Alguses tekitas kirjade olemasolu minus viha, mõnel päeval mõtlesin need isegi ära põletada ja teeselda, et Theo elus olin kõige tähtsam inimene mina. Aga iga järgneva õhtuga tundsin üha rohkem, et kirjad on omamoodi tasu selle eest, et olin veel ühe päeva üle elanud. Need sidusid vendade elud kokku ja võimaldasid mul näha, kuulda ja aru saada, miks minu abikaasa oma venda nii sügavalt armastas. Võimaluse tutvuda Vincentiga sellisena, nagu ta oli enne haigestumist. Kirjad lohutasid mind ja tekitasid tänutunde, et Theo tegi oma südames Vincenti kõrval ruumi ka minule ja meie pojale. Paari kuu pärast, kui laps magab, kavatsen vendade omavahel vahetatud sõnad ära tõlkida, et läbi tõlke anda uus elu kunstnikule ja tema vennale.

Ma kuulan nende lugu, nagu istuksime koos ühes toas ja nad räägiksid kõigest ainult mulle.

„Ma kuulsin, et te tahate maalidest lahti saada," ütleb võõras, „ma tulin teid neist vabastama. Ütleme, et maksaksin kolm franki tükist. Sama palju, nagu makstakse hoorale. Või ei, teeme parem nii, et annan kakskümmend franki kõige eest kokku. Ma saaksin lõuendid uuesti kasutusele võtta ja..."

„Te olete asjata aega raisanud. Vincenti kollektsioon ei ole müügiks." Jätan ütlemata, et *talle mitte kunagi*.

„Kas te arvate, et saate millegi säärase eest parema pakkumise?" Mees näitab käega „Päevalillede" neljandale versioonile, millel on kitsas puidust serv ja valge raam.

„Arvan küll."

Mehe niigi eemaletõukavale näole tekib mõnitav irve.

„Need maalid on väga haruldased ja väga väärtuslikud. Need pannakse koos välja ja alles siis hakkavad inimesed Vincent van Goghi tõeliselt mõistma." Ma kuulen kõrvus oma abikaasa häält, minus on tema usk.

„Proua van Gogh, te olete kahtlemata võluv väike daam, aga see, et te räägite ülima innukusega asjadest, millest te midagi ei tea, ajab mind marru."

„Kui kena teist, et tulite minu koju ja võtsite vaevaks mind kritiseerida." Panen käed risti rinnale. Vaatan talle otse silma, ta keerab pilgu ära.

„Ma tahtsin näha *suure* Vincent van Goghi maale oma silmaga."

Väike ennasttäis mees pilkab mind – ta ei ole aru saanud, et mul puudub vajadus tema pilli järgi tantsida. Mul pole vähimatki kavatsust temaga abielluda, ma isegi ei pea talle meeldima ja ma kahtlen, kas see mees on üldse võimeline naise vastu austust üles näitama.

„Nüüd te olete need ära näinud. Te teate, kuidas välja saab. Mul on vaja kogu korter kokku pakkida. Koos kõigi Vincenti maalidega, mille eest on vaja hoolitseda." Osutan puidust kastidele, mis on klaveri kõrval hunnikus.

„Te peate end kahtlemata eksperdiks maalide pakkimise alal?" küsib mees. „Kunstikriitik, kunstikaupmees, kunsti pakkija, teie võimetel pole vist piire?"

„Clichy puiesteel elab üks puusepp. Talle õpetas üks kunstnik maalide pakkimist ja tema näitas mulle."

Mees mühatab halvakspanevalt. Vaatan talle silma, ta pöörab pilgu kõrvale. Tundub, et olen pärast Theo kaotamist leidnud julguse, mis tekitab mõnes mehes ebamugavust. Kui sul Pariisis kõik ära võetakse, kas ei jäägi siis ainult kaks valikut? Kägarduda enesehaletsusse või ajada selg sirgu? Ma nägin seda Agostina, Camille'i, Clara ning ka Sara peal. Ma olen kahekümne kaheksa aastane lesk vaevalt aastavanuse lapsega. Mul ei ole midagi kaotada. Mul on vahendeid, et pidada üleval ennast ja oma poega, kelle nimel ma pean tugev olema. Ma ei pea mängima selle mehe reeglite järgi.

„Kes te üldse selline olete, et mind kritiseerida, härra?"

„Minu nimi on Henri Chevrolet."

„Ja siis?"

„Teid on teie sentimentaalsus pimedaks teinud. Müüge Vincenti tööd, vabastage end nendest. Teie kriitikameeles puudub..."

„Seevastu teie olete enda oma täiuslikkuseni arendanud," ütlen vahele segades. „Öelge mulle, härra Chevrolet, milline on teie laiaulatuslik kogemus kunstimaailmas?"

„Ma olen kunstnik."

„Ja mina olen kunstikaupmees."

„Vaevalt küll. Te püüate oma kurbuses teha Vincent van Goghist jumala."

„Oma vennast jumala?" Naeran. „Teie hinnang minule ei ole õiglane. Vincent van Gogh oli geniaalne kunstnik ja mõnikord ebameeldiv mees. Aga ühel päeval mõistetakse tema maailma ja armastatakse teda selle eest."

Mees naerab.

„Öelge mulle, härra Chevrolet, kas saja aasta pärast keegi teie nime mäletab?"

„Inimesed unustavad juba praegu Vincenti..."

„Kas te olete kuulnud Julian Leclercqist?" Mees raputab pead. „Kas tõesti? See üllatab mind. Ta on tuntud kunstikriitik ja kunstitundja."

Mees mühatab pahaselt ja kortsutab kulmu. „Ma ei vaja õppetunde kunsti..."

„Me tegeleme koos temaga juba täna sellega, kuidas Vincenti kunsti laiemalt tuntuks teha. Tema tööde väärtus kasvab." Ma räägin veendunult, kuigi tunnen ennast ebakindlalt.

Mees naerab. See on närviline naer, mis paljastab, et ka tema pole endas täiesti kindel: „Edu teile mõlemale."

„Härra Leclercq on sihikindel mees. Ma laenan talle kaheksa Vincenti parimat tööd ja me korraldame tema tööde retrospektiivnäituse. See kõik on alles algus, aga Vincent van Gogh on läbimurde..."

„Te tüütate mind. Ebameeldiv naine, kes peab end kunstikaupmeheks. Ma ei ole kunagi kuulnud sellist..."

Naeran: „Pange tähele mu sõnu, härra Chevrolet. Te veel näete, kui hästi ma sellega hakkama saan. Isegi kui see võtab aega kuni minu viimse hingetõmbeni, teab ühel päeval Vincent van Goghi nime iga kunstnik, kunstisõber ja kunstikriitik maailmas."

Mees naerab. „Te olete sama hull, nagu see ilma kõrvata kunstnik."

Aprill 1801

Kas ma nägin oma elu Theoga unes? Minu liiga lühike, uskumatu abielu – kas see kõik oli unenägu?

Ma tundsin suuremat armastust, kui oleksin kunagi võimalikuks pidanud, ja meie armastus ületas kõik minu ootused, aga nüüd olen hakanud muretsema, et olen oma armsa mehe välja mõtelnud. Et ma lihtsalt magasin väga kaua ja nägin kõige imelisemat unenägu.

Kui ma Pariisi tulin, siis kirjutasin oma vihikusse, et eelistaksin olla pigem ühe suve täiesti õnnelik, kui jaotada seda tunnet üle kõigi eluaastate.

Ma tahaksin need sõnad kustutada.

Mida ma küll annaksin, kui saaksin otsast alustada.

Aga ometi pean edasi liikuma. Juba homme. Ilma Theota.

Lahkun väikese Vincenti ja Claraga Pariisist. Meid ootab uus elu. Elu, mille kavatsen veeta tões ja lahkuses, et minu väike poiss ei peaks kunagi vaatama oma ema põlgusega.

Ma olen üksi ja mahajäetud, aga tunnen ka lootusekübet.

See luurab sügaval varjudes. Mul on nii palju teha ja ma pean hoidma oma väikese ingli pärast oma tervist. Theo kaotusvalu ei jäta mind hetkekski.

KEVAD

1891

Bussum

VAIKELU –
VAAS KAHETEISTKÜMNE PÄEVALILLEGA

„Värske õhk, vaikne küla, terve laps," pomisen endamisi, peamiselt selleks, et veenda ennast oma otsuse õigsuses. Vincent on mu paremal puusal, ma vajutan ukse käepideme alla ja tõukan selle vasaku käega lahti. Clara tuleb minu kannul, kummaski käes väike kohver.

Uks paiskub lahti, kolksatab vastu seina ja väike Vincent võpatab.

„Tere tulemast Villa Helmasse. See on meie uus kodu."

Panen Vincenti seisma. Mamma sõnul hakkas ta käima hilja ja see olevat märk, et ta on vähe arenenud. Loomulikult süüdistas mamma vendi van Goghe. Aga minu poeg on täiuslik. Ma ei hooliks, kui ta oleks puhtavereline van Gogh ilma ühegi tilgata Bongerite verd. Laps seisab oma uutes nahkkingades ikka veel pisut ebakindlalt. Tema jalad tunduvad pontsakate reite jaoks natuke liiga rasked.

Ma olen hakanud rääkima pojaga hollandi keeles. Mõnikord mõtlen, kas ta tunneb puudust prantsuse keele elegantsusest ja nüansirikkusest. Ma mõtlen, kas teda ajab segadusse, et see keel on temalt ära võetud. Mõtlen kurbusega, et minu poeg on oma elu viieteistkümne kuu jooksul juba nii palju kaotanud.

„Tänane päev tähistab uut algust," ütlen Vincentile tema blonde juukseid sasides. Poiss astub ebakindlalt sammukese ettepoole. Avatud eestuba on hiiglaslik, minu hääl kõmiseb tühjas ruumis.

„Tere tulemast koju," ütleb Clara minust möödudes ja trepi poole minnes. Ta on olnud siin juba kaks nädalat, meie Vincentiga võtsime aga aega ja toibutasime ennast niikaua Andriese ja Annie juures.

„Tulge vaadake, mida ma olen väikse härra toas teinud."

Kulub hetk, enne kui mulle jõuab kohale, et ma olen Bussumi pansionaadi uus omanik. Et see on koht, kus ma hakkan elama. Villa Helma on võluv. Ruumikas kodu Koningslaanis. Vaikne avenüü, päikesest tulvil aed, lihtsalt suurepärane kodu pere jaoks. Ainult et see perekond koosneb minust, Vincentist ja Clarast. Siia ei sünni rohkem lapsi ja pole abikaasat, kes pärast rasket päevatööd koju tuleks. Elan üksi koos oma poja ja Claraga selles hiiglaslikus majas, kus on seitse magamistuba, me täidame maja häälte ja külaliste ja kunstnikega ja teeme kõike muud, mida mamma põlastab.

„Kopp, kopp."

Vincent maandub tagumikule ja häälitseb korraks kaeblikult, aga ma ei usu, et ta viga sai. Ta on minu isiklik valvur ja annab lihtsalt märku, et läheduses on keegi võõras. Võib-olla on selline väike vääks märgiks, et ta ei pea võõrast ohtlikuks.

„Lubage, ma ise, preili Jo," hüüab Clara trepi ülemiselt mademelt, aga ma raputan pead.

Pöördun ikka veel avatud välisukse poole. Selle lävel seisab mees, rusikas käsi valmis uuesti koputama.

„Kas ma saan teid kuidagi aidata?" küsin Vincenti sülle kahmates ja võõra poole liikudes. Sirutan käe välja. Mees kõhkleb hetke, siis võtab mu käe ja raputab seda.

„Minu nimi on Jan. Jan Veth. Teie teenija ütles, et te saabute..."

„Jo. Johanna van Gogh."

„Ma tean. Ma elan kõrvalmajas. Ma olen maalikunstnik, luuletaja, kriitik, õppejõud – mis iganes teile kõige rohkem meeldib."

Asun silmapilkselt kaitseseisundisse. Hingan pahinal välja. Kõige vähem on mul vaja järjekordset ennasttäis meest, kes ütleb, mida ma peaksin või ei peaks Vincenti töödega tegema.

„Minu kodu on omamoodi salong. Julgeksin isegi öelda, et Bussumis võib seda pidada tsivilisatsiooni keskpunktiks."

Ma ei tea, millist reaktsiooni ta minult ootab. Ma olen Theo van Goghi lesk ja mitte miski, mida ta ütleb, ei saa mulle muljet avaldada. Mees tundub olevat segaduses, isegi kohmetu. Võib-olla ajab minu vaikimine teda ärevusse. Ta keerab ringi ja osutab käega tänavale. Astun Vincenti hüpitades paar sammu ettepoole ja vaatan üle ta õla. Ma ei näe midagi. Aga mida ma lootsin näha? Tema maja ette pandud molbertit?

„Ma tahtsin vabandada." Mehe põsed on värvunud erkpunaseks ja mööda pikka nina voolab alla higitilk.

„Mille pärast?"

„Ma ei mõistnud van Goghi töid. Kohtusin temaga mõned aastad tagasi ja tema pintslitõmmete metsikus..."

„Ja siis?" küsin, uudishimulik, miks ta tunneb praegu vajadust oma süüd leevendada.

„Ma ei suutnud sellest aru saada."

Ohkan sügavalt – hakkab jälle pihta. Järjekordne mees, kes püüab mu plaane kahtluse alla seada. „Ma ei saa aru, miks te tulite, härra Veth."

„Palun kutsuge mind Janiks."

Ma tahan, et ta lahkuks.

„Ta ütles, et te saabute täna," ütleb mees trepil seisva Clara poole viidates.

„Tema nimi on Clara. Ta on mu õde." *Mitte teenija*. Mees vaatab segaduses Claralt minule, aga ma ei selgita lähemalt.

„Ma tahtsin teid lihtsalt tervitada," ütleb Jan, aga ei vaata mulle enam otsa. Selle asemel rändab tema pilk mööda tühja eestuba. On selge, et ta otsib midagi või kedagi.

„Kas ma saan teid veel kuidagi aidata?"

„Ei... See tähendab, tegelikult mitte." Jan vaatab põrandat, otsekui tundes piinlikkust, nagu oleks ta millegagi vahele jäänud. Aga millega?

„Minu reaktsioon Vincenti kunstile oli kahjuks konventsionaalne. Ma tulin vabandama, et ma eksisin, aga ühtlasi... Asi on lihtsalt selles, et ma lootsin näha tema maale."

„Vincenti?" Ma ei suuda tagasi hoida naeratust, mis mu näole levib.

„Mu naine ütles, et ma ootaksin, aga..."

Puhken naerma ja Jan Veth uurib mu nägu. Ta ei tea, kas ma pilkan teda. Kas ma naeran teda välja. Astun lähemale, emban teda vasaku käega, olen kindel, et vaene mees tahab, et maa ta neelaks. Väike Vincent väänleb mu paremal puusal. Ta tahab põrandale, et tutvuda oma ümbrusega. Ma panen poja maha ja ta ukerdab ebakindlalt ettepoole. Kummardun, et tal käest kinni võtta, aga ta keeldub minu abist. Minu poeg on iseseisev ja põikpäine, niisiis pöördun uuesti oma külalise poole.

„Minu vend Andries korraldas mõnede minu asjade toomise kaks nädalat tagasi. Clara on lasknud Vincenti maalid üles riputada," ütlen, ehkki kahtlustan, et ta juba teab seda. Me oleme Hollandis, jutud levivad siin kiiresti. „Tulge. Lubage, et ma tutvustan teile ametlikult Vincent van Goghi."

Tõstan väikese Vincenti üles ja panen uuesti maha näoga elutoa poole, andes külalisele märku, et ta mulle järgneks.

„Ma jätsin mõned maalid Père Tanguyi kätte Pariisi," ütlen, kui me elutuppa läheme. „Tal on väike maalitarvete pood. Kas te teate teda? Ma kohtusin temaga alles hiljuti, pärast seda, kui Theo..." Ma ei suuda jätkata. Ma ei ole valmis Theo surmast võõra inimesega rääkima.

Tundub, et Jan ei pane tähele, et ma vait jäin. Ta ei vasta, vaid läheb kamina juurde. Olen vait. Ma ei taha purustada seda lummust, mille Vincenti kunst on temas tekitanud. Mulle meeldib näha, kuidas inimesed avastavad Vincenti annet, see on parimaid tundeid, mida ma tean. Võib-olla olen hakanud otsustama inimeste ja nende emotsionaalse sügavuse üle selle järgi, kuidas nad reageerivad, kui näevad Vincenti maale esimest korda. Jan saab kõrged punktid. Mulle tundub isegi, et ta on unustanud hingata.

Kamina kohal ripub Vincenti „Päevalilled". Selle vastas suure kapi kohal on „Lõikusaeg". Asuursinine taevas, rohelised toonid – Arles'i kõrvetav kuumus on lausa füüsiliselt tuntav. Kui Jan keerab ringi ja vaatab ukse poole, näeb ta minu pea kohal „Boulevard de Clichyd". Kui ma saaksin astuda meie armast Montmartre'it meenutava maali sisse, oleks Lepici tänav otse paremat kätt nurga taga. Aga võib-olla vaatab Jan hoopis minust vasakule, parafiinlambi valge portselanvarju poole, mille kõrval on kolm Vincenti Jaapani gravüüri ebatavaliste eriefektide, julgete värvide ja rõõmsa atmosfääriga.

Minu maailmas on ikka veel tunda Vincent van Goghi värvide lõhna. See on see, mida Theo oleks tahtnud, mida ta oleks vajanud. Vincent on mees, keda minu abikaasa armastas kogu oma elu. Vendade kirjad, nende sõnad teineteisele on seda mulle näidanud. Mõnikord meeldib mulle mõelda, et nad kirjutasid oma kirjad teadmises, et need jäävad alles ja pakuvad mulle lohutust. Mõnikord hilisõhtuti loen neid ja kujutan ette, millise armastusega oleks väike Vincent üle külvatud, kui vendade van Goghide mõistus ja keha oleksid olnud terved. Ma tahaksin, et suudaksin öelda, kui suurt lohutust see on mulle viimastel nädalatel pakkunud.

„Père Tanguy soovis Vincenti „Päevalilli". Theo olevat maali talle lubanud. Sellest maalist on mitu versiooni ja koopiat, aga neljas oli minu abikaasa lemmik. Theo mõtles kaua ja otsustas siis jätta selle väikese puidust serva alles ja ümbritseda selle valge raamiga," ütlen pildile osutades. „Ma ei saanud „Päevalilli" ära anda. Ma tunnen, et see hoiab Theod meie juures."

„Vincent on parem, kui ma mäletasin," ütleb Jan. „Ma tahan öelda, et ma olen kuulnud, et ta on hea, aga see..." Ta viipab käega üle toa, „ma näen tema suurt alandlikkust. Tema püüdu tabada asjade valusat olemust."

„Maale on palju rohkem. Sadu."

„Sadu?" ütleb Jan uskumatult. Ta ei varja oma rõõmu ja erutust.

„Ma pole jõudnud veel kõiki lahti pakkida," ütlen ja näen tema pettumust. „Kas te sooviksite teed?"

Jan kõhkleb. „Kui see teile liiga palju tüli ei tee," ütleb ta ja märkab siis, et väike Vincent tirib mind seelikust. „Kas tohib?" Noogutan. „Meil on juba viis last." Ta kummardub ja võtab mu poja sülle. Poiss sirutab käe Jani vuntside juurde ja püüab tirida nende kastanpruune karvu.

„Vincent," ütlen rangel toonil. Poisi alumine huul kõverdub. Just sellistel jonnihetkedel sarnaneb ta kõige rohkem oma onule.

„Te andsite talle nime maalikunstniku järgi?" küsib Jan poissi tugevalt kallistades.

„Jah. Me ei arvanud kunagi, et ta jääb meie ainsaks lapseks."

Puhken nutma. Ma ei nuuksu, pisarad lihtsalt hakkavad vaikselt mu silmist voolama. Viimasel ajal juhtub seda sageli. Ma ei suuda oma leina alati kontrollida ja olen õppinud seda aktsepteerima. Ma ei peida enam oma tundeid teiste eest.

„Tee juurde tagasi tulles," ütleb Jan, „lähme parem meie juurde. Võtke Vincent kaasa. Minu naisel oleks hea meel teie mõlemaga tuttavaks saada."

Noogutan: „Hea meelega."

SUVI

1891

Bussum

5. juuni 1891
Pariis

Kallis proua van Gogh

Lühike kiri teatamaks, et kavatsen iga hinna eest kinni pidada Teile antud lubadusest. Kuigi mul pole veel õnnestunud tekitada nii suurt huvi, nagu ma lootsin, tahan igal juhul korraldada retrospektiivnäituse, mis pakub kunstisõpradele Teie venna loomingut kogu hiilguses.

Nii et palun ärge kaotage lootust. Isegi kui selleks peaks kuluma aastaid, tuleb näitus kindlasti: näitus, mis tõeliselt pühitseb ja tutvustab võrratu Vincent van Goghi loomingut.

Teie sõber
Julien Leclercq

Juuni 1891

On kulunud vaid lühike viiv sellest, kui me istusime Theoga lastetoa sünnitusvoodil, ümbritsetuna tillukestest flanellsärkidest ja pea tulvil peatselt sündiva lapsega seotud küsimusi. Nüüd on laps siin, aga tema isa pole!

Ma olen meeletult väsinud muretsemisest ja kõige peale mõtlemisest. Kohustused, vastutus, tulevik on raske koormana mu õlgadel ja röövivad jõu.

Ma olen ette võtnud liiga palju.

Ma olen lubanud teha midagi, mida ei suuda ellu viia.

Ma kukun läbi ja vean alt nii Vincenti kui Theod. Nad unustatakse, sest ma olen kunstikaupmehena ebaõnnestunud.

Oh Theo, mu kallis kaasa – ma igatsen sind meie poja igas hääles ja liigutuses, tema ilmetes, kõiges, mida ta teeb. Ma vaatan ta järele, hoolitsen tema eest kahe vanema jõuga, aga miks sa pidid meid nii vara üksi jätma?

Loen uuesti ja uuesti sinu kirju Vincentile. Loen iga viimast kui sõna, loen kõike, mis jääb ridade vahele.

Ma vajan sind nii väga. Ma armastan sind nii väga. Sa muutsid mind paremaks inimeseks, aga täna õhtul ma muretsen, kelleks ma olen saamas. Ma muretsen, et ma ei suuda sinu plaani ellu viia.

Ma ei usu, et saan sellega üksi hakkama.

KOLLASTE LILLEDE PÕLD

Istume söögitoa laua taga. Laual on laiali Vincenti kirjad ja visandid. Söök, joogid ja väikesed lapsed ei ole siia tuppa lubatud. Olen kolm kuud pidanud pansionaati, kohalik kunstikogukond on mind omaks võtnud ja see, et ma pole siiani Vincenti kunsti tutvustamise suhtes edusamme teinud, on pigistanud mu tühjaks nagu sidruni. Jan pakkus oma abi, kui me minu saabumise päeval teed jõime, aga minu nädalaid täidavad majapidamistööd ja uue eluga kohanemine. Võib-olla pole ma tänini tunnistanud, et ma ei suuda oma kohustust üksi täita. Keegi ei suudaks.

„Te ei pea kogu aeg kõige pärast vabandama," ütleb Jan. „Kasutage kõiki kontakte, mis teil vähegi on, Jo. Kõige olulisem on, et Vincenti töid märgatakse ja neist räägitakse."

Jan Veth on erakordne mees. Ta on andekas kunstnik ja poeet, seega loominguliselt tundlik, aga samas ka kriitik ja õppejõud. Janis on palju tarkust, lahkust ja lojaalsust ning temast on saanud minu hea sõber. Ma olen kindel, et tema abipakkumise põhjuseks on veendumus, et Vincenti kunst väärib laialdast tunnustamist ja publikut.

„Te ju teate, et ma jätsin kaheksa Vincenti parimat tööd Julien Leclercqi kätte Pariisi? Ta on kindlalt otsustanud korraldada retrospektiivnäituse, mis peaks kohale meelitama terve hulga kollektsionääre ja kunstikaupmehi. Leclercq kirjutas eile, et ei kavatse alla anda. Nagu oleks ebaõnnestumine muutunud juba arvestatavaks võimaluseks. Ta isegi kirjutas, et eesmärgi saavutamiseks võib kuluda aastaid."

„Aastaid?" ütleb Jan, lükates oma väikesed ümmargused prillid tagasi ninajuurele.

„Ma lootsin, et huvi on suurem."

Jan noogutab. Ka tema oli seda lootnud.

„See ülesanne tundub lihtsalt minu jaoks liiga raske. Poisi ja pansionaadi pidamise kõrval. Ma olen jätnud unarusse oma kohustuse..."

„Mul on palju kontakte nii siin Bussumis kui ka igal pool mujal Hollandis. Korraldame van Goghi tööde näituse ja siis järgmise ja veel järgmise. Iga näitus võiks eelmisest suurem olla." Tekib paus; tundub et Jan mõtleb hetke oma ettepaneku üle järele. „Me võime olla kavalad ja näidata kõrvuti meistriteostega ka vähem tuntud töid."

„Kas selleks, et tõsta vähem tuntud teoste väärtust?" Ma tean, kuidas need asjad käivad. Naeratan selle peale. Olen vaimustuses, et Jan imetleb nüüd Vincenti kunsti ja peab teda geeniuseks. Ta oleks Theole meeldinud. Minu abikaasa õpetas mulle väga palju, aga temale mõtlemine paneb siiani kogu mu sisemuse valutama. Igatsen kuulda tema häält, tunda tema huuli enda huultel.

„Kas teie arvate ka, et selleks kulub aastaid?" küsin mineviku eksirännakutelt tagasi tänapäeva tulles.

„Mul pole aimugi."

„Aga see juhtub varem või hiljem," ütlen ja see on fakt. Ma tegin õigesti, et palusin Jani abi, ka lihtsalt kõigest sellest rääkimine leevendab mu hirmu üle jõu käiva ülesande ees.

Jan plaksutab nõustumise märgiks. Tema innukus on nakkav. „Vincenti tööde väljalaenamine annab võimaluse neid tutvustada. Laenake kõigile, kes küsivad." Ta näitab sõrmega paberilehele, et ma kõik üles kirjutaksin. Võin selle paberi juurde alati tagasi pöörduda, kui ülesande ulatus hakkab mulle uuesti üle jõu käima.

„Ja me teeme nii, et kriitikud kirjutavad igast näitusest," ütlen.

„Ja paneme inimesed rääkima Vincent van Goghist, uskuge mind, Hollandis on inimesed tema töödest väga huvitatud," ütleb Jan. „Saavutame selle, et vaevalt leidub ainsatki ajalehte, kus Vincenti kohta midagi ei kirjutataks."

„Ja mida nad minu kohta ütlevad? Et ma olen kooliplikalik sahmerdaja? Et ma olen parimal juhul sentimentaalne ega tea, mida teen?"

„Kas teile läheb korda, mida nad mõtlevad?"

Laiutan käsi ja vaatan lakke, otsekui palvetaksin taevaste jõudude poole: „Las nad alahindavad mind."

Jan naerab, aga noogutab siis paberilehe poole ja ma kirjutan sellele veel mõned märkused.

„Kui me oleme Hollandis huvi tekitanud, siis viime van Goghi teosed rahvusvahelise publiku ette. Te panete end maksma kõigi Lääne-Euroopa riikide kunstiringkondades."

Peatan kirjutamise. Ma ei suuda isegi ette kujutada, mida see tähendab. Heidan pilgu Janile, kes mind pingsalt jälgib. Kas ta ei saa aru, et ta ootab minult liiga palju? Et ma kahtlen, kas suudan end kunagi maksma panna...

„Milles asi?" küsib Jan.

„Ma kirjutasin RijksmuseumileAmsterdamis. Theo suur soov oli, et Vincenti tööd oleksid seal välja pandud," ütlen, tundes iga sõna juures kogu kehas valu.

„Liiga vara, Jo."

Noogutan. „Nad ei nõustunud endale laenama ühtegi Vincenti maali. Ma olen kindel, et nad said kõvasti naerda."

„Kas te ootasite siis teistsugust reaktsiooni?" küsib Jan ja ma kehitan õlgu. Kui ma Pariisist lahkusin, olin täis pealehakkamist ega mõelnud ilmselt enda ees seisva ülesande suurusele. Reaalsus on kohale jõudnud ja selle raskus minu õlgadele vajunud. Nagu ma oleksin *oodanud*, et miski Vincent van Goghiga seotu võiks lihtne olla.

„Kõik saab korda." Jan naeratab ja temas ei tundu olevat kübetki kahtlust. „Kas teil on Theo kontaktid alles?"

Noogutan. Ma olen kõik need üles kirjutanud. Tõstan mõned visandid laual üles, lükkan mõned kirjad kõrvale ja ulatan Janile väikese märkmiku.

„Siis pöörduge Theo sõprade poole, Vincenti sõprade poole ja nende paljude austajate poole kogu maailmas."

Kirjutan ka selle üles. Jan sirvib märkmikku ja naeratab paljusid nimesid lugedes.

„Olge julge ja järjekindel. Kui te peate galeriipinda rentima ja selle eest maksma, siis tehke seda. Te ju usute tema kunsti?"

Noogutan uuesti. Usun tõesti.

„Mina võin võtta ühendust oluliste kunstikaupmeestega Hollandis ja Prantsusmaal. Kas te tunnete Paul Cassirer'd?"

Raputan pead: „Ei tunne, aga võib-olla mäletab ta Theod."

„Pakkuge talle kümme protsenti komisjonitasu kõigilt töödelt, mis ta müüb, aga olge valmis tõstma seda viieteistkümne peale. Las ta kasutab oma sidemeid, et van Goghi kunst jõuaks maailma."

„Aga mul pole galeriid..."

Jan tõstab käe, tõrjumaks vähimatki negatiivsust. „Teil ei pea tegutsemiseks olema oma kunstigaleriid. Kasutage selle asemel oma kontakte ja teisi kunstikaupmehi, las nemad lepivad teie eest hinnad kokku."

Vaikus. On üks murettekitav asjaolu.

„Vincent kuulub pigem muuseumidesse, avalikesse kollektsioonidesse. See oli Theo soov."

Jan võtab rinnataskust taskurätiku ja prillid ninalt. Ma vaatan, kuidas ta ettevaatlikult klaase puhastab, mõeldes minu sõnade peale. „Elus ei ole otseteed. Selleks võib kuluda aastaid. See on päris suur ettevõtmine."

Mõtleme hetke mõlemad selle peale.

„Ma teen kõik, et see juhtuks," ütlen lõpuks. „Lõppude lõpuks on oluline see, et Vincenti kunsti nähakse ja hinnatakse."

Jan naeratab ja paneb prillid uuesti ninale. Ta on minuga nõus ja toetab mind. Ma olen talle nii tänulik.

„Mul on ka Vincenti kirjad. Need on tähelepanuväärsed. Ma mõtlesin, et..." Jan annab peaga märku, et ma jätkaksin.

„Me võiksime kõrvuti tema maalidega panna välja lühikesi tsitaate kirjadest. See näitab tema erakordsust. Kunstniku sõnad kõrvuti tema loominguga. Ma tahaksin, et inimesed jõuaksid Vincenti mõistmiseni igal võimalikul viisil."

„Kas ma võiksin neid lugeda?" Noogutan. „Te tekitate endale vaenlasi. Kriitikud hakkavad teie uuenduslikke meetodeid ründama. Nad ründavad teie vanust ja seda, et olete naine, ning heidavad ette, et te püüate kunsti ümber defineerida."

„Andku minna. Las nad eitavad mind. Ja mina näitan, et nad eksivad."

Jan plaksutab käsi. „Niisiis on teil plaan olemas?" Ta osutab täiskritseldatud paberilehele.

„Aeg töötab minu kasuks. Lasen maailmal vähehaaval Vincenti maalide ja joonistustega tutvuda. Ma ei ujuta turgu üle."

„Mul on üks küsimus," ütleb Jan ja ma annan märku, et ta jätkaks. „Miks te seda teete, Jo? Kas keegi on kunagi küsinud, miks te pühendate oma elu van Goghide perekonnale?"

Naeratan: „Theo ütles alati, et tema vend on geenius ja et ta peaks olema üks Hollandi suurkujudest. Ma ei saa jätta Vincenti töid lihtsalt endale. See on mu kohus. See on midagi, mida ma pean tegema oma abikaasa ja tema venna mälestuseks."

KEVAD
1892

Bussum

Märts 1892

Tänu maja kaugemas tiivas elavale Kerkhovensite perekonnale, kes minu teeneid praktiliselt ei vaja, hakkasin juba uskuma, et pansionaadi pidamine on lihtne. Aga eile olin terve päeva uskumatult hõivatud uue perekonna ja nende viie lapsega. Täna saabus proua Ballot, soliidne Haagi daam, kellel on maailma ilusaimad sinised silmad, ja me oleme juba kaks korda rääkinud George Eliotist. Ta on maksva külalise kohta äärmiselt meeldiv.

Töötegemine sisustab aega ja aitab mõtteid kõrvale viia ning ma teenin rohkem raha, kui oleksin kunagi võimalikuks pidanud. Clara on siin täiesti kodunenud ja ta on poisi hoidmisel ja toiduvalmistamisel hindamatuks abiks.

Kõige rohkem vaevab mind vaikus. Nagu praegu. Istun lambi kõrval, väljas märatseb torm, Vincenti ja Theo kirjad on mu süles hunnikus. Läbi akna näen valgust teiste inimeste kodudes.

On kohutav, et Theo surmast on kulunud üle aasta ja ma tunnen end ikka veel meeleheitlikult üksi ja hüljatuna.

Ja kui ma mõtlen Vincentile, on mul raske taluda mõtet, kui sageli pidi ta sedasama tundma. Minus on nii palju kurbust, et ma alles nüüd, liiga hilja, mõistan lõpuks Vincenti tõeliselt.

ÕITSEV HOBUKASTAN

Läheme ümber nurga ja jalutame väikesel kastanitega palistatud avenüül. Täna on minu kõnnakus kergust, just praegu sünnib põnevaid arenguid ja otsuseid.

„Sa usud siis, et see on hea mõte? Ma tahan korraldada näitusmüügi, kus pannakse välja nelikümmend viis maali, nelikümmend neli joonistust ja üks litograafia," ütlen Jan Vethile.

Ta keerutab oma vuntse mõeldes, mida vastata. „Aga kus?"

„Kavatsen üürida kolm ruumi Café Riche'i ülemisel korrusel Passage'is."

„Haagis?" Ta vaatab mulle küsivalt otsa.

Noogutan. „Ma olen seda kohta uurinud ja seal on maalide vaatamiseks palju ruumi ja valgust." Tunnen, kuidas minus kobrutab erutus. „Kas sa usud, et mul on piisavalt aega, et kõige sellega valmis saada?"

Jani ilme ütleb, et ta ei usu, aga siis ta lisab: „Ma tean hästi, et teid ei tohi alahinnata, proua van Gogh."

Puhken tema ausa vastuse peale naerma, sest ma arvan, et ta pelgab mõnikord minu sõltumatust ja julgust. Teinekord aga näeb ta, kui suures hädas ma olen edu puudumise, pidevate tagasilöökide ja äraütlemiste pärast. Kõnnime veidi aega vaikides, aga ma suudan mõelda vaid sellele, kui tohutu on mind ees ootav ülesanne. „Ma ei suuda hästi uskuda, et see päriselt juhtubki. Ulatuslik retrospektiivnäitus."

„Ja te tahate teha ettepaneku, et see oleks avatud 16. maist kuni 6. juunini?"

„Jah." Jalutame edasi, Jan võtab ninalt oma väikesed ümmargused prillid ja hõõrub klaase taskurätiga. Ma tean, et ta teeb seda alati, kui vajab mõtlemisaega. Jan vaatab prilliklaase vastu valgust ja nühib kohti, kus arvas märkavat väikseimatki plekki. „Taani kunstnik Johan Rohde on juba öelnud, et on valmis maksma kuni 270 kuldnat maali „Nisupõld pärast tormi" eest," ütlen, „ja väga paljud inimesed on lubanud, et tulevad näitust vaatama."

Jan naeratab. „See on suurepärane, Jo. Te olete nii palju vaeva näinud. Theo ja Vincent oleksid teie üle uhked olnud."

Ma püüan salaja oma ninajuurt pigistada, et pisaraid tagasi hoida. Mida ma küll annaksin, et näha järgmise nurga taga Theod külalistemaja ees ootamas. Mu päevad on täis askeldamist: majapidamine, poeg, Vincentiga seotud plaanid. See kõik on hea ja pakub tegevust, aga just head asjad panevad mind veel rohkem Theo järele igatsema.

Jalutame Janiga vaikides. Käes on kevad, lootuse ja ülestõusmise aeg pärast pikka talve. Hobukastanite oksi kaunistavad roosakad küünlakujulised õied, õhus lendleb nende kroonlehti. Naeratan neid jälgides.

„Isaac Israëls saatis mulle täna hommikul lilli ja meeldiva kirja." Jan pöördub minu poole, kergitades kulmu, et ma jätkaksin. „Ta kirjutas sellest, et mitte kõike ei ole võimalik maalida, et on olemas vaevumärgatav piir, mida on lihtne mitte märgata."

„Nagu näiteks?"

„Ta tõi näiteks päikese, aga ütles samas, et kui Vincent valis objektid või inimesed, mida on võimalik maalida, siis on tema tööd märkimisväärsed."

Jan noogutab. „Inimesed alles hakkavad aru saama sellest, mida teie Theoga juba ammu teadsite."

„Israëls isegi võrdles Vincenti Wagneriga. Ja ta tahab mu poega maalida. Ta kutsus meid oma stuudiosse."

„Olge sellega ettevaatlik," ütleb Jan ja ma rehman käega tema sõnu tõrjudes.

„Clara ütles sedasama, aga mulle meeldib Isaaci sõprus. Ta kirjutab sageli ja tundub olevat üksildane mees, kes käib alati väljas kohvikutes söömas. Ma arvan, et me oleme mõlemad hüljatud."

„See on esimene samm," ütleb Jan.

Hetkeks arvan, et ta peab silmas minu kirjavahetust Isaaciga, ja see mõte ajab mind naerma. Jan satub segadusse.

„Vincenti loomingu tutvustamisel?"

Jan vangutab pead ja vaatab edasi kõndides mõtlikult mind.

„Kuidas te end tunnete, Jo?"

„Ma olen hirmunud ja elevil. On veel nii palju teha."

Mai 1892

Verkade ja Serrurier käisid täna minu juures. Mulle meeldis kohtuda üle pika aja Prantsuse kunstnikega. Prantsuse keeles rääkimine ja Pariisi uudised panid mind igatsema kohta ja aega, mida pole minu jaoks enam olemas. Muidugi tekitas minus suurt elevust see, et nad tunnustasid Vincenti loomingut ega suutnud varjata oma siirast vaimustust.

Mul on raske uskuda, et olen viimaks hakanud oma eesmärgi saavutamisele lähenema. Ja uudised on hakanud levima. Minu mehevenna maine on jõudnud ka ookeani taha.

Nii paljud inimesed võtavad ette reisi, et seda näitust vaadata.

Nad tulevad homme näituse avamisele, reaalse Vincenti tööde näituse avamisele Haagis.

See on suur tunnustus härra van Goghi oskustele ja andele – inimesed, kes kunagi tema üle naersid ja teda naljanumbriks pidasid, on nurka peitu pugenud. Ma ei usu, et nad julgevad oma arvamust avaldama hakata.

Oh, kuidas õnn pöördub.

Täna saatsin kümme maali Amsterdami kunstikaupmeestele Buffadele, eile kakskümmend Rotterdami Oldenzeeli galeriisse, varsti tuleb näitus Pulchri galeriis ja siis siiani kõige suurem detsembris Panorama kunstisaalis. Ma pean oma plaanist kinni ja see töötab. Laenutan välja Vincenti kõige tähtsamaid töid ja pakun teisi nende kõrval müügiks.

Minu poeg loeb ühel päeval seda märkmikku ja annab hinnangu oma ema elule. Ta õpib tundma minu mõtteid, minu vigu, takistusi, mida ma pidin ületama, lüüasaamisi ja otsusekindlust.

Mida paremat ma võikski oma lapsele õpetada kui seda, et tema ema töötas visalt oma eesmärgi nimel.

SÜGIS

1892

Bussum

ÜKSIK SILINDRIGA MEES KOHVI JOOMAS

Ma ei oodanud Holsti. Ta marsib minust mööda Villa Helma eestuppa paberilehega vehkides ja silindrit peast võttes.

„Ma ei suutnud enam hetkegi kauem oodata," ütleb ta.

Holst on silmnähtavalt elevil, aga ma kehitan õlgu nagu turtsakas laps. Arvan, et tean, miks ta tuli, ja olen valmis järjekordseks vaidluseks Vincenti kirjade üle. Holst tupsutab taskurätikuga higi oma ebatavaliselt suurelt otsaesiselt. Vaatan, kuidas üks higipiisk siksakitab tema puhmaskulmus.

„Asi puudutab minu kujundust," ütleb ta ja raputab energiliselt pead, mõned higipisarad pudenevad põrandale. „Seda litograafiat," ütleb ta, vehkides uuesti paberilehega.

„Teie kujundus?" küsin, suutmata oma rõõmu varjata. See on näitusekataloogi kaane jaoks. Jan ja Holst aitavad mul korraldada Vincent van Goghi näitust detsembris Kunstzaal Panoramas. „Ma ei suuda ikka veel päriselt uskuda, et..."

Võtan paberilehe. Olen meeldivalt üllatunud, see on ilus ja asjakohane. Närtsinud päevalill mustal taustal, lille paljastatud juurte kohale on kirjutatud nimi Vincent, lille kohal hõõgub päikesenimbus.

„Mu süda lõhkeb," ütlen pisarat pühkides, „Theo oleks olnud teie tööst vaimustuses."

Vaatan Holsti, tema pilk otsib kööki.

„Kas te soovite midagi juua?" küsin ja ta noogutab pead.

„Ma olen rääkinud Janiga," ütleb Holst end ringi keerates ja salongi minnes.

Hingan sügavalt sisse ja siis pahinal välja. Just seda ma ootasingi. „Te peate silmas kirjade kasutamist?"

Näen Holsti kuklast, et ta noogutab. Ta vaatab „Päevalilli" kamina kohal.

Pärast kirjavahetuse lugemist suhtub Jan minu ettepanekusse kasutada näitusel tsitaate Vincenti kirjadest, et inimesed tema loomingut paremini mõistaksid, entusiastlikult. Jan on isegi soovitanud, milliseid katkendeid võiks teatud konkreetsete maalide puhul kasutada. Minu idee on täiesti uudne, midagi sellist pole kunstimaailmas varem tehtud ja juba praegu peetakse seda huvipakkuvaks ja võimalusterohkeks. Holst aga ei ole selles nii veendunud ja on häälekalt idee vastu sõna võtnud.

„Te ei taha ju, et teid peetaks ebaprofessionaalseks," Holst osutab maalile, „kunst suudab enda eest ise rääkida."

„Vincenti sõnad aitavad tema loomingust paremini aru saada," ütlen. Kuid Holst raputab pead: „Ma ei saa öelda, et ma sellest aru ei saa."

Ta vaatab mulle otsa, aga ma ei langeta pilku. Jan rääkis mulle, et Holst peab mind naiseks, kes „rahmeldab fanaatiliselt, ilma et ta mõistaks, mida ta teeb." Ma tahan, et ta teaks, et olen tema sõnu kuulnud ja tema arvamus ei häiri mind enam. Vincenti looming ja kirjad peavad olema näitusel koos. Isegi Jan mõistab, et minu mehevenna sõnad heidavad valgust tema maalidele, lisaks on minu ajastus suurepärane. Olen kuulanud kunstnikke, edasimüüjaid ja kriitikuid – kunstis ja kirjanduses on toimunud nihe ning nüüd võetakse arvesse ka nii sotsiaalseid kui vaimseid aspekte. Vincent oli alati oma ajast eest, võib-olla koguni ajatu. Tema maalid ja sõnad kuuluvad kokku. Tema elu ja loomingu käsitlemine lahutamatuna tundub õige, minu mehevend oli erakordne. Ma loodan, et ka Theo oleks mu lähenemise heaks kiitnud.

„Näitusele pannakse kaheksakümmend seitse maali ja kakskümmend joonistust, see on kõige suurem näitus, mis on seni korraldatud. Ja tema maalide hinnad on juba tõusuteel."

Holst pöörab end minu poole ja naeratab. Raha räägib enda eest. See mees mõõdab edukust makstud kuldnate järgi.

„Vincenti maale vaadates saavad nad lugeda, millist vaeva ta nägi, tema kurbusest, kõrva äralõikamisest."

Holst turtsatab põlastavalt.

„Kas teil on veel midagi öelda?" küsin ja Holsti põsed hakkavad punetama. „Ma tõestan suurima heameelega, et te eksite."

Holst naerab, raputab pead ja tõstab käed lüüasaamise märgiks üles. Teen grimassi.

„Olen kindel, et tõestate, Jo. Aga kõigepealt: kas teil oleks pakkuda kohvi ja küpsiseid?"

4.

PEATÜKK

Visadus

KEVAD

1914

Amsterdam

KAKSKÜMMEND KAKS

AASTAT HILJEM

1. märts 1914
Amsterdam

Mu kallis Vincent

Ma olen hoidnud Sinu eest saladuses üht asja, mis loodetavasti toob sulle palju rõõmu.

Nagu Sa tead, on pärast edukat näitust Panorama kunstisaalis Vincenti näitustel alati kasutatud lühikesi tsitaate tema kirjadest. Vincenti sõnade ja loomingu koosmõju on paljudele inimestele näidanud tema sügavust: hämmastava andega kunstnikku koos tema tähelepanuväärsete kirjadega. Kirjad on tekitanud suurt huvi ja minult on neid juurde küsitud.

Ja nüüd olen ma valmis seda tegema.

Olen veetnud palju aastaid hoolikalt tõlkides ja toimetades Vincenti kirju Sinu isale ja Sinu kalli isa kirju temale. Ja nüüd on käes aeg, et kõik saavad nendega tutvuda. See juhtub juba täna! Raamat on avaldatud hollandi ja saksa keeles. „Brieven aan zijn broeder" – „Kirjad vennale" – on ilmavalgust näinud.

Mul on aeg jagada vendi van Goghe maailmaga, et kõik oskaksid täielikult hinnata Sinu onu geniaalsust, et kõik mõistaksid tema loomingut ja suurepärast mõistust.

Nüüd saavad kõik lugeda kirju, mida Vincent ja Theo terve elu jooksul vahetasid. Nad saavad näha sügavat ja kestvat sõprust, mis kujundas minu ja Sinu elu ja juhtis vendade oma: lugeda lugusid sõpradest, edust, pettumustest, ambitsioonidest ja tõendeid nende vankumatust armastusest, mis elas üle kõik raskused.

Lisan kirjale, mu armas laps, esimese eksemplari.

Sind armastav
mamma

VAIKELU PIRNIDEGA

Seisatame suure valge maja ees tammepuiestee lõpus. Imeilusad punased roosid ronivad läbi aiavarbade, õied pööratud päikese poole.

Roosidele lisaks on aias pirnipuud ja rohkem jasmiinipõõsaid, kui ma eales olen näinud: nende lõhn on uimastav.

„Tundub, otsekui oleks jasmiinid pruudikimpudeks pirnipuudele, kes omavahel abielluvad."

Olen kõndinud viisteist minutit vaikides oma kalli poja käevangus.

Ma näen teda viimasel ajal liiga harva. Vincent on lõpetamas masinaehituse õpinguid Delfti ülikoolis ja tuli mulle üheks päevaks külla. Täna õhtul osalen Hollandi Sotsiaaldemokraatliku Töölispartei koosolekul, kus esitan oma ettepaneku luua organisatsioon, mis on pühendunud tööle ja naiste õigustele.

„Ma kavatsen teha Josinale abieluettepaneku," ütleb poeg.

Ma ei suuda peita näole kerkinud üllatust: „See on imeline uudis." Panen käed oma poja ümber ja kallistan teda.

„Mamma," ütleb Vincent naerdes, „ma ei saa hingata." Lasen ta lahti ja me kõnnime edasi. „Ma loodan, et ta tuleb minuga kaasa, kui ma New Yorki kolin."

„Minu poeg on insener. Me kumbki sinu isaga ei osanud seda arvata, kui sa alles tilluke olid."

„Ma kahtlen, kas ma hakkan kunagi kunsti mõistma. Ma austan seda, ma austan sind, aga terve päev maale vahtida..."

Naeratan. Mõnel päeval muretsen, et ta enda arvates valmistas mulle pettumuse, kui otsustas *perekonnaäriga* mitte tegelda, teistel päevadel kardan, et see oli tal teadlik otsus.

„Kunst lihtsalt ei suuda mind paeluda." Kehitan õlgu, tõmban ta käsivarre endale lähemale ja nõjatun tema vastu.

„Kas sa oled õnnelik?" küsin. Vincent naerab ja noogutab.

„Sa küsid mult seda pidevalt, mamma. Jah, ma olen ikka veel õnnelik. Ma panen kogu oma südame ja hinge kõigesse, mida ma teen, ega ole selle käigus veel mõistust kaotanud." Jalutame vaikides edasi, aga siis ütleb ta ootamatult: „See toimub homme, eks ole?"

Muidugi ma teadsin, mis oli tema üllatusvisiidi tegelik eesmärk. Ta tuli kontrollima, kas minuga on kõik korras ja mind ei ole tabanud hullumeelsus, mis tedagi hirmutab.

„Sinu isa surnukeha kaevatakse homme üles ja viiakse Auversi." Me ei vaata teineteisele otsa. Kumbki meist ei taha sellele täpsemalt mõelda.

„Sellest on kulunud kakskümmend kolm aastat. Kas sa oled kindel, et tahad seda?" küsib Vincent.

Jään seisma ja vaatan pojale silma. Noogutan. Ma ei ütle midagi, lihtsalt noogutan. Ja Vincent vangutab vastuseks pead.

Minu poeg teab, et nende kahekümne kolme aasta jooksul pole kulunud päevagi, kui ma poleks mõelnud tema isale ja onule. Pikad aastad, mis on kulunud vendade kirju lugedes, toimetades ja tõlkides. Tunnid tundide järel, mis on möödunud vaikuses, kuulates vendade van Goghide kõige sügavamaid mõtteid, kuulujutte ja nende tõde. Kirjad on heitnud valgust minu abikaasa sellele küljele, mis eksisteeris väljaspool minu käeulatust, teadmisi ja aega. See, mida vennad teineteise vastu tundsid, kuidas nad teineteist mõistsid, on midagi, mida ma nende eluajal ei osanud täiel määral hinnata; kahetsen kõige rohkem, et ma seda ei suutnud.

Ma ei eita, et Vincent, keda ma tundsin, oli haigustest laastatud, varastas minu õnnehetked ja teda oli raske taluda. Aga kirjades paljastub selline Vincent, kellega mul tema surmani ei õnnestunud kohtuda. Kirjad selgitavad, miks minu abikaasa jumaldas Vincenti, mina aga jään alatiseks jumaldama oma abikaasat. Ma ei suudaks kunagi kokku lugeda, kui palju kordi olen nende mõttevahetust lugedes pisaraid valanud; ma olen viimased kakskümmend kolm aastat elanud kirjade kaudu ja vennad van Goghid on olnud mu kõrval.

„Nende suhe oli midagi sellist, mida ma pole kunagi kohanud. Mis võiks olla veel suurem austusavaldus, mida saaksin neile osutada? Vennad van Goghid on toonud mu ellu nii palju rõõmu."

„Ja kui sina sured…" alustab poeg, aga ta ei vaata mulle silma, „ma ei taha sellest isegi rääkida."

„Ma ei kavatse veel pikki aastaid kuhugi kaduda," ütlen tema käsivart pigistades, „aga kui see juhtub, siis soovin puhata Johani kõrval."

Vincent seisatab järsult. Minu vastus üllatab teda. „Vaatamata sellele, et ta ei toonud sinu ellu sellist rõõmu nagu isa?"

„Ta oli hea mees." Ma olin oma teise mehega abielus üksteist aastat. Johan oli ebakindel ja üksildane mees, kelle elu varjutas minu armastus vendade van Goghide vastu. Võib-olla oli tema suurimaks tugevuseks võime aktsepteerida Theo juuresolekut meie abielus. Theo vaim elas koos meiega. „Ma lähen puhkama Johani kõrvale, et väljendada oma tänulikkust tema lojaalsuse eest."

Poeg noogutab. Tema sinised silmad, jume, kogu tema hämmastav sarnasus oma isaga rabab mind sageli ootamatult. Theo jääb igavesti kolmekümne kolme aastaseks, minu poeg kihutab praegu selle vanuse poole.

„Homme viiakse minu armastatud Theo oma venna Vincenti kõrvale. Nad on uuesti koos ja puhkavad teineteise kõrval. Dr Gachet' aiast pärit luuderohi katab mõlema hauda."

Vincent paneb käe ümber mu õlgade ja kallistab mind.

„Minu elu algas sellel hetkel, kui kohtusin sinu isaga," ütlen ja Vincent naerab. Ta on seda liigagi sageli kuulnud. „Enne seda puudus mu elu tõde, mu silmad olid pooleldi suletud. Theo õpetas mind silmi avama, ta õpetas, kuidas tõde näha, kuidas seda otsida ja kuidas sellega elada."

„Ära muretse, mamma, sa oled kõik selle minule edasi andnud," ütleb poeg ja annab mu otsaesisele kerge musi, „ja veel palju-palju muud."

„George Elioti romaan „Veski Flossi jõel" räägib, mida ma tahan Vincentile ja Theole. *Ka surm ei lahutanud neid.*"

„Homsest on nad koos," ütleb Vincent ja ma noogutan.

„Kuule," ütlen pojale nõjatudes, „kas ma rääkisin sulle, et Helene Kröller-Müller ostis veel viis sinu onu maali?"

Vincent vangutab pead: „Veel viis? Tal on neid juba peaaegu sama palju nagu sinul."

Naeran. Mulle meeldib, et Vincenti geeniust märkab teine naine, terava pilguga kunstikoguja.

„Ta on ostnud üheksakümmend van Goghi maali ja kaheksakümmend viis joonistust ja ma pole temaga ikka veel kohtunud. Tundub, et teda huvitavad sotsiaalsed teemad ja ta kavatseb avada oma kogu publikule vaatamiseks."

TALV

1924

Amsterdam

VEEL KÜMME

AASTAT HILJEM

24. jaanuar 1924
Brachthuizerstraat 2,
Hoek Koninginneweg
Amsterdam

Härra Charles Aitken
Briti kunstigalerii direktor
Millbank, London

Lugupeetud härra Aiken

Ma olen kaks päeva püüdnud Teie palve suhtes oma südant kõvaks teha. Mulle tundus, et ma ei suuda loobuda maalist, mis oli Theo lemmik ja mida ma olen vaadanud iga päev rohkem kui kolmekümne aasta jooksul. Aga lõpuks sain aru, et Teie palvele on võimatu mitte vastu tulla.

Ma tean, et mitte ükski teine maal ei esindaks Vincenti Teie kuulsas galeriis väärikamalt kui „Päevalilled" ja et tema ise, suur päevalillede maalija, oleks tahtnud, et see seal oleks.

Nii et ma olen valmis võtma tagasi „Postimehe" ja andma „Päevalilled" kokkulepitud hinnaga.

Toon selle ohvri Vincenti kuulsuse nimel.

Ma tunnen, et olen lõpuks oma võitluse võitnud.

Lugupidamisega
J. van Gogh-Bonger

SÜGIS

1925

Laren

ÜKS AASTA HILJEM

SURNUD

VAN GOGH-BONGER,
JOHANNA, 62-AASTANE
LARENI ELANIK
VINCENT WILLEMI EMA
LAHKUS SIIT ILMAST
2. SEPTEMBRIL 1925.

THEO VAN GOGHI
(1857-1891)
JA JOHAN COHEN GOSSCHALKI
(1873-1912)
LESK. MAETAKSE ZORGVLIEDI KALMISTULE

KEVAD

1990

New york

VEEL KUUSKÜMMEND VIIS

AASTAT HILJEM

ABIELUNAISE PORTREE

• Jah, jah, ma teen otseülekannet Christie'se oksjonimajast Rockefelleri keskuses New Yorgis. Vincent van Goghi „Dr Gachet' portree" müüdi äsja 82,5 miljoni dollari eest!

• See maaliti sada aastat tagasi Vincenti elu viimastel nädalatel Auvers-sur-Oise'is ja kujutab väidetavalt arsti, kes hoolitses kunstniku eest tema surivoodil. Ja täna, just praegu, on selle maali hind ületanud kõik ennustused.

• Van Gogh, Hollandi postimpressionist, kuulub tänapäeval Lääne kunstiajaloo kõige kuulsamate ja mõjukamate kunstnike hulka. Van Goghi „Dr Gachet' portree", mis müüdi vaid kolme minutiga 82,5 miljoni dollari eest, on seega üks kõige kallimaid kunagi müüdud maale.

• See on siiski imeväärne, kas pole? Paljud ei mõtle enam kunagi sellele, et kunstnik, kelle nime võiks pidada kunsti sünonüümiks, müüs oma eluajal vaid üks-kaks maali ja vahetas eluspüsimiseks oma töid toidu ja alkoholi vastu. Kas see ei peaks meid mõtlema panema?

• Muidugi hindasid teised van Goghi suhtlusringkonna kunstnikud tema maale, kuid laiema avalikkuse teadvusesse jõudis kunstniku nimi alles aastaid pärast tema surma.

• See oli Vincent van Goghi vennanaine Johanna van Gogh-Bonger, kes võttis enda peale ülesande tutvustada van Goghi loomingut maailmale, ja on täielikult tema teene, et Vincent van Goghi nime teab igaüks terves maailmas.

• Aga mida me teame tegelikult proua van Goghist? On uskumatu, et ta osales vendade van Goghide elus vaevalt kaks ja pool aastat: juunist 1888 kuni oma abikaasa surmani jaanuaris 1891. Selle lühikese aja jooksul jõudis ta kohtuda ja kihluda Theoga, elada üle Vincenti vaimse kokkuvarisemise, abielluda, jääda lapseootele, sünnitada lapse, elada üle Vincenti surma, Theo vaimse kokkuvarisemise ja siis ka tema surma. Endine kooliõpetaja, kes sattus kaheks ja pooleks aastaks keset hullumeelsust, armastust ja leina.

• Pärast kõike seda oleks mõni teine kahekümne kaheksa aasta vanune naine keeranud van Goghi nimele lihtsalt selja. Aga proua van Gogh-Bonger püsis visalt. Ta tutvustas van Goghi nime kogu maailmale, müües vähemalt 195 maali ja 55 joonistust, sealhulgas „Päevalilled" Briti kunstigaleriile 1924. aastal, vaid pisut enne oma surma.

• Mõelda vaid, et kui Johanna tuli esimest korda Pariisi, siis kirjutas ta oma vihikusse, kui kohutav oleks, kui ta peaks olema sunnitud oma elu lõpul tunnistama, et ei ole saavutanud midagi suurt või tähelepanuväärset! Täna tunnustatakse julget, sihikindlat ja nutikat Johanna van Gogh-Bongerit, kes saatuse tahtel sattus mängima võtmerolli Vincent van Goghi pärandi hoidmisel ja seeläbi kunstiajaloos kui üht suurimat kunstikaupmeest, kes on kunagi elanud..."

AUTORILT

See romaan on fantaasia vili, mille idee võrsus reisist Amsterdami 2016. aastal. Amsterdam on kahtlemata kuulus väga paljude asjade poolest, alates 17. sajandi kanaliäärsetest majadest kuni tulpideni, Rembrandtist ja puukingadest kuni Vincent van Goghini, ja just van Goghi muuseum oli see, mida külastasin oma kolmepäevase reisi viimase kohana. Ma olin juba varem van Goghi loomingu fänn, aga muuseumikülastus pakkus palju enamat, kui tema maalide vaatamise tavapärane rõõm. Märkasin ühe saali seinal fotot ja väikest silti, mis märkis, et fotol on kunstniku vennanaine Johanna van Gogh-Bonger.

See, et Vincent van Gogh suri 1890. aastal rahatuna ja ilma et tema loomingut oleks tunnustatud, on üldiselt teada. Nagu seegi, et vaid üksteist aastat hiljem korraldati Pariisis van Goghi tööde suur retrospektiivnäitus ja sellega oli tema mainele suure kunstnikuna alus pandud. Nagu paljud teisedki, polnud ma endalt kunagi küsinud, kuidas see muutus teoks sai. Pidasin seda lihtsalt tema kunstikaupmehest venna või kunstnikest sõprade teeneks.

Asja uurima hakates avastasin, et Vincenti vend Theo suri vaid kuus kuud pärast kunstnikku ja Vincenti hiiglaslik maalide, visandite, kirjade ja illustratsioonide kogu jäi Theo naise, tollal vaid kahekümne kaheksa aastase Johanna van Gogh-Bongeri hoole alla. Ma olin šokeeritud ja hämmingus, et hoolimata Johanna võtmerollist Vincenti postuumse kuulsuse saavutamisel, on tema enda lugu kahe silma vahele jäänud. Tahtsin mõista, miks Johanna pühendas oma elu abikaasa venna mainele, ja nii algas minu kolm aastat kestnud pingutus siduda Vincenti narratiiv Johanna looga.

Ma tuginesin Johanna emotsioonidele ja häälele, mille leidsin tema päevikutest ja kirjadest, aga arhiivis ette tulnud suured lüngad tähendasid lünki ka loo süžees. Kuna ma pole ei ajaloolane ega biograaf, pakkus mulle suurt rõõmu kasutada oma kujutlusvõimet ja lihtsalt rekonstrueerida Johanna lühike abielu ja lugu sellest, kuidas noor lesk muutis kunstiajalugu. Loomevabadusele tuginedes leidsin, et loo seisukohalt on hea mõte panna Johanna raamatu alguses Pariisi kolima. Võiksin väita, et tänu sellele ainsale kõrvalepõikele ajaloolistest faktidest sain süžee kiiremini lahti kerida – koos võimalusega kirjeldada Pariisi ühiskonda, naiste olukorda ja Vincenti –, aga tõde on see, et Johanna 1888. aasta suvel Pariisis ei elanud.

1888. aasta kevadel kirjutatud kirjades (van Gogh, T., jt, 2005) räägitakse Johanna perekonna soovist saata ta Pariisi, kuid Andries oli äsja abiellunud (3. mail 1888) ja lisaks oli perekond mures Johanna tervise pärast ja vajaduse pärast toibuda õnnetust armastusest. Johanna vabastati töölt „auväärselt tervislikel põhjustel" mais 1888 suhte pärast Johann Eduard Stumpffiga (van Gogh jt, 2005). Oma päevikutes rääkis ta tahtejõu ja enesekontrolli puudumisest ning sellest, kuidas mehe huvipuudus ja ükskõiksus tema vastu olid tema pimedat armumist ainult suurendanud. Suhe sai ametlikult läbi 11. oktoobriks 1888 (Diaries Jo Bonger, 2019) ja sel ajal kirjutas Johanna kahetsusest ja sellest, kuidas ta oli Theo näol (kes tegi pärast ühte kohtumist talle abieluettepaneku) oma õnne ära põlanud. Johanna kirjutas 15. oktoobril 1888 tõepoolest, kuidas ta soovis, et Andries leiaks talle töökoha Pariisis (Diaries Jo Bonger 2019); ka paljudes teistes päeviku sissekannetes kirjutab ta kiindumusega oma lemmikvennast. Võib-olla siis pakub romaan loomingulist vastust küsimusele, mis oleks juhtunud, kui Johanna Bonger oleks 1888. aasta suvel Pariisi saabunud?

Väljamõeldis on ka see, et kuigi Johanna oli suure lugemusega – Victor Hugo, Hollandi poeet Nicolaas Beets, Alphonse Marie Louis Prat de Lamartine ja Françoise-Alix de Lamartine-Des Roys – ja oli huvitatud ka kunstist, ei olnud ta ise kunstnik (Diaries Jo Bonger, 2019). Ma omistasin talle soovi õppida tundma kunstitehnikaid ja kunstimaailma, et tema (ja lugeja) saaks tutvuda valdkonnaga, milles ta tegutsema hakkas. Lisaks polnud olemas Sara Voorti, ehkki tema kujus on väike annus tõtt. Theol oli olnud suhe naisega, kellele kirjades viidatakse tähega „S", ja ta oli tahtnud suhet katkestada, ent pidas äkilist lõpetamist liiga ohtlikuks, sest see võinuks ajada naise hulluks või viia enesetapuni (van Gogh, jt, 2005, lk. 16). Kirjad näitavad, et Theo kasutas tõesti Vincenti, et vend naiste tähelepanu temalt kõrvale tõmbaks, ja Vincent oli valmis enda peale võtma teise mehe rolli (van Gogh, jt, 2005, lk. 16). Samuti polnud Clarat, aga tema kaasamine andis samuti nagu Saragi võimaluse näidata naiste sõprust ja ühiskonna suhtumist hüsteerilistesse naistesse. Polnud olemas ka dr Jannsenit ja pole teada, et Johannat oleks oodanud korraldatud abielu. Ma ei tea kuigi palju Johanna ja tema ema suhete kohta. Johanna kirjades ja päevikutes mainitakse korduvalt Bongeri ja van Goghi perekonna arvukaid õdesid-vendi, kuid ma jätsin need välja, et süžeed kontrolli all hoida (tegelaste arv oleks liiga suureks ja romaan liiga pikaks läinud).

6. novembril 1888 kirjutas Johanna, et ta sõidab järgmisel neljapäeval Pariisi, ta kurameeris sel perioodil juba Theoga (Diaries Jo Bonger, 2019). See oli tema viimane sissekanne päevikusse enne 15. novembrit 1891, kui ta hakkas lesena uuesti päevikut pidama.

Romaanis on seega välja mõeldud kogu Johanna elu Pariisis oma venna Andriese juures, aga alates 1888. aasta novembrist on suur osa loost inspireeritud reaalsetest sündmustest ning leidnud tõestust Bongerite ja van Goghide vahelisest kirjavahetusest.

Ma oleksin võinud muidugi palju põhjalikumalt kirjutada Johanna elust pärast Theo surma. Aga nagu ma juba mainisin, pole ma ei biograaf ega ajaloolane ja see romaan on loominguline kirjeldus naisest, kellest sai Vincent van Goghi pärandi hooldaja.

Johanna van Gogh-Bonger suri 2. septembril 1925 ja on maetud Amsterdami Zorgviledi kalmistule, Amsteldjk 273. Ta ei ole maetud armastatud vendade van Goghide kõrvale Auvers-sur-Oises, vaid puhkab oma teise abikaasa, Johan Cohen Gosschalki kõrval, kellega ta oli abielus üksteist aastat.

Dr Caroline Cauchi

KASULIKKE ALLIKAID, KUST LEIAB LISATEAVET JOHANNA KOHTA:

Diaries Jo Bonger, 2019. Bonger Diaries. Veebis: https://www.bongerdiaries.org

Van Gogh Museum https://www.vangoghmuseum.nl/en

Van Gogh Museum, 2019. Research Project: Biography of Jo van Gogh-Bonger. https://www.vangoghmuseum.nl/en/knowledge-and-research/research-projects/research-project-biography-of-jo-van-gogh-bonger

Van Gogh, T., Jansen, L., J, R. & Bonger, J., 2005. „Brief Happiness". Amsterdam: B.V. Waanders Uitgeverji.

Van Gogh, V., n.d. Van Gogh's Letters: Memoir of Johanna Gesina van Gogh-Bonger. http://www.webexhibits.org/vangogh/memoir/nephew/1.html

Vincent van Gogh „The Letters", n.d. *Vincent van Gogh: the Letters.* Veebis: http://vangoghletters.org

TÄNUAVALDUSED

Ma loodan, et mul on õnnestunud heita valgust Johanna van Gogh-Bongeri elule, tõsta ta pjedestaalile Vincenti kõrvale, lisades ta kunstniku narratiivi ja andes talle tagasi tema olulise rolli kunstiajaloos. Vincent van Goghi geniaalsus ei ole ammu enam mingi kahtluse all. Tänan, Johanna, on olnud privileeg ja suur au veeta kolm aastat sinu lugu uurides ja jutustades.

Tänan kõiki kirjastuse One More Chapter suurepärase meeskonna liikmeid. Kõige suurem tänu Charlotte Ledgerile, minu unistuste toimetajale kaasaelamise, visiooni ja usu eest minu kirjutatusse. Pole olemas piisavalt sõnu, millega oma tänulikkust väljendada; tänan sind, et mõistsid, mis sellest saada võib, ja aitasid seda teostada. Tänan ka Lydia Masonit, kelle toimetamise võlutrikid võrdusid tema kirega selle raamatu vastu. Charlotte ja Lydia on olnud nii Johanna kui ka minu kirjutamise suurimad kannustajad ja toetajad. Naised, kes toetavad naisi, on suurepärane asi. Suur ja soe tänu ka HarperCollinsi kirjastuse säravale välisõiguste meeskonnale – Samuel Birkettile, Aisling Smythile, Agnes Rigoule, Zoe Shine'ile ja Rachel McCarronile. See, et Johanna jõuab rahvusvahelise lugeja ette, tekitab minus elevust ja rõõmu (ja toob palju uusi Smurfisid minu riiulile). Olen väga tänulik Liverpooli LJMU ülikoolile kolmeaastase rahalise doktorandistipendiumi eest selle romaaniga seotud uurimistöö tegemiseks. Olen tänu võlgu professor Catherine Cole'ile. Tema juhendamine, suuremeelsus ja usk minu akadeemilistesse võimetesse on ületanud ameti piirid. Ma ei oleks saanud lõpetada uurimistööd ega romaani ilma tema järjekindla juhendamise, püsiva julgustuse ja sõpruseta. Nii paljud teised LJMU-st on mind selle romaani kirjutamise (ja doktorantuuri lõpetamise) ajal toetanud, kuid ma pean end väga õnnelikuks, et minu järelevalvekomisjonis olid Catherine Cole, Robert Graham ja Emma Roberts. Mind on kolm (pikka!) aastat juhendanud entusiastlikud, toetavad ja andekad akadeemikud. Tänan ka Sarah Maclennanit LJMU-st, kes julgustas mind kogu minu teekonnal alates õppima kandideerimisest läbi pandeemia kuni uurimistöö lõpetamiseni.

Aitäh ajalooromaanide autoritele Doug Jacksonile, Sara Sheridanile, Kate Lord Brownile, Rowan Colemanile, Jill Dawsonile, Elizabeth Chadwickile ja Catherine Johnsonile mulle heldelt jagatud aja, asjatundlikkuse ja hinnangute eest. Ja tänud Sulle, Jackie Jardine, palju enama eest, kui ma olen valmis siin välja ütlema. Tänan ka oma suurepäraseid sõpru – Kat Nokes, Philip Shell, Bernie Pardue, Alex Brown, Dave Roberts (igatsen Su järele), Clare Christian, Elsa Williams, Keith Rice, Wendi Surtees-Smith, Rachael Lucas, Keris Stainton, Paula Groves,

Richard Wells, Margaret Coombs ja Johnny Vegas – nõuannete, tagantutsitamise ja minusse uskumise eest. Ma armastan teid kõiki.

See raamat räägib ühest tähelepanuväärsest naisest ja on pühendatud teisele – dr Jacqueline Azzopardile. Maailmas pole piisavalt sõnu, et selgitada, kui suurt puudust ma temast tunnen, kuid samavõrra tunnen, kui õnnistatud ma olen, et nii erakordne naine on minu elu mõjutanud. Jacqueline soovis palju aastaid tagasi, et ma jätkaksin õpinguid, ja mul on kahju, et ma ei lõpetanud doktoriõpet tema liiga lühikese eluea jooksul. Ma tean, et ta oleks olnud esimene, kes oleks hüüdnud: „*Prosit, kugina*!"* Ma soovin kõigi soovidega, mis on mulle veel jäänud, et võiksin tähistada seda raamatut koos temaga, maiustades Malta juustupiruka ja paari õllega.

Ja lõpuks, tänu ja palju armastust Garyle, Jacobile, Benile, Poppyle, Ramonile ja Laurenile. Tänan teid, et julgustasite mind jätkama läbi kahtluste ja hirmusähvatuste, tänan teid, et laulsite minuga karaoket, tänan teid pideva ja tingimusteta armastuse eest. Ma olen väga õnnelik, et olete minu perekond.

* Proosit, nõbu! – malta k

MÄRKUSED

Epigraaf

1. Diary 1, https://bongerdiaries.org/dagboek_jo_1_section_0